Michael Connelly, lauréat de l'Edgar Award du roman policier pour *Les Égouts de Los Angeles* et de nombreux autres prix (Nero Wolfe, Macavity, Anthony…), est notamment l'auteur de *La Glace noire*, *La Blonde en béton*, *Le Poète*, *Le Cadavre dans la Rolls*, *Créance de sang*, *L'Envol des anges*, *Chroniques du crime*, *À genoux* et *Le Verdict du plomb*. Il s'est vu décerner le prix Pulitzer pour ses reportages sur les émeutes de Los Angeles en 1992. Michael Connelly vit actuellement en Floride.

Michael Connelly

LA GLACE NOIRE

ROMAN

Traduit de l'américain
par Jean Esch

Éditions du Seuil

TEXTE INTÉGRAL

TITRE ORIGINAL
The Black Ice
ÉDITEUR ORIGINAL
Little Brown and Company

ISBN original 0-316-15382-6

ISBN 978-2-02-029678-6
(ISBN 2-02-020706-0, 1re publication)

1

La fumée montait de Cahuenga Pass et s'aplatissait sous une couche d'air froid en mouvement. Vue de l'endroit où se trouvait Harry Bosch, elle ressemblait à une enclume grise s'élevant du fond du canyon. Un soleil de fin de journée teintait de reflets roses la grisaille de son point culminant et s'enfonçait dans le noir vers sa base ; un feu de broussailles remontait la colline sur le côté gauche de la fissure. Bosch régla son scanner sur la fréquence des services d'intervention du comté de Los Angeles et entendit les capitaines des détachements de pompiers informer le poste de commandement que neuf maisons avaient déjà été détruites dans une rue, celles de la rue voisine se trouvant maintenant sur le chemin des flammes. Le feu progressait vers les collines dégagées de Griffith Park et risquait de faire rage pendant des heures entières avant d'être enfin maîtrisé. Harry perçut du découragement dans les voix des pompiers que lui transmettait le scanner.

Il regarda l'escadrille des hélicoptères ; semblables à des libellules à cette distance, ils zigzaguaient entre les nuages de fumée avant de larguer des tonnes d'eau et de retardateur de couleur rose sur les maisons et les arbres en feu. Cela lui rappela les offensives aériennes au Vietnam. Le bruit. La danse hésitante des appareils surchargés. Des masses d'eau traversaient des toits en feu, de la vapeur s'élevant aussitôt dans le ciel.

Il détourna la tête pour scruter les buissons secs qui tapissaient la colline et entouraient les pylônes soutenant sa maison accrochée à flanc de coteau, sur la rive ouest du canyon. Il aperçut les pâquerettes et les fleurs des champs qui ornaient le chaparal en contrebas, mais ne vit pas trace du coyote qui, depuis quelques semaines, chassait dans l'arroyo. Plusieurs fois, il avait jeté des morceaux de poulet au pilleur de poubelles, mais celui-ci n'acceptait jamais de nourriture quand il se sentait épié. C'était seulement lorsque Bosch quittait la véranda pour rentrer dans la maison que l'animal s'avançait à pas feutrés afin de s'emparer des offrandes. Harry l'avait baptisé Timido. Parfois, en pleine nuit, il entendait ses hurlements résonner au fond du canyon.

Il reporta son attention sur le feu juste au moment où se produisait une violente explosion, une boule de fumée noire concentrée grimpant en spirale à l'intérieur de l'enclume grise. Des éclats de voix se firent entendre dans le scanner, puis un chef de brigade de pompiers annonça que la bouteille de propane d'un barbecue avait pris feu.

Harry regarda la fumée plus sombre se fondre à l'intérieur du vaste nuage gris, puis repassa sur la fréquence réservée au LAPD [1]. Ce soir-là, il était de garde. Il écouta pendant trente secondes : uniquement des appels de routine en provenance des voitures de patrouille. Une nuit de Noël bien paisible à Hollywood, apparemment.

Il jeta un regard à sa montre et rentra dans la maison en emportant le scanner. Il sortit le plat du four et fit glisser son repas de Noël, du blanc de dinde rôtie, dans une assiette. Il ôta ensuite le couvercle d'un bol rempli de riz et de petits pois à la vapeur et en versa une large portion sur sa dinde. Puis il alla déposer son repas sur la table de la salle à manger où l'attendait un verre de vin rouge, à côté des trois cartes postales qui étaient arrivées dans la semaine, mais qu'il n'avait pas encore décachetées. Le lecteur de disques compacts diffusait un version de *Song of the Underground Railroad* par Coltrane.

En dînant, il ouvrit ses cartes et les parcourut rapidement en songeant à leurs expéditeurs. C'était le rituel d'un homme seul, il le savait, mais il s'en fichait. Des Noël de ce genre, il en avait passé beaucoup.

La première carte provenait d'un ancien collègue qui avait pris sa retraite à Ensenada grâce à l'argent que lui avaient rapporté un livre et le cinéma. Elle ressemblait à

1. Los Angeles Police Department.

toutes les cartes d'Anderson : *Quand est-ce que tu descends me voir, Harry ?* La seconde venait également du Mexique et lui avait été envoyée par le guide avec lequel il avait passé six semaines à pêcher et à apprendre l'espagnol l'été précédent à Bahia San Felipe. A l'époque, il se remettait d'une blessure par balle à l'épaule. Le soleil et l'air marin l'avaient aidé à se rétablir. Dans sa carte de vœux, rédigée en espagnol, Jorge Barrera l'invitait, lui aussi, à revenir le voir.

La dernière carte, il l'ouvrit lentement, avec soin, sachant de qui elle émanait avant même de voir la signature : elle portait le cachet de la poste de Tehachapi. Une Nativité était reproduite à la main sur une feuille de papier blanc cassé provenant de l'usine de recyclage de la prison, et la peinture avait légèrement bavé. Cette missive lui avait été envoyée par une femme avec laquelle il avait couché une seule fois, mais à laquelle il avait pensé bien plus de nuits qu'il ne pouvait s'en souvenir. Elle aussi voulait qu'il vienne la voir. Mais l'un et l'autre savaient qu'il ne le ferait jamais.

Il but une gorgée de vin et alluma une cigarette. Coltrane lui offrait maintenant une version de *Spiritual* enregistrée en public au Village Vanguard de New York à l'époque où Harry n'était encore qu'un enfant. Soudain, le scanner, qui continuait à émettre en sourdine sur une table à côté de la télévision, attira son attention. Cela faisait si longtemps que la radio de la police servait de fond sonore à son existence qu'il pouvait en ignorer les bavardages, se concentrer sur le son d'un saxo, et repérer malgré tout les mots et les codes inhabituels. En l'occurrence, il entendit une voix qui disait :

« 1-K-12, Staff 2 réclame position... »

Il se leva et s'approcha du scanner comme si le seul fait de regarder l'appareil pouvait l'aider à éclaircir ce message. Il attendit la réponse pendant dix secondes... puis vingt.

« Staff 2, position demandée : le motel Hideaway, au sud de Western et Franklin. Chambre 7. Hé ! Staff 2 devrait apporter un masque à gaz... »

Il attendit la suite, mais en vain. L'emplacement en question, l'intersection de Western et de Franklin, se trouvait sur le territoire de la brigade de Hollywood. Le code

1-K-12 désignait un inspecteur de la Criminelle du quartier général de Parker Center, la RHD, la brigade des vols et homicides, et Staff 2 un chef de la police adjoint. Il n'y avait que trois chefs adjoints dans le département, et Bosch ignorait lequel était Staff 2. Mais cela n'avait pas d'importance. La question était claire : qu'est-ce qui pouvait bien faire sortir de chez lui un des plus hauts gradés du département un soir de Noël ?

Une seconde question le tracassa bientôt. Si la RHD était déjà sur le coup, pourquoi est-ce que lui, qui était de garde à la brigade de Hollywood, n'avait pas été prévenu le premier ? Il gagna la cuisine, balança son assiette dans l'évier, appela le poste de police de Wilcox et demanda à parler à l'officier de garde. Un certain lieutenant Kleinman décrocha. Bosch ne le connaissait pas. C'était un nouveau qui venait de la brigade de Foothill.

– Que se passe-t-il ? lui lança Bosch. Je viens d'apprendre qu'on a découvert un cadavre au coin de Western et Franklin et personne ne m'en a averti. C'est bizarre, étant donné que c'est moi qui suis de garde cette nuit !

– Vous en faites pas, lui répondit Kleinman. Les « chapeaux » ont pris l'affaire en main.

Kleinman appartenait certainement à la vieille école, pensa Bosch. Il n'avait pas entendu cette expression de « chapeaux » depuis une éternité. Dans les années 40, les membres de la RHD portaient des chapeaux ronds en paille. Dans les années 50, c'étaient des feutres gris. Par la suite, les chapeaux étaient passés de mode (aujourd'hui, les policiers en tenue surnommaient les inspecteurs de la RHD les « costards » et non plus les « chapeaux »), mais pas les flics de la section spéciale de la Criminelle. Eux continuaient à se prendre pour l'élite, le nombril du monde. Bosch avait toujours détesté leur arrogance, même quand il faisait partie des élus. C'était un des avantages qu'il y avait à travailler à Hollywood, le dépotoir de la ville. Ici, personne ne se donnait de grands airs. C'était seulement du travail de police qu'on faisait.

– C'est quoi, cet appel ? demanda-t-il.

Kleinman hésita quelques secondes avant de répondre :

– On a trouvé un macchabée dans une chambre de

motel de Franklin Street. Ça ressemble à un suicide. Mais la RHD va s'en occuper, enfin, je veux dire... ils s'en sont déjà occupés. C'est plus nos oignons. Ça vient d'en haut, Bosch.

Bosch ne dit rien. Il réfléchissait. La brigade des vols et homicides qui se mettait en branle pour un suicide un soir de Noël ? Ça ne voulait rien... Et soudain il comprit.

Calexico Moore.

– Ça remonte à quand ? reprit-il. Je les ai entendus dire à Staff 2 d'apporter un masque à gaz.

– C'est pas récent. De la vraie purée, à ce qu'il paraît. Le problème, c'est qu'il ne reste plus grand-chose de la tête. Apparemment, le type a tiré les deux cartouches de son fusil à pompe. C'est du moins ce que j'ai compris en écoutant la fréquence de la RHD...

Son scanner ne la captant pas, Bosch n'avait pas entendu les précédents appels radio. Les « costards » avaient sans doute changé de fréquence uniquement pour indiquer l'adresse au chauffeur de Staff 2. Sans cela, Bosch n'aurait appris la nouvelle que le lendemain matin en arrivant au poste. Cela le foutait en rogne, mais il parvint à conserver son calme. Il voulait soutirer le maximum de renseignements au dénommé Kleinman.

– C'est Moore, hein ?

– Ouais, on dirait bien. Y a son insigne sur le bureau dans la chambre. Avec son portefeuille. Mais, comme je disais, personne ne pourra identifier le corps en le voyant. Alors, rien n'est sûr.

– Comment l'a-t-on découvert ?

– Ecoutez, Bosch, j'ai beaucoup de boulot, vous savez ? Cette histoire ne nous concerne pas. La RHD s'en occupe.

– Erreur. Ça me concerne, moi. Vous auriez dû m'avertir immédiatement. Et donc, je veux savoir comment on a découvert le corps pour comprendre pourquoi je n'ai pas été prévenu.

– D'accord, Bosch, je vais vous dire comment ça s'est passé. On a reçu un coup de fil du proprio du motel nous disant qu'il y avait un macchabée dans la salle de bains de la piaule numéro 7. On a envoyé une voiture et les gars nous ont rappelés pour nous dire que ça y était, ils avaient trouvé le cadavre. Mais ils ont rappelé par téléphone, pas par radio, parce qu'ils avaient vu l'insigne et le portefeuille sur le bureau, et ils savaient que c'était Moore. Ou pensaient que c'était lui. On verra bien. Bref, j'ai appelé le capitaine Grupa chez lui, et lui a appelé le chef adjoint. On a fait appel aux « chapeaux » et pas à vous. Voilà ce qui s'est passé. Alors, si vous voulez vous en prendre à quelqu'un, adressez-vous à Grupa ou au chef adjoint, pas à moi. Je n'y suis pour rien…

Bosch ne répondit pas. Il savait que le silence pouvait, parfois, inciter la personne à qui on voulait arracher un renseignement à entrouvrir sa hotte.

– Ça ne nous regarde plus maintenant, reprit effectivement Kleinman. Bon Dieu, y a déjà la télé et le *L. A. Times* sur place ! Le *Daily News* aussi. Ils s'imaginent que c'est le cadavre de Moore, comme tout le monde. Un sacré bordel. On aurait pu croire que l'incendie suffirait à les occuper. Mon cul. Ils sont tous à traîner dans Western Avenue, les uns derrière les autres. Va falloir que j'envoie une autre bagnole sur place pour contenir les journalistes. Croyez-moi, Bosch, vous devriez être heureux de rester en dehors du coup. C'est Noël, nom de Dieu !

Ça ne suffit pas à le convaincre. Il aurait dû être prévenu, et c'était à lui de décider d'alerter la RHD. Quelqu'un l'avait court-circuité, il n'arrivait pas à se calmer. Il salua le flic, raccrocha et alluma une cigarette. Il récupéra son arme rangée dans le placard au-dessus de l'évier et la glissa dans la ceinture de son jean. Puis il enfila un veston beige par-dessus son pull vert kaki.

Dehors, il faisait déjà nuit et, à travers la porte vitrée coulissante, il aperçut le front du feu sur l'autre rive du canyon. Les flammes se détachaient vivement sur le fond noir de la colline. On aurait dit un grand sourire pervers qui s'élargissait vers la crête.

Dans l'obscurité, en contrebas de sa maison, il entendit le coyote hurler à la lune ou au feu. Ou bien pleurait-il sur lui-même, seul dans les ténèbres ?

2

Bosch descendit des collines pour rejoindre Hollywood, empruntant des routes quasiment désertes jusqu'au moment où il déboucha sur le Boulevard. Sur les trottoirs c'étaient toujours les mêmes groupes de fugueurs et de sans-abri. Plus, évidemment, les prostituées qui racolaient ; l'une d'elles portait même un bonnet rouge de Père Noël. Les affaires sont les affaires, y compris le soir du réveillon. Assises sur des bancs, des femmes joliment maquillées attendaient le bus, mais ce n'étaient pas vraiment des femmes, et elles n'attendaient pas vraiment le bus. Les guirlandes et les éclairages de Noël suspendus en travers du Boulevard à chaque croisement ajoutaient une touche surréaliste à cet univers de néons et de crasse. Comme une putain trop fardée, songea-t-il, si cela était possible.

Pourtant, ce n'était pas le décor qui le déprimait. C'était Cal Moore. Il s'attendait à la nouvelle depuis presque une semaine : un jour, Moore ne s'était plus présenté à l'appel. Pour la plupart des flics de la brigade de Hollywood, la question n'était pas de savoir si Moore était mort ou pas, mais dans combien de temps on retrouverait son corps.

Moore était le sergent responsable de la section anti-drogue. C'était un boulot de nuit, et son équipe travaillait uniquement sur le Boulevard. A la brigade, tout le monde savait que Moore s'était séparé de sa femme et l'avait remplacée par le whisky. Bosch avait pu le constater de visu la seule et unique fois où il avait collaboré avec les stups. A cette occasion, il avait aussi découvert que les problèmes conjugaux et une usure précoce n'étaient peut-être pas les seules choses qui tourmentaient Moore. Ce dernier avait fait allusion de manière détournée à une enquête de l'Internal Affairs [1] le concernant.

Tout cela venant s'ajouter à une forte dose de déprime de Noël. En apprenant qu'on entamait des recherches pour le retrouver, Bosch comprit aussitôt : Cal était mort.

A la brigade, tout le monde avait compris, également, même si personne n'osait y faire allusion ouvertement. Même les médias n'en parlaient pas. Au début, la police avait tenté d'étouffer l'affaire. On était allé interroger discrètement les voisins de Moore à Los Feliz. Quelques hélicoptères avaient survolé les collines environnantes de Griffith Park. Mais, un jour, un journaliste de la télé avait reçu le tuyau et, aussitôt, toutes les autres chaînes et la presse écrite avaient embrayé sur l'affaire. Depuis, les médias rapportaient scrupuleusement l'évolution des recherches effectuées pour tenter de retrouver le policier disparu ; la photo de Moore avait été épinglée sur le tableau d'affichage dans la salle de presse du Parker Center et on avait fait appel au public, comme à chaque fois. C'était une tragédie. Ou, du moins, du bon spectacle en vidéo : recherches à cheval, recherches aériennes, le chef de la police brandissant la photo du séduisant sergent brun à l'air grave. Pourtant, personne ne disait qu'on recherchait un mort.

Bosch s'arrêta au feu rouge de Vine Street et regarda un homme-sandwich qui traversait la rue. Le type marchait d'un pas si vif et sautillant que ses genoux faisaient voler le carton devant lui. Une photo de Mars prise par satellite était collée sur le carton, une grande partie de la planète ayant été entourée d'un cercle. En dessous, en lettres capitales, on pouvait lire : REPENTEZ-VOUS ! LE VISAGE DU SEIGNEUR NOUS OBSERVE ! Bosch avait vu la même photo en première page d'un tabloïde pendant qu'il faisait la queue à la caisse d'un supermarché, mais ce journal affirmait que ce visage était celui d'Elvis.

Le feu passa au vert, Bosch continua en direction de Western. En repensant à Moore. A l'exception d'une soirée passée à boire dans un club de jazz proche du Boule-

1. Equivalent US de la police des polices.

vard, il n'avait jamais entretenu de vrais rapports avec le sergent des stups. Arrivé à la brigade de Hollywood après son transfert de la RHD l'année précédente, Bosch avait eu droit à des poignées de mains et des « enchanté de vous connaître » timides de la part de ses nouveaux collègues. Cela se comprenait : il avait été viré de la RHD à la suite d'une enquête de l'Internal Affairs, et d'ailleurs il s'en fichait. Moore était de ceux qui ne faisaient aucun effort pour aller au-delà d'un simple signe de tête quand ils se croisaient dans un couloir ou se rencontraient dans une réunion. Ça aussi, ça se comprenait : la Criminelle, où travaillait Bosch, se trouvait dans le bureau des inspecteurs au rez-de-chaussée et la brigade de Moore, le BANG, abréviation de Boulevard Anti-Narcotics Group, au premier étage du poste de police de Hollywood. Mais ils s'étaient quand même rencontrés. Bosch voulait alors récolter des informations confidentielles concernant une affaire sur laquelle il enquêtait. Pour Moore, ç'avait été l'occasion de boire beaucoup de bières et de whisky.

La brigade de Moore, le BANG, possédait le genre de nom racoleur qui plaisait à la presse et qu'affectionnait par-dessus tout le département ; en réalité, elle se réduisait à cinq flics qui travaillaient à l'étroit dans un ancien cagibi transformé en bureau, écumaient Hollywood Boulevard la nuit et interpellaient quiconque se promenait avec un joint, ou plus, dans sa poche. Le BANG avait pour mission de procéder à un maximum d'arrestations, ceci afin de justifier les demandes d'augmentation d'effectifs, de matériel et surtout d'heures supplémentaires dans le budget de l'année suivante. Peu importe si ensuite le bureau du procureur proposait de simples libertés surveillées dans la plupart des cas et se débarrassait des autres affaires. Seul comptait le nombre des arrestations. Et si Channel 2 ou 4, ou un journaliste du *L. A. Times* voulaient être de la partie une nuit pour rédiger un article sur le BANG, tant mieux. Chaque brigade possédait des sections identiques.

A l'intersection de Western, Bosch tourna vers le nord et aperçut les lumières clignotantes bleues et jaunes des voitures de police et les projecteurs aveuglants des caméras de télévision. A Hollywood, ce genre de scène indiquait généralement soit une mort violente soit la première d'un film. Bosch savait qu'il n'y avait jamais de premières dans ce quartier, ou alors il s'agissait d'une prostituée de treize ans faisant ses premiers pas sur le trottoir.

Il s'arrêta le long du trottoir à quelques pas du Hideaway et alluma une cigarette. Certaines choses ne changent jamais à Hollywood. On leur donne simplement un nouveau nom. Trente ans plus tôt, le Hideaway était un motel particulièrement miteux et s'appelait encore l'El Rio. C'était toujours un hôtel miteux. Bosch n'y avait jamais couché, mais, ayant grandi à Hollywood, il s'en souvenait bien. Il avait logé dans bon nombre d'endroits semblables. Avec sa mère. Quand elle était encore de ce monde.

Le Hideaway était un motel typique des années 40, de plain- pied et sans doute joliment ombragé dans la journée grâce au grand figuier des banians qui poussait au milieu de la cour. La nuit, ses quatorze chambres s'enfonçaient dans une profonde obscurité que perçaient uniquement les néons rouges. Harry remarqua que le E de l'enseigne annonçant MONTHLY RATES était éteint [1].

Quand il était enfant, à cette époque où le Hideaway s'appelait encore l'El Rio, le quartier tombait déjà en ruines. Il n'y avait pas autant de néons et les constructions, contrairement aux habitants, semblaient plus pimpantes, moins crasseuses. A côté du motel se dressait alors un immeuble de bureaux appartenant à la Streamline Moderne et ressemblant à un cargo ancré. Celui-ci avait repris la mer depuis longtemps et été remplacé par un mini centre commercial.

Harry se dit que c'était un bien triste endroit pour passer la nuit. Encore plus pour y mourir. Il descendit de voiture et s'approcha.

Une bande en plastique jaune interdisait l'accès à la cour du motel, et deux policiers en uniforme montaient la garde. A une extrémité de la bande, les projecteurs des caméras de télévision étaient violemment braqués sur un groupe d'hommes en costume. Un type au crâne rasé et

1. *Monthly Rates* (« chambres au mois ») devenant *Monthly Rats*, soit les « rats au mois ».

brillant monopolisait la parole. En s'avançant, Bosch s'aperçut qu'ils étaient tous aveuglés par les projecteurs ; ils ne voyaient pas au-delà du journaliste qui les interviewait. Il montra rapidement son insigne à un des policiers en uniforme, signa la feuille du registre de présence fixée sur une planchette et se glissa sous la bande.

La porte de la chambre 7 était ouverte, la lumière qui brillait à l'intérieur se répandait au-dehors. Le son d'une harpe électrique s'échappant également de la chambre, Bosch en déduisit qu'Art Donovan avait pris les choses en main. Le spécialiste du labo ne se déplaçait jamais sur les lieux d'un crime sans sa radio portative, et celle-ci était toujours branchée sur The Wave, une station de musique new age. Donovan affirmait que la musique apportait le calme et la paix dans les lieux où on avait semé ou trouvé la mort.

Harry pénétra dans la chambre et plaqua un mouchoir sur son nez et sa bouche. En vain. A nulle autre pareille, l'odeur l'assaillit au moment même où il franchissait le seuil. Il aperçut Donovan à genoux, occupé à répandre de la poudre à empreintes sur les touches du climatiseur fixé au mur sous l'unique fenêtre de la pièce.

– Salut, lui lança Donovan. (Il portait un masque de peintre en bâtiment afin de se protéger de l'odeur et de ne pas inhaler la poudre noire.) Dans la salle de bains...

Bosch balaya la chambre du regard, rapidement, car il y avait de fortes chances qu'on lui ordonne de ficher le camp dès que les « costards » s'apercevraient de sa présence. Le lit à une place était recouvert d'un dessus-de-lit rose délavé. Un journal était posé sur l'unique chaise. En s'approchant, Bosch constata qu'il s'agissait du *L. A. Times*, le numéro remontant à six jours. A côté du lit était installé un ensemble bureau-coiffeuse. Dessus se trouvaient un cendrier contenant une seule cigarette écrasée à la moitié, un .38 Special dans un holster en nylon, un portefeuille et un insigne dans son étui. Ces trois derniers objets avaient été recouverts de poudre noire. En revanche, il n'y avait aucun mot sur le bureau, là où Harry s'attendait à en trouver un.

– Pas de mot, dit-il, comme s'il se parlait à lui-même.

– Non, aucun, dit Donovan. Rien non plus dans la salle

de bains. Va jeter un œil. Enfin, si tu n'as pas peur de perdre ton repas de Noël…

Harry jeta un œil dans le petit couloir, à gauche du lit, qui conduisait vers le fond du studio. La porte de la salle de bains se trouvait sur la droite, et il éprouva une certaine répugnance à s'en approcher. Il était persuadé que pas un seul flic vivant n'avait pensé ne serait-ce qu'une fois à sa mort violente.

Il s'immobilisa sur le seuil. Le corps était assis sur le carrelage blanc terne, le dos appuyé contre la baignoire. La première chose qui attira le regard de Bosch fut les bottes. Elles étaient en peau de serpent gris et avaient des talons biseautés. Moore les portait le soir où ils s'étaient donné rendez-vous pour aller boire un coup ensemble. La botte droite était encore à son pied, et on y apercevait la marque du fabricant, un S comme un serpent gravé dans le caoutchouc du talon. La botte gauche était posée toute droite près du mur. Le pied gauche du mort avait été enveloppé d'un sac en plastique comme ceux qui servent à récolter les indices. La chaussette, qui avait dû être blanche autrefois, était maintenant grisâtre et retombait sur la cheville.

Par terre, à côté du montant de la porte, se trouvait un fusil à pompe calibre 20 à deux canons. Le bas de la crosse était fendu, un éclat de bois d'une dizaine de centimètres gisant sur le carrelage, entouré d'un cercle à la craie sans doute tracé par Donovan ou un des inspecteurs.

Bosch n'avait pas le temps de s'attarder sur ces détails. Il essayait simplement de tout photographier mentalement. Son regard remonta le long du cadavre. Moore portait un jean et un sweat-shirt. Ses mains pendaient le long de son corps. Sa peau était d'un gris cireux, ses doigts gonflés par la putréfaction, l'avant-bras aussi gros que celui de Popeye. Bosch remarqua un tatouage grossier sur le bras droit, le visage d'un diable grimaçant sous une auréole.

Le corps étant affalé contre la baignoire, on aurait presque pu croire que Moore avait incliné la tête en arrière pour la plonger dans la baignoire, peut-être pour se laver les cheveux. Mais cette impression provenait du fait qu'il lui manquait la plus grande partie du crâne. Celui-ci avait été pulvérisé par la violence de la double décharge. Les carreaux bleus de la salle de bains étaient maculés de sang séché, des coulées brunes descendant jusque dans la baignoire. Plusieurs carreaux s'étaient fendus sous l'impact des projectiles.

Bosch sentit soudain une présence derrière lui. Il se retourna, trouva le regard pénétrant du chef adjoint Irvin Irving. Ce dernier ne portait pas de masque et ne tenait aucun mouchoir devant son nez et sa bouche.

– Bonsoir, chef.

Irving répondit par un hochement de tête et lui demanda :

– Qu'est-ce qui vous amène, inspecteur ?

Bosch en avait assez vu pour deviner ce qui s'était passé. Il contourna Irving et se dirigea vers la porte de la chambre. Irving lui emboîta le pas. Ils passèrent devant deux hommes du bureau du coroner, vêtus l'un et l'autre de la même combinaison bleue. Une fois dehors, Harry jeta son mouchoir dans une poubelle apportée par les policiers. Il alluma une cigarette et constata qu'Irving tenait un dossier bulle à la main.

– J'ai capté l'appel sur mon scanner, lui expliqua Bosch. Comme je suis de garde cette nuit, je me suis dit que je devais me déplacer. C'est mon secteur, je suis le premier concerné.

– Certes, mais quand nous avons découvert l'identité de la victime, j'ai décidé de confier l'enquête à la RHD. Le capitaine Grupa m'a contacté. C'est moi qui ai pris cette décision, personnellement...

– On a donc bien établi que c'était Moore ?

– Pas totalement, lui répondit Irving en brandissant son dossier. Je suis allé consulter son fichier pour récupérer ses empreintes. Ce sera le facteur déterminant, évidemment. Sans oublier la dentition... à condition qu'il en reste assez. En attendant, tout mène à cette conclusion. L'homme qui est là-dedans a loué la chambre sous le nom de Rodrigo Moya, le pseudonyme qu'utilisait Moore pour le BANG. Et la Mustang garée derrière le motel a été aussi louée sous ce nom-là. Pour l'instant, je crois qu'il n'y a guère de doute dans l'esprit des enquêteurs.

Bosch acquiesça. Il avait déjà eu affaire à Irving, quand

celui-ci était à la tête de l'Internal Affairs. Aujourd'hui, Irving était chef adjoint, c'est-à-dire une des trois personnes les plus importantes du département, et son champ d'action s'étendait aux stups et à toutes les sections d'inspecteurs. Un instant, Harry se demanda s'il devait prendre le risque d'insister.

– J'aurais dû être prévenu, dit-il malgré tout. Cette affaire me revient. Vous me l'avez enlevée avant même que je sois au courant.

– Eh bien, inspecteur, j'avais toute liberté de confier cette enquête à qui je le souhaitais, vous ne croyez pas ? Inutile de vous en offusquer. Appelez ça de la rationalisation. Vous savez bien que la RHD s'occupe des décès de tous les policiers. Vous auriez été obligé de leur confier l'enquête, de toute façon. Nous avons gagné du temps. Croyez-moi, il n'y a derrière cette décision rien d'autre qu'un souci d'efficacité maximum. C'est le cadavre d'un policier qui se trouve dans cette chambre. Nous lui devons, et à sa famille également, quelles que soient les circonstances de sa mort, d'agir avec rapidité et professionnalisme.

Bosch acquiesça de nouveau en regardant autour de lui. Il aperçut un inspecteur de la RHD nommé Sheehan qui se tenait dans l'embrasure d'une porte, sous l'enseigne MONTHLYRATS, près de l'entrée du motel. Il interrogeait un homme d'une soixantaine d'années vêtu simplement d'un débardeur malgré le froid et mâchonnant le mégot d'un cigare détrempé. Le gérant.

– Vous le connaissiez ? reprit Irving.

– Moore ? Non, pas vraiment. Enfin, je veux dire, oui… je le connaissais. On faisait partie de la même brigade, alors on se connaissait, évidemment. Il travaillait surtout la nuit, dans les rues. On n'avait pas beaucoup de contacts…

Bosch n'aurait su dire ce qui, à cet instant, l'avait poussé à mentir. Il se demanda si Irving l'avait remarqué au son de sa voix. Il décida de changer de sujet.

– Donc, il s'agit d'un suicide… C'est ce que vous avez dit aux journalistes ?

– Je n'ai rien dit aux journalistes. Je leur ai parlé, en effet, mais je ne leur ai rien dit concernant l'identité de la victime retrouvée dans cette chambre. Et je ne dirai rien avant d'avoir la confirmation officielle. Vous et moi, on peut bavarder tous les deux comme on le fait en ce moment et dire qu'il s'agit à coup sûr de Calexico Moore, mais je ne donnerai pas cette information à la presse avant que nous ayons effectué tous les tests, et mis tous les points sur tous les i du certificat de décès… (Il fit claquer le dossier sur sa cuisse.) Voilà pourquoi j'ai récupéré son dossier personnel. Pour activer les choses. Les empreintes vont partir chez le légiste avec le corps… (Irving se tourna ensuite vers la porte de la chambre.) Puisque vous êtes entré, inspecteur Bosch, donnez-moi votre avis.

Bosch réfléchit. Ce type voulait-il réellement connaître son opinion ou se foutait-il de lui ? C'était la première fois qu'il se trouvait confronté à Irving hors du contexte de l'enquête d'Internal Affairs. Il décida de prendre le risque :

– Selon moi, il s'assoit par terre près de la baignoire, il enlève sa botte et il presse les deux détentes avec son orteil. Je suppose qu'il a tiré deux fois… vu les dégâts. Donc, il presse les détentes avec son orteil, le recul projette le fusil contre le montant de la porte et fait sauter un morceau de la crosse. La tête, elle, est projetée de l'autre côté. Sur le mur et dans la baignoire. Suicide.

– Et voilà, conclut Irving. Je peux donc dire à l'inspecteur Sheehan que vous partagez notre avis. Exactement comme si on vous avait prévenu en premier. Personne n'a donc la moindre raison de se sentir exclu.

– Là n'est pas le problème, chef.

– Et où est le problème alors, inspecteur ? Vous ne pouvez pas supporter d'être d'accord avec les autres, c'est ça ? Vous ne pouvez accepter les décisions de vos supérieurs ? Je commence à perdre patience, inspecteur Bosch. J'espérais pourtant que cela ne se reproduirait plus…

Irving se tenait trop près de Bosch, lui soufflant son haleine parfumée à la menthe en plein visage. Reculant d'un pas, Harry objecta :

– Mais on n'a trouvé aucun mot.

– Pour l'instant. Nous n'avons pas encore tout fouillé.

Bosch se demanda ce qui restait à inspecter. L'appartement et le bureau de Moore avaient sans doute été fouillés au moment même de sa disparition. Même chose pour la maison de sa femme. Que restait-il ? Moore avait-il expédié une lettre à quelqu'un ? Dans ce cas, elle devait déjà être parvenue à destination.

– Ça remonte à quand ?

– Nous espérons en savoir plus grâce à l'autopsie qui aura lieu demain matin. Mais je suppose qu'il a commis son geste peu de temps après avoir pris la chambre. Il y a six jours. Lors du premier interrogatoire, le gérant du motel a déclaré que Moore avait loué la chambre il y a six jours et n'en était pas ressorti depuis. Ça colle avec l'état des lieux, l'état de décomposition du corps, et la date du journal.

L'autopsie avait lieu demain matin ? Bosch en déduisit qu'Irving était intervenu en personne. Généralement, il fallait attendre trois jours avant d'obtenir une autopsie. Avec les vacances de Noël, le délai aurait dû être encore plus long.

Irving semblait lire dans ses pensées.

– La légiste en chef intérimaire a accepté de l'effectuer demain matin. Je lui ai expliqué que les médias allaient sans doute se livrer à des spéculations fort pénibles pour l'épouse de la victime et pour tous nos services. Elle a bien voulu coopérer. Après tout, elle rêve d'être nommée chef à temps plein. Elle connaît l'importance d'une bonne coopération… (Bosch garda le silence.) Nous serons fixés à ce moment-là. Mais personne, pas même le gérant, n'a aperçu le sergent Moore après qu'il eut loué cette chambre il y a six jours. Il a laissé des instructions bien précises pour qu'on ne le dérange sous aucun prétexte. Je pense qu'il s'est enfermé et s'est suicidé peu de temps après.

– Dans ce cas, pourquoi est-ce qu'on ne l'a pas retrouvé avant ?

– Il a payé un mois d'avance. Il a exigé de ne pas être dérangé. De toute façon, dans un endroit comme celui-ci, on ne fait pas le ménage tous les jours. Le gérant a cru qu'il s'agissait d'un poivrot qui voulait prendre une cuite monumentale ou qui essayait au contraire de se désintoxiquer tout seul. Bref, dans ce genre d'établissement, le gérant ne peut pas se permettre de faire le difficile. Un mois d'avance, ça représente dans les six cents dollars. Il a pris l'argent. Et il a tenu sa promesse de ne pas déranger son locataire, du moins jusqu'à aujourd'hui, lorsque l'épouse du gérant a remarqué que la voiture de Moya, la Mustang, avait été fracturée, probablement la nuit dernière. Ça aussi, ça les a intrigués. Ils ont frappé à sa porte pour l'avertir, mais il n'a pas répondu. Ils ont ouvert avec un passe. A l'odeur, ils ont compris immédiatement ce qui s'était passé…

Irving précisa encore que Moore/Moya avait poussé la climatisation au maximum afin de ralentir le processus de décomposition et empêcher ainsi que l'odeur ne s'échappe trop vite vers l'extérieur. De même, il avait disposé des serviettes humides par terre devant la porte pour isoler davantage la chambre.

– Personne n'a entendu les détonations ? demanda Bosch.

– Pas à notre connaissance. La femme du gérant est à moitié sourde, et son mari affirme qu'il n'a rien entendu. Ils habitent dans la dernière chambre à l'autre bout. D'un côté on a des magasins, et de l'autre un immeuble de bureaux. La nuit, tout est fermé. Derrière, c'est une ruelle. On épluche actuellement le registre pour essayer de retrouver d'autres clients qui logeaient ici à l'arrivé de Moore. Mais le gérant dit qu'il n'a pas voulu louer les deux chambres qui jouxtent celle de Moore ; il avait peur que celui-ci fasse du boucan s'il essayait de se désintoxiquer… De plus, c'est une rue extrêmement bruyante, avec un arrêt de bus juste devant le motel. Il se peut que personne n'ait rien entendu. Ou alors, s'ils ont entendu un bruit, ils ne savaient pas ce que c'était.

Après avoir réfléchi un instant, Bosch lui demanda :

– Pourquoi louer la chambre un mois ? Je ne pige pas. S'il voulait se faire sauter la cervelle, pourquoi essayer de cacher la vérité le plus longtemps possible ? Pourquoi ne pas se suicider, laisser les autres découvrir le corps et basta ?

– C'est une colle, reconnut Irving. Selon moi, il voulait donner un répit à sa femme…

Bosch haussa les sourcils. Il ne comprenait pas.

– Ils étaient séparés, reprit Irving. Peut-être qu'il ne voulait pas lui gâcher son Noël. Alors, il aura essayé de retarder la nouvelle d'une ou deux semaines, voire un mois…

Bosch trouva l'explication un peu tirée par les cheveux, mais il n'en avait pas de meilleure pour l'instant. Il n'avait pas non plus d'autre question à poser à Irving. Ce dernier décida d'ailleurs de changer de sujet, signifiant ainsi à Bosch que sa visite sur les lieux du crime était terminée.

– Alors, inspecteur, comment va cette épaule ?

– Bien, merci.

– J'ai entendu dire que vous étiez parti au Mexique afin de parfaire votre espagnol pendant votre convalescence…

Bosch ne répondit pas. Il n'était pas d'humeur à bavarder. Il avait envie de lui dire qu'il ne croyait pas à la thèse du suicide, en dépit des indices réunis et des explications fournies. Mais il n'avait rien à lui opposer et, pour le moment, mieux valait se taire.

Irving poursuivait sur sa lancée :

– Personnellement, j'ai toujours pensé que nos policiers, ceux qui ne sont pas latinos, évidemment, ne faisaient pas assez d'efforts pour apprendre la seconde langue parlée dans cette ville. J'aimerais que tout le départe…

– Hé, on a trouvé un mot ! lança Donovan du seuil de la chambre.

Irving brisa net et se dirigea vers la chambre sans rien ajouter. Sheehan le suivit à l'intérieur, accompagné d'un « costard » que Bosch identifia comme étant un inspecteur d'Internal Affairs : un dénommé John Chastain. Harry hésita un instant avant de les suivre à son tour.

Un des types du labo se tenait dans la petite entrée, près de la porte de la salle de bains ; tout le monde était réuni autour de lui. Bosch regretta d'avoir jeté son mouchoir. Il garda sa cigarette à la bouche et inspira profondément.

– Dans la poche arrière droite, expliqua le type du labo. Il y a des traces de putréfaction sur le papier, mais c'est quand même lisible. La feuille était repliée deux fois et l'intérieur est relativement net.

Irving ressortit du couloir en tenant à bout de bras un

sachet en plastique. Tout le monde se pressa autour de lui. A l'exception de Bosch.

La feuille qui se trouvait dans le sachet paraissait grise, comme la peau de Moore. Bosch crut distinguer une ligne écrite à l'encre bleue. Irving lui jeta un regard par-dessus son épaule, comme s'il venait juste de remarquer sa présence.

– Vous allez devoir sortir, Bosch...

Harry aurait voulu demander ce qui était écrit sur le mot, mais il savait qu'on l'enverrait sur les roses. Il remarqua un sourire de satisfaction sur le visage de Chastain.

Arrivé au bord du périmètre interdit, il s'arrêta pour allumer une autre cigarette. En entendant un cliquetis de talons hauts sur le bitume, il se retourna et vit une des journalistes, une blonde qui travaillait pour Channel 2, courir vers lui avec un micro sans fil à la main et sur le visage un sourire éclatant et surperficiel de top model. Une vraie pro. Harry la cueillit en plein vol :

– Aucun commentaire. Je ne m'occupe pas de l'affaire.

– Pouvez-vous simplement...

– Aucun commentaire.

Son sourire était retombé, plus vite que la lame d'une guillotine. Elle pivota sur ses talons d'un air rageur. Quelques secondes plus tard, ses talons cliquetèrent de nouveau : elle courait se mettre en place, avec son cameraman, pour le « super plan », celui avec lequel elle débuterait son reportage. On sortait le corps. Les projecteurs donnèrent au maximum, les six cameramen formant une sorte de haie. Les deux hommes du bureau du coroner qui transportaient le corps sur une civière s'y faufilèrent pour accéder à la camionnette bleue qui les attendait. Harry aperçut Irving. Le visage crispé, l'air pénétré, droit comme un I, il marchait en retrait, mais pas suffisamment pour risquer de sortir du champ des caméras. La moindre apparition au journal télévisé était bonne à prendre, surtout pour quelqu'un qui avait des visées sur le fauteuil de chef de la police.

Ensuite, toutes les personnes présentes sur le lieu du

drame commencèrent à se disperser. Tout le monde repartait, les policiers, les journalistes... Bosch se faufila sous la bande jaune. Il cherchait à apercevoir Donovan ou Sheehan quand Irving vint vers lui.

– Réflexion faite, inspecteur Bosch, j'aimerais vous demander de faire quelque chose qui permettra de régler rapidement cette triste affaire. L'inspecteur Sheehan doit rester ici pour superviser les mesures de surveillance. Mais je tiens à ce que nous arrivions chez l'épouse de Moore avant les journalistes. Pouvez-vous vous charger de la prévenir ? Evidemment, rien n'est encore sûr, mais je souhaite qu'elle soit mise au courant.

Bosch avait fait montre d'une telle indignation précédemment qu'il ne put se permettre de reculer maintenant. Il voulait participer à cette affaire ? Eh bien voilà, il était satisfait.

– Donnez-moi son adresse, dit-il.

Puis Irving repartit et les policiers en tenue détachèrent les bandes jaunes. Bosch vit Donovan se diriger vers la camionnette. Il tenait à la main le fusil à pompe enveloppé dans un sac plastique et d'autres sacs plus petits contenant diverses pièces à conviction.

Harry prit appui sur le pare-chocs de la camionnette pour renouer son lacet de chaussure pendant que Donovan empilait ses sachets dans une caisse en bois ayant jadis servi à transporter des bouteilles de vin de la Nappa Valley.

– Qu'est-ce que tu veux, Harry ? Je viens d'apprendre que tu n'avais rien à faire dans les parages.

– Ça a changé. On vient de me mettre sur l'affaire. Je suis chargé de prévenir la famille.

– Quelle chance !

– Que veux-tu ? On prend ce qu'on nous donne. Alors, qu'est-ce qu'il dit ?

– Qui ?

– Moore.

– Ecoute, Harry, je ne...

– Allons, Donnie, Irving m'a demandé de prévenir la famille. Ça me donne le droit d'être au courant, non ? Je veux juste savoir ce qu'il a écrit. Je connaissais ce type. Ça restera entre nous.

Donovan poussa un long soupir et fouilla dans la caisse.

– En fait, pas grand-chose. Rien d'essentiel.

Il alluma sa lampe électrique et braqua le faisceau de lumière sur le sachet qui renfermait le message laissé par Moore. Il y avait juste une phrase.

J'ai découvert qui j'étais

3

L'adresse que lui avait donnée Irving se trouvait dans Canyon County, à près d'une heure de route au nord de Hollywood. Bosch emprunta le Hollywood Freeway, avant de bifurquer sur le Golden State pour traverser la crevasse sombre des Santa Susanna Mountains. La circulation était fluide. A cette heure, la plupart des gens étaient chez eux, attablés autour d'une dinde rôtie, songea-t-il. Il repensa à Cal Moore, à son geste et à ce qu'il laissait derrière lui : *J'ai découvert qui j'étais*.

Bosch n'avait pas la moindre idée de ce qu'avait voulu signifier Moore en écrivant cette phrase unique sur le morceau de papier retrouvé dans la poche arrière de son pantalon. Pour faire des suppositions, il ne pouvait s'appuyer que sur son unique rencontre avec lui. Et à quoi se résumait-elle ? A deux ou trois heures passées à boire de la bière et du whisky en compagnie d'un flic morose et cynique. Impossible de savoir ce qui s'était passé entretemps. Impossible de savoir ce qui avait définitivement brisé la carapace qui le protégeait.

La fameuse rencontre avait eu lieu quelques semaines plus tôt, pour une question de boulot ; malgré tout, les problèmes personnels de Moore avaient réussi à remonter à la surface. Ils s'étaient donné rendez-vous un mardi soir au Catalina Bar&Grill. Moore était de service, mais le Catalina n'était qu'à une courte distance, au sud du Boulevard. Harry l'attendait au bar, tout au fond.

Moore vint s'asseoir sur le tabouret voisin et commanda un whisky, accompagné d'une Henry, comme ce que Bosch avait devant lui. Il portait un jean et un sweat-shirt qui bâillait par-dessus sa ceinture. La parfaite tenue de camouflage habituelle, et il semblait à son aise dedans. Les cuisses du jean étaient blanchies par l'usure. Les manches du sweat-shirt avaient été coupées, et, sous les bords frangés du bras droit, le visage moqueur d'un diable tatoué à l'encre bleue jetait des coups d'œil furtifs. Dans le genre dur-à-cuire, Moore avait un certain charme, mais il ne s'était pas rasé depuis au moins trois jours et dégageait une impression de fragilité, de manque d'assurance, comme un otage libéré après une longue et éprouvante captivité. Parmi la clientèle chic du Catalina, il faisait tache, comme un éboueur à une noce. Harry remarqua les bottes grises en peau de serpent coincées dans les barreaux latéraux du tabouret de bar. C'étaient des bottes mexicaines ; les bottes préférées des adeptes du rodéo à cause des talons biseautés qui offraient un meilleur appui quand il fallait capturer au lasso un jeune cheval sauvage. Harry savait que les types de la brigade anti-drogue appréciaient eux aussi ces bottes, car elles avaient la même utilité quand ils capturaient un suspect défoncé à l'angel dust.

Au début, ils burent, fumèrent et échangèrent quelques propos anodins, essayant d'instaurer des liens et des barrières. Bosch constata ainsi combien ce prénom de Calexico symbolisait la double hérédité de Moore. La peau mate, les cheveux noirs comme de l'encre, les hanches fines, les épaules larges... l'apparence ethnique basanée de Moore était contredite par ses yeux de surfeur californien, verts comme de l'antigel. Et pas le moindre accent dans sa voix.

« A la frontière, il y a une ville baptisée Calexico, dit Bosch. Juste en face de Mexicali. Tu connais ?

– J'y suis né. C'est de là que me vient mon prénom.

– Je n'y suis jamais allé.

– T'en fais pas, tu n'as pas manqué grand-chose. C'est juste une ville-frontière comme les autres. Moi, j'y vais encore de temps à autre.

– Tu as de la famille, là-bas ?

– Non, plus maintenant. »

Moore fit signe au barman de leur servir la même chose, après quoi il alluma une cigarette avec le mégot de celle qu'il venait de fumer jusqu'au filtre.

« Bon, je croyais que tu voulais me demander quelque chose, dit-il.

– Oui. Je suis sur une affaire. »

Le barman leur apporta leurs verres. Moore vida son whisky d'un trait. Il en commanda un autre, avant même que le barman ait fini de noter le précédent sur l'addition.

Bosch lui traça les grandes lignes de l'affaire en question. Il en avait hérité quelques semaines plus tôt, et jusqu'à présent il piétinait. Le cadavre d'un homme de trente ans, identifié par la suite, grâce à ses empreintes, comme étant celui de James Kappalanni de Oahu à Hawaii, avait été découvert sous le Hollywood Freeway, à la hauteur de Gower Street. L'homme avait été étranglé avec un bout de fil de fer d'emballage long d'une trentaine de centimètres et muni de chevilles en bois à chaque extrémité ; il n'y avait pas mieux pour le maintenir fortement après l'avoir enroulé autour du cou de quelqu'un. Du joli travail, sans bavure. Le visage de Kappalanni avait une couleur bleu gris, comme une huître. A ce moment-là, Bosch savait déjà, grâce aux ordinateurs du NCIC et du ministère de la Justice, que ce type s'appelait également Jimmy Kapps et qu'il avait un casier à la brigade des stups aussi long que le fil de fer qui avait servi à l'assassiner.

« … et donc, continua Bosch, le légiste n'a pas été très surpris de découvrir quarante-deux capotes dans son estomac en lui ouvrant le ventre.

– Qu'est-ce qu'elles contenaient ?

– Du “verre”, une saloperie hawaiienne. Un dérivé de l'ice, à ce qu'on m'a dit. Je me souviens quand l'ice était encore à la mode il y a quelques années… Enfin bref, ce Jimmy Kapps servait de passeur. Il transportait la came dans son estomac ; sans doute venait-il tout juste de descendre de l'avion de Honolulu quand il s'est pris les pieds dans le fil de fer… Il paraît que le verre coûte cher et que la concurrence est extrêmement dure. En fait, j'aimerais en savoir un peu plus sur ce truc, histoire de débloquer une idée peut-être. Je n'ai rien à me mettre sous la dent. Je ne sais absolument pas qui a buté Jimmy Kapps.

– Qui t'a parlé du verre ?

– La brigade centrale des stups. Mais ça ne m'a pas beaucoup avancé.

– Personne ne sait rien, voilà la raison. Ils t'ont parlé de la "black ice", la glace noire ?

– Un peu. C'est le produit concurrent, il paraît. Ça vient du Mexique. C'est à peu près tout ce qu'ils m'ont dit. »

Moore chercha du regard le barman qui se tenait à l'autre bout du comptoir et semblait les ignorer volontairement.

« Tout ça est relativement récent, expliqua-t-il. Au départ, la glace noire et le verre, c'est la même chose. Mêmes résultats. Le verre vient de Hawaii, la glace noire du Mexique. On pourrait appeler ça la drogue du vingt et unième siècle, si tu veux. Si j'étais représentant, je dirais qu'elle couvre toutes les tranches d'âge. Initialement, un type a eu l'idée de prendre de la coke, de l'héro et du PCP et de tout mélanger, en secouant bien. Un joli petit cocktail. Pour tous les usages, paraît-il. Aussi rapide que le crack, mais avec la durée en plus, grâce à l'héro. Je parle en heures, pas en minutes. Avec juste une pincée de PCP, en plus, l'angel dust, pour redonner un petit coup de fouet vers la fin du voyage. Mon gars, le jour où ce truc va se répandre pour de bon dans les rues, ils vont s'en mettre plein les poches, et là, putain, on va voir défiler les hordes de zombies... »

Bosch ne dit rien. Tout cela, ou presque, il le savait déjà, mais Moore était parti sur sa lancée, et il ne voulait surtout pas le couper dans son élan en lui posant une question. Il alluma une cigarette et attendit.

« Ça a démarré à Hawaii, reprit Moore. A Oahu. Ils fabriquaient de l'ice, un mélange de PCP et de coke. Très rentable. Ensuite, ça a évolué. Ils ont ajouté de l'héro. De la bonne. De la blanche asiatique. Maintenant, ils appellent ça le "verre". Je crois qu'ils avaient un slogan du genre : "Venez donc prendre un verre..." Mais dans ce métier, la concurrence est sauvage. Seuls comptent le prix et les bénéfices. (Il leva les deux mains pour souligner l'importance de ces deux facteurs.) Les Hawaiiens avaient un bon produit, mais ils avaient du mal à l'introduire sur le continent. Il y a le bateau, il y a aussi l'avion, évidemment, mais ce n'est pas sûr à cent pour cent : il est possible de les surveiller et de les contrôler. Pour finir, ils ont engagé des passeurs qui avalaient la came avant de prendre l'avion. Mais même ça, c'est plus compliqué qu'il y paraît. Premièrement, on ne peut transporter qu'une quantité limitée. Tu disais quarante-deux capotes dans l'estomac de ce type ? Ça représente… quelques centaines de grammes ? Le jeu n'en vaut pas la chandelle. Sans compter que les stups placent des gars dans les avions et les aéroports et repèrent facilement les types comme Kapps ; ils les surnomment les "contrebandiers du latex" et sont munis d'une série de profils types, tu vois… une liste des indices à rechercher. Par exemple, les types qui transpirent mais qui ont les lèvres sèches et qui se les lèchent, c'est l'anti-diarrhéique qui fait ça. Les passeurs s'enfilent cette saloperie comme si c'était du Pepsi. C'est ça qui les trahit… Enfin bref, ce que je veux te faire comprendre, c'est que c'est beaucoup plus facile pour les Mexicains. La géographie est de leur côté. Ils ont des bateaux et des avions, mais ils ont aussi une frontière de plus de trois mille kilomètres et quasiment inexistante sur le plan des contrôles. On dit que les fédéraux capturent un kilo de coke pour dix qui leur filent sous le nez. En ce qui concerne la glace noire, c'est encore pire ; je n'ai jamais entendu parler d'une seule prise à la frontière… »

Il s'interrompit pour allumer une cigarette. Bosch remarqua le tremblement de sa main lorsqu'il approcha l'allumette.

« En fait, reprit-il, les Mexicains ont piqué la recette. Ils ont commencé à copier le verre. Seulement, ils utilisent de l'héroïne brune de chez eux, avec le goudron. C'est comme ça qu'on appelle l'espèce de pâte ignoble qui reste au fond de la marmite. Ce sont des tas d'impuretés qui donnent la couleur noire. D'où le nom de cette saloperie. Ça leur coûte moins cher à fabriquer, et moins cher à transporter, ils la vendent donc moins cher. Résultat, ils ont quasiment viré les Hawaiiens du marché. »

Moore ayant paru conclure là-dessus, Harry lui demanda :

« As-tu entendu dire que les Mexicains butaient les passeurs hawaiiens, peut-être pour essayer de s'approprier tout le marché ?

– Pas ici en tout cas. N'oublie pas une chose : les Mexicains la fabriquent, cette saloperie, mais ce n'est pas forcément eux qui la vendent dans les rues. Entre les deux, il y a un tas d'intermédiaires.

– Ce sont quand même eux qui mènent la barque, non ?

– Exact.

– Alors, qui a descendu Jimmy Kapps ?

– Aucune idée, Bosch. C'est la première fois que j'entends parler de cette histoire.

– Ton équipe a déjà arrêté des dealers de glace noire ? Ils les ont interrogés ?

– Oui, quelques-uns, mais là, on a affaire au plus bas de l'échelle. Des Blancs, généralement. C'est plus facile pour eux de faire leur beurre sur le Boulevard. Attention, ça ne veut pas dire que la marchandise ne vient pas des Mexicains. Mais ça ne veut pas dire non plus qu'elle ne vient pas des gangs de South Central. Conclusion : toutes ces arrestations ne te serviraient sans doute à rien. »

Il cogna sur le comptoir avec sa chope de bière vide jusqu'à ce que le barman tourne la tête vers eux, et lui fit signe de leur apporter la même chose. Moore semblait sombrer de plus en plus dans la morosité et Bosch n'avait guère obtenu de renseignements.

« J'ai besoin de remonter plus haut. Tu ne pourrais pas m'aider ? Comme je te l'ai dit, je n'ai rien à me foutre sous la dent, et cette putain d'affaire date déjà de trois semaines. Si ça continue, je vais être obligé de laisser tomber pour passer à autre chose… »

Moore regardait droit devant lui les bouteilles alignées sur le mur du fond.

« Je verrai ce que je peux faire, répondit-il finalement. Mais tu dois comprendre qu'on n'a pas de temps à perdre avec la glace noire. La coke et l'angel dust, un peu de marijuana, voilà de quoi on s'occupe, nuit et jour. On ne fait pas dans l'exotisme. Notre boulot, c'est de coffrer le maximum de gens, mon vieux. Mais j'ai un contact aux stups. Je lui en toucherai un mot. »

Bosch consulta sa montre. Il était presque minuit, et il

avait envie de s'en aller. Il regarda Moore allumer une cigarette, alors que la précédente n'avait pas fini de se consumer dans le cendrier rempli à ras bord. Harry avait encore une chope de bière pleine et un verre de whisky devant lui. Il se leva néanmoins et chercha de l'argent dans ses poches pour payer.

« Merci pour tout, dit-il. Vois ce que tu peux faire, et tiens-moi au courant.

– OK. (Et presque dans la foulée :) Hé, Bosch ?

– Ouais ?

– Je sais ce qui t'est arrivé. Enfin... j'ai entendu ce qu'on raconte au commissariat. Je sais que tu t'es retrouvé sur la sellette. Et je me demandais... est-ce que tu as eu affaire à un type d'Internal Affairs qui s'appelle Chastain ? »

Bosch réfléchit. John Chastain était un des meilleurs. A la police des polices, les dossiers étaient classés en plusieurs catégories après enquête : confirmé, infirmé ou sans fondement. Chastain avait été surnommé « Monsieur Confirmation ».

« J'ai entendu parler de lui, répondit-il. C'est un inspecteur de troisième échelon, il...

– Ouais, je sais ça. Tout le monde le sait. Ce que je veux savoir, c'est... il faisait partie de ceux qui se sont occupés de toi ?

– Non, c'en était d'autres. »

Moore acquiesça. Il s'empara du verre de whisky qui se trouvait devant Bosch et le vida d'un trait.

« D'après ce que tu as entendu dire, reprit-il, ce Chastain, c'est un bon ? Ou bien c'est juste un gratte-papier avec le fond du froc usé ?

– Ça dépend de ce que tu entends par “bon”. Je pense qu'aucun de ces types n'est vraiment bon. Dans ce boulot, c'est pas possible. Mais si jamais tu leur en donnes l'occasion, n'importe lequel d'entre eux est capable de te réduire en miettes et de te ramasser à la petite cuiller. »

Bosch était partagé entre l'envie de l'interroger pour en savoir plus et le désir de ne pas s'en mêler. Moore garda le silence : il lui laissait le choix. Finalement, Harry décida de rester en dehors de cette histoire.

« S'ils en ont après toi, dit-il, tu ne peux pas faire grand-chose. Contacte le syndicat et trouve-toi un bon avocat. Fais ce qu'il te dit et surtout contente-toi de répondre à leurs questions, sans en rajouter. »

Moore hocha la tête en silence une fois de plus. Harry déposa deux billets de vingt dollars sur le comptoir, en espérant que ça suffirait à payer l'addition tout en laissant quelque chose au barman. Après quoi il s'en alla.

Il n'avait jamais revu Moore vivant.

Bosch emprunta l'Antelope Valley Freeway et prit la direction du nord-est. En franchissant la passerelle de Sand Canyon, il aperçut sur l'autoroute, roulant vers le sud, une camionnette blanche de la télévision. Un énorme 9 était peint sur le côté du véhicule. Autrement dit, l'épouse de Moore serait déjà au courant lorsque Bosch sonnerait à sa porte. Il éprouva un léger pincement de culpabilité mêlé de soulagement en songeant qu'il ne serait pas obligé de lui annoncer la nouvelle.

En y repensant, il constata qu'il ignorait le prénom de la dame. Irving lui avait seulement donné l'adresse, convaincu sans doute que Bosch connaissait son prénom. En quittant l'autoroute pour s'engager dans le Sierra Highway, il tenta de se remettre en mémoire les articles de journaux qu'il avait lus depuis la disparition de Moore. Le prénom de son épouse y figurait forcément.

Mais pas moyen de s'en souvenir. Il se rappela qu'elle était professeur... professeur d'anglais, se dit-il, dans un lycée de la Vallée. Il se rappela aussi qu'ils n'avaient pas d'enfants et qu'elle était séparée de son mari depuis quelques mois. Mais son prénom lui échappait.

Il tourna dans Del Prado, observa les numéros peints sur le trottoir et s'arrêta devant la maison où avait vécu Cal Moore.

C'était une maison dans le style ranch, comme celles qu'on construisait par centaines dans les lotissements de banlieue qui emplissaient les autoroutes jusqu'à la gueule chaque matin. Elle semblait spacieuse, quatre chambres peut-être, et Bosch trouva cela curieux pour un couple sans enfants. Peut-être avaient-ils fait des projets autrefois.

La lumière au-dessus de la porte d'entrée était éteinte. Personne n'était attendu. Ni espéré. Grâce à l'éclat de la lune, Bosch put constater malgré tout que le jardin de devant aurait dû être tondu depuis au moins un mois. Les herbes hautes montaient à l'assaut du panneau blanc de l'agence immobilière Ritenbaugh planté au bord du trottoir.

Il n'y avait pas de voiture dans l'allée ; la porte du garage était fermée et les deux fenêtres ressemblaient à des orbites vides et sombres. Seule une faible lumière brillait derrière les rideaux de la baie vitrée près de la porte. Bosch se demanda à quoi ressemblait cette femme et si elle éprouverait des remords ou de la colère. Ou les deux.

Il jeta sa cigarette dans la rue, descendit de voiture et écrasa son mégot. Puis il passa devant le sinistre panneau À VENDRE et gagna la maison.

4

Le paillasson de la porte d'entrée portait l'inscription *Bienvenue*, mais il était usé et personne ne s'était donné la peine de le secouer depuis longtemps. Bosch le remarqua en baissant la tête après avoir frappé à la porte. Mieux valait regarder par terre que d'affronter le regard de cette femme.

Après avoir frappé une seconde fois, il entendit sa voix.

– Allez-vous-en. Je n'ai aucun commentaire à faire.

Il ne put s'empêcher de sourire en songeant que lui aussi avait utilisé cette expression ce soir.

– Madame Moore ? Je ne suis pas journaliste. Je travaille pour la police de Los Angeles.

La porte s'entrouvrit de quelques centimètres, le visage de la femme apparaissant, éclairé par-derrière, dans la pénombre. Bosch remarqua la chaîne tendue dans l'entrebâillement. Il avait sorti son badge.

– Oui ?

– Madame Moore ?

– Oui ?

– Je m'appelle Harry Bosch. Je... euh... je suis inspecteur du LAPD. Et on m'envoie pour... Je peux entrer ? J'aurais besoin de... vous poser quelques questions et de vous informer de certains... euh, développements dans...

– Vous êtes en retard. J'ai déjà reçu la visite de Channel 4, 5 et 9. Quand vous avez frappé, j'ai cru que c'était encore la télévision. La 2 ou la 7, par exemple...

– Puis-je entrer, madame Moore ?

Il rangea son insigne. Elle referma et il entendit la chaîne glisser dans la rainure. La porte se rouvrit presque aussitôt, et la femme lui fit signe d'entrer d'un petit geste de la main. Bosch pénétra dans un vestibule dallé de carreaux de terre couleur rouille. Un miroir rond était fixé au mur ; il y vit son reflet tandis qu'elle refermait et verrouillait la porte. Il remarqua qu'elle tenait un mouchoir en papier à la main.

– Ce sera long ? demanda-t-elle.

Il répondit que non, elle le conduisit jusqu'à la salle de séjour où elle s'assit dans un gros fauteuil en cuir marron disposé près de la cheminée. Sans dire un mot, elle lui indiqua le canapé placé face à l'âtre. Le siège réservé aux invités. Dans la cheminée finissaient de se consumer les restes d'un feu. Sur la table basse près de l'endroit où elle était assise, il remarqua une boîte de mouchoirs jetables et une pile de feuilles. On aurait dit des rapports ou bien des scripts, certains étant rangés dans des pochettes en plastique.

– Ce sont des comptes rendus de lecture, lui dit-elle après avoir suivi son regard. J'ai donné des livres à lire à mes élèves et leur ai demandé de me rendre leurs fiches avant les vacances de Noël. Je m'apprêtais à passer mon premier Noël seule, et sans doute voulais-je être certaine d'avoir de quoi m'occuper...

Bosch acquiesça. Il laissa son regard errer sur le reste de la pièce. Dans son métier, il apprenait énormément de choses sur les gens en observant l'endroit où ils habitaient. Souvent, ils n'étaient plus là pour s'expliquer. Alors il tirait des conclusions de ses observations et pensait avoir un certain talent dans ce domaine.

Ici, apparemment, ce n'était pas un endroit où l'on recevait souvent des amis ou de la famille. Sur le mur du fond, une grande bibliothèque était remplie de romans et d'ouvrages d'art. Pas de télévision. Nulle trace de la présence d'un enfant. L'endroit était conçu pour le travail ou les discussions paisibles au coin du feu.

Autrefois.

Dans le coin opposé à la cheminée trônait un sapin d'un mètre cinquante de haut avec des lumières blanches et des boules rouges, plus quelques décorations artisanales qui semblaient avoir été transmises de génération en génération. Harry se plut à imaginer qu'elle avait décoré ce sapin elle-même. Elle avait poursuivi sa vie, avec ses habitudes, au milieu du naufrage de son mariage. Elle avait décoré ce sapin rien que pour elle. Harry sentit qu'elle avait du caractère. Certes, elle s'était comme enveloppée d'une épaisse carapace de souffrance et peut-être de solitude, mais elle dégageait aussi une grande impression de force. Ce sapin indiquait qu'elle était le genre de femme capable de survivre à ce drame ; elle tiendrait le coup. Seule. Il aurait aimé se souvenir de son prénom.

– Avant toute chose, dit-elle, puis-je vous poser une question ?

– Bien sûr.

– Avez-vous fait exprès… de laisser les journalistes arriver les premiers, je veux dire… pour ne pas avoir à faire le sale boulot ? C'est comme ça que mon mari appelait ça : « le sale boulot ». Annoncer la nouvelle à la famille. Il disait que les flics essayaient toujours d'échapper à cette corvée.

Bosch sentit son visage s'empourprer. Le tic-tac de la pendule posée sur le manteau de la cheminée semblait soudain résonner bruyamment dans le silence. Finalement, il parvint à articuler :

– J'ai été chargé de cette mission au dernier moment. Et j'ai eu un peu de mal à trouver. Je…

Il s'arrêta. Elle n'était pas idiote.

– Je suis désolé, reprit-il. Je crois que vous avez raison. J'ai pris mon temps.

– Ça ne fait rien. Ce n'est pas chic de ma part de vous mettre dans l'embarras. Ce doit être affreux comme boulot…

Bosch regrettait de ne pas avoir un chapeau mou, comme les détectives dans les vieux films ; il aurait pu le tenir entre ses mains, jouer avec, faire courir ses doigts sur le bord, histoire de s'occuper. En observant attentivement cette femme, il vit qu'elle avait dû être belle. Trente-cinq ans environ, cheveux châtains, quelques mèches blondes, elle avait la silhouette et la grâce d'une athlète. Une mâchoire bien dessinée au-dessus des muscles saillants de son cou. Elle n'avait pas mis de maquillage pour dissimuler les petites rides qui creusaient le contour de ses yeux. Elle portait un blue-jean et un sweat-shirt blanc ample qui avait peut-être appartenu à son mari. Harry se demanda quelle place Calexico Moore occupait encore dans son cœur.

A vrai dire, il l'admirait déjà d'avoir osé lui lancer une pique au sujet du « sale boulot ». Il savait qu'il le méritait. Depuis trois minutes qu'il la connaissait, il avait l'impression qu'elle lui rappelait quelqu'un, mais il n'aurait pas su dire qui. Quelqu'un de son passé, sans doute. Outre la force, il émanait d'elle une sorte de tendresse paisible. Il ne parvenait pas à détacher ses yeux des siens, qui étaient comme des aimants.

– Je suis l'inspecteur Harry Bosch, répéta-t-il, espérant qu'elle allait se présenter à son tour.

– J'ai entendu parler de vous. Je me souviens des articles dans les journaux. Et je suis sûre que mon mari m'a parlé de vous… Je crois que c'était à l'époque où on vous a muté à la Criminelle, à Hollywood. Il y a deux ou trois ans. Il paraît qu'avant cela, un studio de cinéma vous avait offert une grosse somme d'argent pour pouvoir utiliser votre nom dans un téléfilm tiré d'une enquête. Et vous avez acheté une maison sur pilotis construite à flanc de colline…

Bosch acquiesça à contrecœur et s'empressa de changer de sujet :

– J'ignore ce que vous ont raconté les journalistes, madame Moore, mais on m'a chargé de vous dire qu'apparemment on a retrouvé votre mari. Mort. Je suis désolé de devoir vous annoncer cela. Je…

– Je savais, et vous aussi, et tous les flics de la ville savaient que ça se finirait ainsi. Je n'ai pas parlé aux journalistes. C'était inutile. Je leur ai répondu « Aucun commentaire ». Quand ils débarquent tous chez vous le soir de Noël, vous savez que c'est pour vous annoncer une mauvaise nouvelle… (Harry acquiesça, les yeux fixés sur le chapeau imaginaire qu'il tenait entre ses mains.) Alors, qu'avez-vous à me dire ? S'agit-il d'un suicide officiellement ? A-t-il utilisé une arme à feu ?

Bosch acquiesça à nouveau :

– Apparemment, c'est un suicide, mais rien n'est définitif avant…

– … avant l'autopsie, je sais. Je sais. Je suis femme de policier. Enfin, je devrais dire « j'étais ». Je sais ce que vous pouvez me dire et ce que vous ne pouvez pas me dire. Vous, les gens de la police, vous ne pouvez pas être francs avec moi. Vous devez garder vos petits secrets…

Il vit la rancœur s'insinuer dans son regard, la colère.

– Non, c'est faux, madame Moore. J'essaye seulement d'atténuer la…

– Inspecteur Bosch, si vous avez quelque chose à me dire, dites-le-moi.

– Oui, madame Moore, il a utilisé une arme à feu. Si vous voulez connaître les détails, je peux vous les donner. Votre mari, s'il s'agit bien de votre mari, s'est fait sauter la tête avec un fusil à pompe. Il n'a plus de visage. Nous devons nous assurer que c'est bien lui et qu'il s'est effectivement suicidé avant de pouvoir nous prononcer avec certitude. Nous ne cherchons pas à garder des secrets. Simplement, nous ne possédons pas encore toutes les réponses.

Elle se renversa au fond de son fauteuil, hors de la lumière. A travers le voile de la pénombre, Bosch distingua son expression. La dureté et la colère de son regard s'étaient atténuées. Ses épaules semblèrent se détendre. Il eut honte de lui-même.

– Je… je suis désolé, bafouilla-t-il. Je ne sais pas pourquoi je vous ai dit ça. J'aurais dû…

– Ce n'est rien. Je l'ai mérité, je crois… Je m'excuse, moi aussi.

Elle le regarda sans rancœur. Il avait réussi à briser la carapace. Il sentait qu'elle avait besoin de quelqu'un à ses côtés. Cette maison était trop grande, trop sombre pour y rester seule à cet instant. Tous les sapins de Noël et toutes les fiches de lecture du monde ne pouvaient rien y changer. Mais ce n'était pas la seule raison qui donnait à Bosch l'envie de rester. Il s'aperçut que cette femme lui plaisait. Il n'avait jamais éprouvé la fameuse attirance des contraires, pour lui c'était même plutôt l'inverse du mythe. Il avait toujours retrouvé quelque chose de lui-même dans les femmes qui le séduisaient. Pour quelle raison ? Aucune idée. C'était comme ça. Et voilà qu'il se retrouvait devant cette femme dont il ne connaissait même pas le prénom, et se sentait attiré par elle. Peut-être était-ce le reflet de lui-même et de ses propres aspirations : mais, quoi qu'il en soit, cette « chose »-là, il l'avait sentie. Il était intrigué, il éprouvait le besoin de savoir ce qui avait creusé ces rides autour de ces yeux perçants. Comme lui, il le savait, cette femme portait ses cicatrices à l'intérieur, profondément enfouies, chacune représentant un mystère. Elle lui ressemblait. Il le sentait.

– Euh... Excusez-moi, mais je ne connais pas votre prénom. Le chef adjoint m'a simplement donné votre adresse en m'ordonnant de venir vous avertir.

Elle sourit de sa gêne.

– Sylvia.

Il hocha la tête.

– Sylvia... Euh... c'est l'odeur du café que je sens ?

– Oui. Vous en voulez une tasse ?

– Avec grand plaisir, si ça ne pose pas de problème...

– Absolument pas.

Elle se leva et, lorsqu'elle passa devant lui, ses doutes le reprirent.

– Ecoutez, je suis désolé, dit-il. Je ferais peut-être mieux de partir. Vous avez certainement un tas d'autres choses en tête et je m'impose. Je...

– Je vous en prie, restez. J'ai besoin de compagnie.

Elle n'attendit pas la réponse. Dans la cheminée, le feu fit entendre un petit *plop* lorsque les flammes découvrirent la dernière poche d'air d'une bûche. Bosch observa Sylvia qui sortait de la pièce. Il regarda de nouveau autour de lui, puis se leva et se dirigea vers le seuil éclairé de la cuisine.

– Noir, s'il vous plaît.

– Oui, évidemment. Vous êtes flic.

– Vous ne les aimez pas beaucoup, hein ? Les flics.

– Disons simplement que je n'ai jamais eu de très bons rapports avec eux.

Elle lui tournait le dos. Elle déposa deux tasses sur le plan de travail et s'empara d'une cafetière en verre. Harry s'appuya contre le montant de la porte, près du réfrigérateur. Il ne savait pas quoi dire ; devait-il revenir sur la raison de sa visite ?

– Vous avez une jolie maison.
– Nous la vendons. Enfin, maintenant je devrais dire *je* la vends.
Elle continuait à lui tourner le dos.
– Vous savez, dit-il, vous ne devez pas vous sentir responsable de son geste.
– Facile à dire…
– Oui.
Il y eut un long moment de silence avant que Bosch ne décide de se jeter à l'eau :
– Il a laissé un mot.
Elle arrêta son geste, mais sans se retourner.
– « J'ai découvert qui j'étais », c'est tout ce qu'il disait dans sa lettre.
Elle ne répondit pas. Une des tasses était toujours vide.
– Ça vous dit quelque chose ? reprit-il.
Finalement, elle se tourna vers lui. Dans la lumière vive de la cuisine, il aperçut les traces de sel laissées par les larmes sur son visage. Et, face à cela, il se sentit inutile, il n'était rien pour elle, il ne pouvait rien faire pour la réconforter.
– Je ne sais pas. Mon mari était… prisonnier du passé.
– Que voulez-vous dire ?
– Il… il revenait toujours en arrière. Il préférait le passé au présent, même quand il avait de l'espoir. Il aimait remonter à son enfance. Il aimait… il ne parvenait pas à tirer un trait.
Harry regarda les larmes s'insinuer dans les rides sous ses yeux. Elle se retourna vers le comptoir pour finir de verser le café.
– Que lui est-il arrivé ? demanda-t-il.
– Qu'arrive-t-il aux gens ?
Après cette réponse, elle demeura muette un instant, avant d'ajouter :
– Je ne sais pas. Il voulait revenir en arrière. Il avait besoin de retrouver quelque chose.
Tout le monde a besoin de retrouver son passé, songea Bosch. Parfois, son attrait est plus fort que celui de l'avenir. Elle sécha ses yeux avec un mouchoir en papier, puis se tourna pour lui tendre sa tasse. Avant de parler, il avala une gorgée de café.

– Un jour, reprit-elle, il m'a raconté qu'il avait vécu dans un château. En tout cas, c'est comme ça qu'il l'appelait.

– A Calexico ?

– Oui, mais pas très longtemps. J'ignore ce qui s'est passé. Il ne m'a jamais beaucoup parlé de cette période de sa vie. C'était à cause de son père. Au bout d'un moment, son père n'a plus voulu de lui. Sa mère et lui ont dû quitter Calexico, le château ou je ne sais quoi, et elle l'a emmené de l'autre côté de la frontière. Il aimait dire qu'il était de Calexico, mais, en réalité, il a grandi à Mexicali. Je ne sais pas si vous y êtes déjà allé.

– J'y suis juste passé en voiture. Sans m'arrêter.

– Excellente idée. Ne vous y arrêtez pas. En tout cas, c'est là qu'il a grandi.

Elle s'interrompit. Il attendit qu'elle continue. Elle contemplait son café ; une femme séduisante qui semblait en avoir assez de tout cela. Elle n'avait pas encore compris que c'était aussi un commencement pour elle, pas seulement une fin.

– Il ne s'en est jamais remis. Je parle de cet abandon. Souvent, il retournait à Calexico. Moi, je ne l'accompagnais pas, mais je savais qu'il y allait. Seul. Je pense qu'il observait son père. Peut-être voyait-il ce qu'aurait pu être sa vie. Je ne sais pas. Il conservait des photos de son enfance. Parfois, la nuit, quand il croyait que je dormais, il les sortait pour les regarder.

– Le père est-il toujours vivant ?

– Je ne sais pas. Cal parlait rarement de lui et, quand ça lui arrivait, il disait que son père était mort. Mais je n'ai jamais su s'il parlait métaphoriquement, ou s'il était vraiment mort. Aux yeux de Cal en tout cas, il était mort. C'était le plus important. Pour lui, c'était une affaire très intime. Il continuait à se sentir rejeté, après tout ce temps. Pas moyen de le pousser à se confier. Ou bien, quand il évoquait ce sujet, il mentait, il disait que son père ne représentait rien pour lui, qu'il s'en fichait. Mais c'était faux. Je le sentais. Au bout d'un moment, après des années, j'avoue que j'ai cessé d'essayer d'aborder le sujet avec lui. Et jamais il ne l'abordait de lui-même. Il partait là-bas tout simplement… pour le week-end, parfois même pour une seule journée. Et, à son retour, il n'en parlait pas.

– Vous avez les photos ?

– Non, il les emportait toujours avec lui. Elles ne le quittaient jamais.

Bosch but quelques gorgées de café pour s'accorder un temps de réflexion.

– Apparemment, dit-il… Je ne sais pas… Est-ce que cela pourrait avoir un rapport avec…

– Je n'en sais rien. Tout ce que je peux vous dire, c'est que cela n'a pas été sans conséquence pour notre histoire. C'était une véritable obsession pour lui, plus importante que moi à ses yeux. Finalement, cette histoire a détruit notre couple.

– Que cherchait-il ?

– Je l'ignore. Au cours des dernières années, il me tenait à l'écart. Et j'avoue que c'est devenu réciproque. Voilà comment ça s'est terminé.

Bosch acquiesça et détourna la tête pour ne plus voir son regard. Que pouvait-il faire d'autre ? Parfois, son métier l'entraînait trop profondément au cœur de la vie des gens, mais il ne pouvait que rester sur le seuil, en hochant la tête. Il posait des questions qui lui faisaient honte, car il n'avait aucun droit de connaître les réponses. Dans ce cas précis, il n'était que le messager. Il n'était pas censé découvrir ce qui pouvait pousser quelqu'un à se coller le double canon d'un fusil à pompe sur le visage et à presser la détente.

Malgré tout, il n'arrivait pas à se libérer du mystère que représentait Cal Moore et de la douleur qui marquait le visage de cette femme. La fascination qu'elle exerçait sur lui dépassait largement sa beauté physique. Elle était attirante, certes, mais il était comme aimanté par la souffrance de ses traits, par ses larmes, et aussi par la force qui se lisait dans ses yeux… Et il songeait qu'elle ne méritait pas ce qui lui arrivait. Comment Cal Moore avait-il pu déconner à ce point ?

Il reporta son regard sur elle.

– Un jour, il m'a dit autre chose. Je… euh, j'ai eu maille à partir avec Internal Affairs, ce sont les…

– Oui, je sais ce que c'est.
– Bon. Il m'a demandé un conseil. Il voulait savoir si je connaissais un type qui enquêtait sur lui. Un certain Chastain. Cal vous a-t-il parlé de ça ? De quoi s'agissait-il au juste ?
– Non, il ne m'a rien dit.
Son comportement était en train de changer. Bosch vit la colère renaître au plus profond d'elle-même. Son regard se fit perçant. Aucun doute, il avait sans le vouloir touché une corde sensible.
– Mais vous étiez au courant, n'est-ce pas ?
– Chastain est venu ici un jour. Il pensait que j'accepterais de coopérer. Il disait que j'avais déposé plainte contre mon mari, ce qui était faux. Il voulait fouiller toute la maison, je lui ai ordonné de partir. Je n'ai pas envie de parler de ça.
– Quand Chastain est-il venu ?
– Je ne sais pas… Il y a deux mois environ.
– Vous l'avez dit à Cal ?
Elle hésita, puis hocha la tête.
Et voilà, songea Harry, Cal m'a donné rendez-vous au Catalina pour me demander conseil.
– Vous êtes sûre de ne pas savoir de quoi il s'agissait ?
– Nous étions déjà séparés à cette époque. Nous ne nous parlions plus. C'était terminé entre nous. J'ai simplement dit à Cal que ce type était venu et qu'il avait menti au sujet de la plainte. Cal a répondu qu'ils ne savaient faire que ça, mentir. Il m'a dit de ne pas m'inquiéter.
Harry finit son café, mais garda sa tasse à la main. Elle savait que son mari avait commis une faute ; il avait trahi leur avenir à cause de son passé, mais elle lui était restée fidèle. Elle l'avait mis en garde contre Chastain. Bosch ne pouvait lui en vouloir. Il ne pouvait que l'apprécier davantage.
– Que venez-vous faire ici ? demanda-t-elle.
– Comment ?
– Si vous enquêtez sur la mort de mon mari, je suppose que vous êtes déjà au courant de tout ce qui concerne Internal Affairs. Soit vous mentez vous aussi, soit vous ne savez rien. Dans ce cas, que venez-vous faire ici ?

Il reposa la tasse sur le comptoir. Cela lui donna quelques secondes supplémentaires.

– On m'a envoyé ici pour…

– … faire le sale boulot.

– Exact. J'ai écopé du sale boulot. Mais, comme je vous l'ai dit, je connaissais un peu votre mari et…

– Je ne pense pas que vous puissiez résoudre ce mystère, inspecteur Bosch… (Il acquiesça, sans rien dire.) J'enseigne l'anglais et la littérature au lycée Grant, continua-t-elle. C'est dans la Vallée. Je donne à lire à mes élèves beaucoup de livres qui parlent de L. A. pour qu'ils puissent se faire une idée de l'histoire et de la personnalité de leur communauté. Dieu sait pourtant que peu d'entre eux sont nés ici. Parmi ces ouvrages figure *Le Grand Sommeil*. Ça parle d'un détective.

– Je l'ai lu.

– Il y a dans ce livre une phrase que je connais par cœur : « Il n'existe aucun piège aussi mortel que celui qu'on se tend à soi-même. » Chaque fois que je lis ça, je pense à mon mari. Et à moi.

Elle se remit à pleurer. En silence, sans détacher son regard de Bosch. Cette fois, il ne hocha pas la tête. Il voyait le besoin dans ses yeux, il s'avança et posa sa main sur son épaule. C'était un geste maladroit, mais elle s'abandonna contre lui et posa sa tête sur son torse. Il la laissa pleurer jusqu'à ce qu'elle s'écarte de lui.

Une heure plus tard, Bosch était de retour chez lui. Il prit le verre à demi rempli de vin et la bouteille qui étaient restés sur la table depuis le dîner. Il sortit sur la véranda derrière la maison, s'assit et but en réfléchissant à diverses choses jusqu'aux petites heures du matin. Le rougeoiement du feu sur l'autre rive du canyon s'était éteint. Mais, désormais, quelque chose brûlait en lui.

Calexico Moore avait, semble-t-il, répondu à une question que tout le monde porte profondément enfouie en soi, une question à laquelle Harry Bosch, lui aussi, rêvait de pouvoir répondre.

J'ai découvert qui j'étais

Et il en était mort. Cette pensée lui était comme un coup de poing à l'estomac et résonnait jusque dans les replis les plus secrets de son être.

5

Le jeudi suivant, soit le lendemain de Noël, fut une de ces journées dont rêvent les photographes de cartes postales. Pas la moindre trace de « smog » dans le ciel. Dans les collines, le feu s'était éteint et la fumée avait été depuis longtemps évacuée au loin par le vent du Pacifique. La cuvette de Los Angeles se dorait au soleil sous un ciel azur parsemé de quelques cumulus duveteux et blancs.

Bosch décida de prendre le chemin le plus long pour descendre des collines ; il emprunta Woodrow Wilson jusqu'au croisement de Mulholland et s'engagea sur la route en lacets qui traverse Nichols Canyon. Il aimait contempler les collines couvertes de glycine bleue et de violettes ; à leur sommet se dressaient de vieilles maisons de plusieurs millions de dollars qui conféraient à la ville son aura de gloire passée. En roulant, Bosch repensa aux événements de la nuit précédente et à l'envie qu'il avait eue de réconforter Sylvia Moore. Il se faisait l'impression d'être un flic dans un tableau de Norman Rockwell. Comme s'il avait pu y changer quoi que ce fût.

Une fois descendu des collines, il prit Genesee jusqu'à Sunset, puis il coupa vers Wilcox. Il se gara derrière le commissariat, passa devant les fenêtres grillagées de la cellule des poivrots et entra dans le bureau des inspecteurs. La morosité qui régnait dans cette pièce était plus épaisse que la fumée de cigarette dans un cinéma porno. Les autres inspecteurs étaient assis à leur table, la tête baissée, la plupart parlant à voix basse au téléphone ou gardant le nez plongé dans les paperasses dont le flot incessant hantait leur existence.

Harry s'assit à la table de la Criminelle, face à Jerry Edgar, son partenaire « occasionnel ». Il n'y avait plus d'équipes fixes. La brigade manquait de main-d'œuvre ; les recrutements et les avancements étaient gelés à cause des coupes budgétaires. Résultat, ils n'étaient plus que cinq inspecteurs autour de cette table. Le chef de la brigade, le lieutenant Harvey Pounds, se débrouillait en faisant travailler ses hommes en solo, sauf dans les affaires importantes, les missions dangereuses ou lors d'une arrestation. Bosch, pour sa part, aimait travailler seul, mais la plupart des autres inspecteurs se plaignaient de cette situation.

– Alors, quoi de neuf ? demanda Bosch à Edgar. C'était bien Moore ?

Edgar acquiesça. Ils étaient seuls à la table. Shelby Dunne et Karen Moshito arrivaient généralement après 9 heures, et Lucius Porter s'estimait heureux quand il était suffisamment sobre pour venir travailler avant 10 heures.

– Il y a quelques minutes, Pounds est sorti de sa cage pour annoncer que les empreintes correspondaient. Moore s'est fait sauter le caisson.

Ils restèrent silencieux quelques instants. Harry passa en revue les papiers étalés sur son bureau, sans pouvoir s'empêcher de repenser à Moore. Il imagina Irving ou Sheehan, ou peut-être même Chastain, appelant Sylvia Moore pour l'informer que le corps avait été identifié. Harry voyait disparaître comme un nuage de fumée le maigre prétexte qui le reliait à l'affaire. Soudain, sans même avoir besoin de se retourner, il sentit que quelqu'un se tenait dans son dos. Jetant un coup d'œil par- dessus son épaule, il découvrit Pounds qui le toisait.

– Suivez-moi, Harry.

Une invitation dans la « cage de verre ». Harry regarda Edgar qui leva les yeux comme pour dire « je ne suis pas au courant ». Bosch quitta sa place et suivit le lieutenant dans son bureau situé au fond du bureau des inspecteurs. Il s'agissait d'une petite pièce dotée de fenêtres qui, percées sur trois côtés, permettaient à Pounds de surveiller ses ouailles en limitant les contacts avec eux. Il n'était pas obligé de les entendre, de les sentir ou de les connaître.

Souvent baissés pour lui éviter de voir ses hommes, les stores étaient relevés ce matin-là.

– Asseyez-vous, Harry. Je n'ai pas besoin de vous dire de ne pas fumer. Vous avez passé un joyeux Noël ?

Bosch se contenta de le regarder ; il n'aimait pas que ce type l'appelle Harry et lui demande s'il avait passé un bon Noël. A contrecœur, il s'assit.

– C'est à quel sujet ? demanda-t-il.

– Pas d'agressivité, Harry. Si quelqu'un devait se montrer agressif, ce serait moi. Je viens d'apprendre que vous avez passé une bonne partie du réveillon dans ce motel crasseux, le Hideaway, où personne n'aurait envie de mettre les pieds et où, comme par hasard, la brigade des vols et homicides menait une enquête.

– J'étais de garde, lui répondit Bosch. Et j'aurais dû être appelé sur place. Je suis simplement passé voir de quoi il s'agissait. D'ailleurs, il se trouve qu'Irving avait besoin de moi.

– C'est parfait, Harry, si vous en restez là. On m'a chargé de vous demander de ne pas vous faire d'idées sur l'affaire Moore.

– Qu'est-ce que ça signifie ?

– C'est clair.

– Ecoutez, si vous...

– Assez, assez.

Pounds leva les mains pour lui faire comprendre de se calmer, puis il se pinça l'arête du nez, signe annonciateur d'une migraine. Il ouvrit le tiroir central de son bureau et en sortit un petit tube d'aspirine. Il en avala deux sans eau.

– N'en parlons plus, d'accord ? reprit-il. Je ne suis pas... Je n'ai pas besoin d'entrer dans...

Soudain, il émit une sorte de raclement de gorge, se leva d'un bond derrière son bureau, passa devant Bosch en le bousculant et se précipita vers la fontaine d'eau potable près de la porte du bureau des détectives. Bosch ne tourna même pas la tête. Quelques instants plus tard, Pounds était de retour.

– Excusez-moi, dit-il. Ce que je voulais dire, c'est que je n'ai pas besoin de me disputer avec vous chaque fois que je vous convoque dans ce bureau. Franchement, je pense que vous devriez régler une bonne fois pour toutes vos problèmes avec la hiérarchie. Avec vous, ça prend toujours des proportions exagérées.

Bosch distingua des petites traces de poudre blanche d'aspirine à la commissure de ses lèvres. Pounds se racla la gorge de nouveau.

– Je vous disais simplement, entre nous et dans votre…

– Pourquoi est-ce qu'Irving ne me le dit pas lui-même ?

– Je n'ai pas dit que… Bon, écoutez, Bosch, n'en parlons plus. Laissez tomber. Vous êtes prévenu, un point c'est tout. Au cas où vous voudriez fourrer votre nez dans le truc d'hier soir, n'y pensez plus. On s'occupe de l'affaire.

– J'en suis sûr.

Ayant reçu sa mise en garde, Bosch se leva. Il mourait d'envie de balancer Pounds à travers la vitre, mais il devrait se contenter d'aller fumer une cigarette dehors, derrière la cellule des poivrots.

– Asseyez-vous ! lui ordonna Pounds. Ce n'est pas pour ça que je vous ai fait venir…

Bosch se rassit et attendit calmement. Il observa Pounds qui tentait de se donner une contenance. L'homme rouvrit son tiroir et cette fois en sortit une règle en bois avec laquelle il joua distraitement pendant qu'il parlait.

– Harry, savez-vous combien d'homicides nous avons traités dans cette brigade cette année ?

C'était une question inattendue. Harry se demanda où Pounds voulait en venir. Personnellement, il savait qu'il en avait traité onze, mais il avait été absent six semaines pendant l'été, parti au Mexique pour se remettre de sa blessure par balle. A vue de nez, il estima à soixante-dix le nombre d'affaires traitées par la brigade criminelle.

– Aucune idée, répondit-il.

– Eh bien, je vais vous le dire. A ce jour, nous en sommes à soixante-six homicides. Evidemment, il nous reste encore cinq jours. On va sans doute en décrocher encore un autre. Peut-être même plusieurs. Le réveillon du jour de l'an, il y a toujours des problèmes. On va…

– Bon, et alors ? Si je me souviens bien, nous avions traité cinquante-neuf affaires l'année dernière. Les meurtres sont en augmentation. Ce n'est pas nouveau.

– Ce qui est nouveau, c'est la baisse du nombre d'affaires résolues. Moins de la moitié. Seulement trente-deux affaires sur soixante-six. Et, je le reconnais, un bon nombre d'entre elles ont été résolues grâce à vous. J'ai noté onze enquêtes à votre actif. Sept se sont terminées par une arrestation ou autre. Nous avons des mandats pour deux autres affaires. Parmi les deux enquêtes en cours, la première est en attente de développements et vous travaillez activement sur l'affaire James Kappalanni. Exact ?

Bosch acquiesça. Il n'aimait pas le tour que prenait la discussion, mais n'aurait su dire pourquoi.

– Le problème, reprit Pounds, c'est les résultats d'ensemble. Considérés de manière globale… les chiffres sont désastreux.

Il frappa dans sa paume avec la règle et secoua la tête. Une idée commençait à prendre forme dans l'esprit de Harry, mais il lui manquait encore quelques pièces du puzzle.

– Réfléchissez, reprit Pounds. Toutes ces victimes… et leurs familles… devant lesquelles la justice se dérobe. Et puis… pensez un peu combien notre image est désastreuse lorsque le *L. A. Times* claironne à longueur de colonnes que plus de la moitié des meurtriers échappent à la Criminelle…

– Inutile, à mon avis, de nous soucier de notre image auprès du public, répondit Bosch. Elle ne peut pas se dégrader davantage.

Pounds se massa de nouveau l'arête du nez et dit calmement :

– Ce n'est pas le moment de faire étalage de votre cynisme, Bosch. Laissez votre arrogance à la maison. Si ça me chante, je peux vous expulser de la Criminelle et vous muter aux vols de bagnoles ou même à la brigade des mineurs, n'importe quand. Message reçu ? Je me ferai un plaisir de vous enfoncer quand vous irez vous plaindre au syndicat.

– Pensez un peu à toutes ces affaires d'homicides qui ne seront plus élucidées. Que dira-t-on dans les journaux ? Deux tiers des meurtriers de Hollywood en cavale ?

Pounds rangea la règle dans le tiroir et le referma. Bosch

crut voir un léger sourire sur son visage et se dit qu'il venait peut-être de tomber dans le panneau. Pounds ouvrit un autre tiroir et en sortit un classeur bleu qu'il déposa sur le bureau. C'était le genre de classeur utilisé pour ranger les rapports concernant les enquêtes pour meurtre, mais celui-ci ne contenait que quelques feuilles.

– Très juste, répondit le lieutenant. Ce qui nous amène à l'objet de cette discussion. Voyez-vous, nous parlons de statistiques, Harry. Si nous réussissons à résoudre encore *une* affaire, nous atteignons la moitié. Au lieu de dire que plus de la moitié des criminels échappent à la police, on pourra affirmer que la moitié des meurtriers sont arrêtés. Si on élucide *deux* autres affaires, on pourra même dire que *plus* de la moitié des enquêtes aboutissent. Vous pigez ?

Comme Bosch ne répondait pas, Pounds hocha la tête. Il fit semblant de bien aligner le classeur sur son bureau, puis il regarda Bosch dans les yeux.

– Lucius Porter ne reviendra pas, dit-il. Je l'ai eu au téléphone ce matin. Il part pour cause de dépression. Il est allé voir un médecin, à ce qu'il paraît.

Pounds sortit du même tiroir un autre classeur bleu. Puis un troisième. Bosch comprit ce qui se passait.

– Et j'espère qu'il s'est dégoté un bon toubib, reprit Pounds en ajoutant un cinquième, puis un sixième classeur sur la pile. Parce qu'aux dernières nouvelles la cirrhose du foie n'est pas considérée comme une maladie dépressive. Porter est un poivrot, rien de plus. Il n'a pas le droit de prétendre souffrir de dépression et prendre sa retraite anticipée simplement parce qu'il ne supporte pas l'alcool. Vous pouvez me faire confiance, on va se le payer, à la consultation administrative. Et je me contrefous que son avocat soit mère Teresa ou je ne sais qui. On va se le payer…

Du bout des doigt, il pianota sur la pile de classeurs bleus.

– J'ai jeté un œil sur ces enquêtes… reprit le lieutenant au bout d'un instant. Il y en a huit en cours… c'est dramatique. J'ai recopié toutes les dates et je vais vérifier. Je suis prêt à parier n'importe quoi que ces dossiers sont bourrés de notes mensongères. Pendant qu'il prétendait interroger des témoins ou faire des recherches, ce salopard était affalé sur un tabouret de bar quelque part, la tête appuyée sur le comptoir… (Pounds secoua la tête avec tristesse.) Vous voulez que je vous dise : on a tout bousillé le jour où les inspecteurs ont cessé de travailler en duo. Il n'y avait plus personne pour surveiller les types comme lui. Et aujourd'hui, je me retrouve avec huit enquêtes plus bâclées les unes que les autres. A première vue, toutes ces affaires auraient pu être résolues.

Et qui avait eu l'idée de faire travailler les inspecteurs en solo ? Bosch avait bien envie de poser cette question, mais il décida de s'abstenir. Au lieu de cela, il demanda :

– Vous connaissez l'histoire qui est arrivée à Porter quand il portait encore l'uniforme, il y a une dizaine d'années ? Un jour, son coéquipier et lui s'arrêtent pour coller une amende à un clodo qui buvait de l'alcool dans la rue, assis sur le trottoir. Porter conduisait. C'était la routine, une simple contravention pour un délit mineur, alors il reste au volant. Et, pendant qu'il est assis dans la bagnole, le clodo se lève, et hop, il tire sur son collègue, en plein visage. Le flic était là, debout devant lui, tenant son carnet de contraventions à deux mains, et il a reçu un pruneau entre les deux yeux. Porter a assisté à la scène sans rien faire.

Pounds prit un air exaspéré.

– Oui, oui, Bosch, je connais cette histoire par cœur. On la ressort à toutes les jeunes recrues qui passent par l'école de police. Le parfait exemple de ce qu'il ne faut pas faire. Ne jamais prendre de risques. Mais c'est de l'histoire ancienne, tout ça. Si Porter voulait un congé pour dépression, il n'avait qu'à le prendre à l'époque.

– Justement. Il ne l'a pas pris quand il aurait dû le faire. Il a essayé de tenir le coup. Peut-être qu'il a essayé pendant dix ans, et puis, un jour, il s'est laissé emporter par le flot de merde. Que voudriez-vous qu'il fasse ? Qu'il tire sa révérence, comme Cal Moore ? Vous avez droit à une médaille quand vous faites économiser une pension à la municipalité ?

Pounds resta muet quelques instants, puis il déclara :

– Très éloquent, Bosch ! Mais à long terme le sort de Porter ne vous concerne pas. J'ai eu tort d'aborder ce sujet. Je l'ai fait uniquement pour que vous compreniez ce que je vais vous dire maintenant.

Il refit une démonstration de son petit numéro du maniaque désireux de s'assurer que tous les classeurs étaient bien alignés. Puis il poussa la pile vers Bosch.

– Vous héritez des dossiers de Porter. Je vous demande de laisser tomber l'affaire Kappalanni pendant quelques jours. De toute façon, vous piétinez. Mettez-la de côté jusqu'au 1er janvier et attaquez-vous à ça. Je veux que vous preniez les huit affaires en cours et que vous les étudiez une par une. Faites vite. Je vous demande de choisir celle qui vous semblera la plus facile à résoudre et de vous y consacrer entièrement au cours des cinq prochains jours, c'est-à-dire jusqu'au jour de l'an. Vous n'avez qu'à bosser le week-end, j'accepterai vos heures sup'. Si vous avez besoin d'un de vos collègues pour vous filer un coup de main, pas de problème. Mais foutez-moi quelqu'un en prison, Harry. Je veux une arrestation. J'ai besoin de... nous devons résoudre encore une affaire pour arriver à la moitié. Dernier délai : 31décembre à minuit.

Bosch se contenta de l'observer par-dessus la pile de dossiers. Il avait enfin pris la pleine mesure du bonhomme. Pounds n'était plus un flic. C'était devenu un bureaucrate. Un jean-foutre. Pour lui, le crime, le sang versé et la souffrance des êtres humains n'étaient que statistiques dans un registre. Et à la fin de l'année, c'était le registre qui lui disait s'il avait bien fait son boulot. Ce n'étaient pas les gens. Ni la voix à l'intérieur de lui-même. C'était le genre même d'arrogance froide qui polluait la police et l'isolait de la ville, de ses habitants. Pas étonnant que Porter veuille laisser tomber. Pas étonnant que Cal Moore ait décidé d'en finir. Harry se leva et prit la pile de classeurs en regardant Pounds d'un air qui disait « je sais ce que tu es ». Pounds détourna la tête.

Avant de sortir, Bosch lui dit :

– Vous savez... si vous réussissez à coincer Porter, on le renverra ici. Et qu'est-ce que vous aurez gagné ? Combien d'affaires n'auront pas été résolues l'année prochaine ?

Pounds haussa les sourcils. Il réfléchissait à la question.

– Si vous le laissez partir, reprit Bosch, vous aurez un remplaçant. Il y a un tas de types brillants dans les autres services. Meehan, par exemple, aux mineurs. Mettez-le dans notre équipe et je vous parie que vous verrez vos statistiques grimper. Mais si vous insistez pour coincer Porter et l'obliger à revenir, nous nous retrouverons dans la même situation l'année prochaine…

Pounds attendit un instant pour s'assurer que Bosch avait terminé, puis il reprit la parole :

– Quelle mouche vous a piqué, Bosch ? Pour ce qui est du travail d'enquête, Porter ne vous arrive pas à la cheville. Pourtant, vous faites tout pour essayer de sauver sa peau. Où voulez-vous en venir ?

– Nulle part, lieutenant. Justement. Vous comprenez ?

Sur ce, il quitta le bureau, regagna sa place et laissa tomber la pile de dossiers par terre à côté de sa chaise. Edgar leva les yeux. Ainsi que Dunne et Moshito, qui venaient d'arriver.

– Ne me posez surtout pas de questions, fit Harry.

Il s'assit et contempla la pile de dossiers à ses pieds. Il n'avait aucune envie de fourrer son nez dans tout ça. Ce qu'il voulait, c'était une cigarette, mais pas question de fumer dans le bureau des inspecteurs, du moins quand Pounds traînait dans les parages. Il chercha un numéro dans son Rolodex et pianota sur le cadran du téléphone. On décrocha seulement après la septième sonnerie.

– Quoi encore ?

– Lou ?

– C'est qui ?

– Bosch.

– Oh, salut, Harry. Excuse, je savais pas qui c'était. Qu'est-ce qui se passe ? Tu as appris que je prenais ma retraite pour dépression ?

– Ouais. C'est justement pour ça que je t'appelle. J'ai hérité de tes dossiers, Pounds me les a filés et… euh, faut que j'essaye d'en boucler un vite fait avant la fin de la semaine. Je voulais savoir si tu n'avais pas une petite idée… lequel je devrais attaquer en premier… Je démarre à zéro.

Il y eut un long silence à l'autre bout du fil.

– Putain, Harry !… répondit enfin Porter. (Bosch se dit alors qu'il était peut-être déjà ivre.) Ah, la vache ! Je pensais pas que cet enfoiré te refilerait tout le boulot. Je… euh, tu vois, Harry… J'ai pas trop bossé sur…

– Ce n'est pas dramatique, Lou. Ne t'en fais pas. J'avais plus d'affaire en cours, de toute façon. Je voudrais juste savoir par quel bout commencer. Si tu ne peux pas me renseigner, tant pis. Je vais me plonger dans les dossiers.

Il attendit et s'aperçut que tous ses collègues l'écoutaient, ils ne faisaient même pas semblant d'être occupés.

– Ah, putain ! répéta Porter. Je… ah, putain, j'en sais rien, Harry. Je… je…je m'en suis pas trop occupé, tu vois ce que je veux dire. J'étais pas trop dans mon assiette ces derniers temps. T'es au courant pour Moore ? Putain, j'ai vu ça aux infos, hier soir. Je…

– Oui, c'est moche. Ecoute, Lou, ne t'en fais pas pour ça, OK ? Je vais potasser les dossiers. J'ai tout devant moi, je vais y jeter un œil… (Pas de réponse.) Lou ?

– OK, Harry. Rappelle-moi si tu veux. J'aurai peut-être une idée. Pour l'instant, je peux pas t'aider.

Bosch réfléchit un instant. Il se représenta Porter à l'autre bout du fil, debout dans l'obscurité. Seul.

– Ecoute, dit-il à voix basse. Tu devrais… Méfie-toi de Pounds, pour ta retraite. Il pourrait demander aux « costards » d'enquêter, si tu vois ce que je veux dire, te coller deux types sur le dos. Evite de traîner dans les bars. Il pourrait essayer de te coincer. Tu piges ?

Au bout d'un moment, Porter répondit qu'il avait compris. Bosch raccrocha et regarda ses collègues assis autour de lui. En temps normal, le bureau des détectives lui semblait toujours affreusement bruyant… jusqu'à ce qu'il ait besoin de passer un coup de fil confidentiel. Il sortit une cigarette.

– Alors, Pounds t'a collé toutes les affaires de Porter ? demanda Edgar.

– Exact. C'est moi le détective-poubelle.

– Et nous alors, on compte pour du beurre ?

Bosch sourit. Il sentait qu'Edgar ne savait pas s'il devait

se réjouir d'avoir échappé à cette corvée ou s'offusquer d'être laissé pour compte.

– Si tu veux, Jed, je peux retourner de ce pas dans la cage et dire à Pounds que tu te portes volontaire pour partager le boulot avec moi. Je suis sûr que cet enfoiré de rond-de-cuir sera…

Il s'arrêta net : Edgar venait de lui balancer un coup de pied sous le bureau. Se retournant sur son siège, il vit Pounds s'avancer dans son dos, le visage cramoisi.

– Bosch ! Vous n'allez tout de même pas allumer cette cochonnerie ici ?

– Non, lieutenant, justement j'allais sortir…

Il repoussa sa chaise et partit s'exiler sur le parking, derrière le poste, pour fumer sa cigarette. La porte du fond de la cellule des poivrots était ouverte. Les ivrognes du réveillon avaient déjà été chargés à bord du bus de la prison et conduits au tribunal. En combinaison grise, un type de l'entretien était en train d'asperger le sol de la cellule au jet. Harry savait que le sol en béton avait été construit légèrement en pente de façon à faciliter le nettoyage quotidien. Il regarda l'eau sale se déverser par la porte jusque sur le parking, où elle coulait ensuite vers une bouche d'égout. Du vomi et du sang se mêlaient à l'eau, et l'odeur qui montait de la cellule était épouvantable. Mais Harry ne bougea pas : c'était là qu'était sa place.

Lorsqu'il eut terminé sa cigarette, il jeta le mégot sur le sol et regarda le flot l'entraîner vers la bouche d'égout.

6

Il eut l'impression que le bureau des détectives s'était transformé en bocal à poissons et qu'il était le seul encore dans l'eau. Il fallait qu'il échappe à tous ces regards curieux posés sur lui. Il prit la pile de classeurs bleus et sortit par la porte de derrière donnant sur le parking. Puis il rentra rapidement dans le commissariat par la porte du poste de garde, longea un petit couloir, passa devant les cellules et grimpa un escalier jusqu'à un débarras au premier étage. Cette pièce avait été surnommée la « Suite nuptiale » à cause des lits pliants installés dans un coin. On y trouvait également une table en formica et un téléphone. Et surtout, c'était tranquille. Exactement ce qu'il lui fallait.

Coup de chance, la salle était vide. Il posa la pile de classeurs par terre et débarrassa la table encombrée d'un pare-chocs enfoncé portant une étiquette de pièce à conviction. Il le posa contre un empilement de boîtes de dossiers, à côté d'une planche de surf brisée, étiquetée elle aussi comme pièce à conviction. Après quoi il se mit au travail.

Il contempla la pile de dossiers haute de trente centimètres. Pounds lui avait dit que la brigade avait traité soixante-six homicides jusqu'à présent. En tenant compte des rotations et de ses deux mois de convalescence après sa blessure par balle, il calcula que Porter avait hérité de quatorze de ces affaires. Huit enquêtes restant inachevées, cela voulait dire qu'il en avait résolu six. Pas si mal comme résultat, étant donné la nature particulière des homicides commis à Hollywood. Dans le reste du pays, l'immense majorité des personnes assassinées connaissaient leur meurtrier. Elles mangeaient avec lui, buvaient avec lui, couchaient avec lui ou vivaient avec lui. Mais à Hollywood il en allait autrement. La seule norme était la déviance, l'aberration. Ici, des inconnus tuaient d'autres inconnus. Les mobiles n'étaient pas nécessaires. On retrouvait les victimes dans des ruelles, sur le bas-côté des autoroutes, dans les fourrés des collines de Griffith Park, dans des sacs, jetées comme des ordures dans des poubelles de restaurant. Parmi les affaires qu'il n'avait pas résolues figurait ainsi la découverte d'un cadavre découpé en morceaux qu'on avait déposés sur chacun des paliers d'un escalier d'incendie d'un hôtel de Gower Street. Cela n'avait ému ni étonné personne au bureau. Une plaisanterie avait même circulé, où il était dit que c'était encore une chance que la victime n'ait pas pris une chambre au Holiday Inn. Il y avait quatorze étages.

La vérité, c'est qu'à Hollywood un monstre pouvait circuler tranquillement au milieu du flot humain. Juste une voiture de plus sur une autoroute embouteillée. Certains se feraient toujours prendre, d'autres ne laisseraient jamais la moindre trace, excepté les traces de sang.

Porter était parvenu au score de 6-8 avant de péter les plombs. Ce résultat qui ne lui vaudrait aucune louange signifiait quand même que six monstres avaient été retirés de la circulation. Harry s'aperçut qu'il pouvait équilibrer la balance de Porter s'il élucidait une seule des huit affaires toujours en cours. Arrivé au bout du rouleau, son copain pourrait au moins quitter le terrain sur un match nul.

Bosch se fichait pas mal de Pounds et de son désir de boucler une enquête de plus avant le 31 décembre à minuit. Il ne se sentait pas comptable envers le lieutenant et, pour lui, courbes et graphiques des vies sacrifiées, statistiques annuelles, tout cela ne rimait à rien. Mais, puisqu'il devait se taper le boulot, il se dit qu'il le ferait pour Porter. Que Pounds aille se faire foutre.

Il repoussa les classeurs au bout de la table de façon à avoir plus de place pour travailler. Il décida de parcourir d'abord tous les dossiers et de les classer en deux catégories. Une première pile pour les affaires susceptibles d'être résolues rapidement, et une seconde pour celles qui, au contraire, semblaient impossibles à boucler en quelques jours.

Il passa les dossiers en revue dans l'ordre chronologique, en commençant par la strangulation d'un prêtre le jour de la Saint-Valentin dans la cabine d'un établissement de bains de Santa Monica. Lorsqu'il eut terminé, deux heures s'étaient écoulées et il n'y avait que deux classeurs dans la pile numéro un, celle des enquêtes « rapides ». La première affaire remontait à un mois. Une femme qui attendait le bus sur un banc à Las Palmas avait été entraînée dans l'entrée obscure d'une boutique de souvenirs de Hollywood, puis violée et poignardée. La seconde affaire concernait la découverte, faite huit jours plus tôt, du corps d'un homme derrière une cafétéria ouverte vingt-quatre heures sur vingt-quatre dans Sunset Boulevard, près de l'immeuble de l'Association des metteurs en scène. La victime avait été battue à mort.

Bosch choisit de s'intéresser à ces deux affaires : elles étaient les plus récentes et l'expérience lui avait appris que les enquêtes devenaient de plus en plus difficiles au fur et à mesure que le temps passait. Le type qui avait étranglé le prêtre pouvait dormir tranquille. D'après les statistiques, Bosch savait qu'il ne serait jamais inquiété.

Il savait aussi que ces deux affaires pouvaient être rapidement bouclées avec un petit peu de chance. S'il parvenait à identifier l'homme trouvé derrière le restaurant, il pourrait remonter jusqu'à sa famille, ses amis et ses collègues de travail ; de là, il trouverait très certainement un mobile, puis un meurtrier. Ou bien, s'il réussissait à reconstituer les derniers faits et gestes de la femme poignardée alors qu'elle attendait le bus, il pourrait peut-être découvrir où, et dans quelles conditions, le meurtrier l'avait aperçue.

C'était un coup de dés et Bosch décida d'étudier attentivement chacun des deux dossiers avant de prendre sa décision. Mais, se fiant une fois de plus aux statistiques, il décida de s'intéresser d'abord à la plus récente de ces deux affaires. Le corps retrouvé derrière le restaurant était la piste la plus chaude.

A première vue, le dossier était remarquable par son

absence d'informations. Porter n'y avait même pas joint un exemplaire définitif et dactylographié du compte rendu d'autopsie. Bosch dut se contenter des « rapports d'enquête sommaires » et des propres notes d'autopsie de Porter, indiquant simplement que la victime avait été frappée à mort à l'aide d'un « objet contondant », ce qui en jargon de policier signifiait à peu près n'importe quoi.

La victime, dont l'âge était fixé approximativement à cinquante-cinq ans, avait été baptisée Juan Doe[1] n° 67. Car on supposait que c'était un Latino, et il était le soixante-septième Latino non identifié qu'on retrouvait mort dans le comté de Los Angeles depuis le début de l'année. Il n'avait pas d'argent sur lui, ni portefeuille, ni objets personnels autres que ses vêtements, tous fabriqués au Mexique. Le seul signe distinctif permettant l'identification était un tatouage sur la poitrine. Un dessin monochrome semblant représenter un fantôme. Le dossier contenait d'ailleurs un cliché Polaroïd de ce tatouage. Bosch l'observa un moment avant de conclure que ce dessin à l'encre bleue d'une sorte de Casper le Fantôme était très ancien. L'encre s'était effacée, les contours étaient flous. Juan Doe n° 67 s'était fait faire ce tatouage quand il était jeune.

Le rapport rédigé par Porter indiquait que le corps avait été découvert à 1 h 44 du matin par un officier de police qui n'était pas en service. Identifié uniquement par son matricule, il allait prendre un petit déjeuner très matinal ou un dîner tardif lorsqu'il avait aperçu le corps allongé à côté de la benne à ordures près de la porte des cuisines du Egg and I Diner.

L'officier 1101 venait d'achever son service, il s'est garé derrière le restaurant avec l'intention d'y entrer pour manger. La victime a été repérée à l'est de la benne à ordures. Le corps était allongé sur le dos, la tête au nord et les pieds au sud. D'importantes blessures étaient visibles et le matricule 1101 a aussitôt alerté le poste de

1. Dérivé « humoristique » de John Doe, surnom de l'Américain moyen, équivalent de Dupont ou Durand chez nous.

police pour signaler l'homicide. L'officier n'a vu personne d'autre dans les environs de la benne à ordures, avant ou après la découverte du corps.

Bosch chercha le rapport du policier qui avait découvert le cadavre. En vain. Il examina les autres photos. Toutes montraient le corps allongé par terre, avant que les types du labo ne l'emmènent à la morgue.

Bosch constata que le crâne de la victime avait été enfoncé à la suite d'un coup très violent. Il y avait également des plaies au visage et du sang séché noir dans le cou et sur le T-shirt qui avait été blanc jadis. Les mains reposaient de chaque côté du corps, paume vers le ciel. Sur les agrandissements, Bosch remarqua que deux des doigts de la main droite étaient retournés et sans doute fracturés, ses blessures indiquant clairement que l'homme avait tenté de se défendre. Outre ces fractures, Bosch nota les mains rugueuses et couvertes de cicatrices, et les muscles noueux des avant-bras. Cet homme était un travailleur manuel. Que faisait-il dans cette ruelle derrière la cafétéria à 1 heure du matin ?

Venaient ensuite les dépositions des employés du Egg and I. Uniquement des hommes, ce qui étonna Bosch, car plusieurs fois il avait mangé au Egg and I le matin de bonne heure, et il se souvenait d'avoir vu uniquement des serveuses. Apparemment, Porter avait pensé que leurs témoignages importaient peu et s'était intéressé uniquement au personnel des cuisines. Aucun des hommes interrogés ne se rappelait avoir vu la victime, vivante ou morte.

Porter avait griffonné une étoile en face d'une des dépositions, celle d'un cuistot qui avait pris son travail à 1 heure du matin et était passé devant la poubelle pour entrer par les cuisines. Il n'avait remarqué aucun cadavre sur le sol et s'il y avait eu quelque chose à voir à cet endroit au moment où il était arrivé, surtout un cadavre, il l'aurait vu à coup sûr.

Ce témoignage avait permis à Porter de fixer l'heure du meurtre durant les quarante-quatre minutes qui s'étaient écoulées entre l'arrivée du cuistot et la découverte du corps par le policier.

Le dossier contenait également les réponses du LAPD, du NCIC, du département californien de la Justice et des Services d'immigration et de naturalisation aux questions posées sur les empreintes digitales de la victime. Toutes étaient négatives. Juan Doe n° 67 demeurait inconnu.

A la fin du classeur figuraient des notes prises par Porter durant l'autopsie, qui n'avait pas été pratiquée avant le mardi suivant, soit la veille de Noël, à cause du retard accumulé par les services du coroner. Bosch se dit que la dernière tâche de Porter avait peut-être été d'assister une fois de plus au découpage d'un cadavre. Après Noël, il n'était pas revenu travailler.

Peut-être savait-il déjà qu'il ne reviendrait pas, car ses notes étaient bâclées et se réduisaient à quelques réflexions jetées sur une seule page. Certaines étaient indéchiffrables. D'autres étaient lisibles, mais sans intérêt. Toutefois, en bas de la feuille, Porter avait entouré cette remarque : *HD entre midi et 6*.

Cela signifiait que, en se basant sur la vitesse de refroidissement du foie et sur d'autres symptômes physiologiques, la mort s'était certainement produite entre midi et 18 heures, mais pas au-delà.

Ça ne tenait pas debout, songea Harry tout d'abord. Cela faisait remonter la mort à plus de sept heures avant la découverte du cadavre. Et ça ne collait pas avec la déposition du cuistot, qui n'avait vu aucun corps près de la poubelle à 1 heure du matin.

Ces contradictions avaient poussé Porter à encercler cette information. Juan Doe n° 67 n'avait pas été tué derrière la cafétéria. Il avait été tué ailleurs, presque une demi-journée avant, et déposé ensuite derrière la cafétéria.

Sortant un carnet de sa poche, Bosch dressa la liste des personnes qu'il souhaitait interroger. En premier venait le médecin légiste qui avait pratiqué l'autopsie. Harry avait besoin de consulter le rapport complet. Il nota ensuite le nom de Porter afin d'avoir avec lui une discussion un peu plus fouillée. En troisième position, il inscrivit le cuistot, car dans ses notes Porter indiquait seulement que celui-ci n'avait pas aperçu de cadavre dans la ruelle en allant travailler. Mais il n'était pas précisé si ledit cuistot avait vu quelqu'un, ou quelque chose d'inhabituel. Harry se promit aussi d'interroger les serveuses qui travaillaient cette nuit-là.

Pour achever sa liste, il dut décrocher son téléphone et appeler le bureau de l'officier de garde.

– J'aimerais parler à l'agent 1101, dit-il. Pouvez-vous consulter le registre et me dire de qui il s'agit ?

– Ah, ah, très amusant ! Vous êtes un petit malin, vous ! C'était encore Kleinman.

– Hein ? fit Bosch. (Il comprit au même moment.) C'est Cal Moore ?

– *C'était* Cal Moore.

En raccrochant, Harry était perplexe. Le corps de Juan Doe n° 67 avait été découvert la veille du jour où Moore avait pris une chambre au Hideaway. Il tenta d'assembler ces deux éléments. Moore tombe par hasard sur un macchabée à 1heure du matin. Le lendemain, il prend une chambre dans un motel, il branche l'air conditionné et se tire deux décharges de chevrotine en pleine tête. En laissant derrière lui un message aussi simple que mystérieux : *J'ai découvert qui j'étais.*

Bosch alluma une cigarette et raya le matricule 1101 de sa liste, mais ses pensées restèrent centrées autour de cette dernière information. Il éprouvait un sentiment d'impatience, de malaise. Il s'agitait sur sa chaise. Finalement, il se leva et se mit à tourner en rond autour de la table. Il en revenait toujours au même point : c'était Porter qu'on avait chargé de l'affaire Juan Doe n° 67. De toute évidence, il aurait dû interroger Moore sur les lieux du drame. Le lendemain, Moore disparaît. Une semaine plus tard, Moore est retrouvé mort, et, le lendemain, Porter annonce qu'il va voir un médecin et qu'il jette l'éponge. Cela faisait trop de coïncidences.

Il appela le bureau de la Criminelle. Edgar décrocha. Harry lui demanda de prendre son Rolodex qui se trouvait en face de lui pour chercher le numéro de téléphone personnel de Porter. Edgar le lui transmit et demanda :

– Où es-tu, Harry ?

– Pourquoi ? Pounds me cherche ?

– Non. Un des gars de l'équipe de Moore a appelé il y a quelques minutes. Il a dit qu'il voulait te parler.

– Ah. A quel sujet ?

– Hé, je me contente de transmettre le message, Harry, je ne fais pas ton boulot à ta place.

– OK. OK. Qui a appelé ?

– Rickard. Il m'a simplement demandé de te dire qu'ils avaient un truc pour toi. Je lui ai filé ton numéro de bipper, parce que je ne savais pas quand tu devais revenir. Alors, où es-tu ?

– Nulle part.

Il raccrocha et composa le numéro de Porter. La sonnerie retentit dix fois. Harry raccrocha et alluma une autre cigarette. Il ne savait pas quoi penser. Est-ce que Moore avait découvert le corps par hasard, comme c'était indiqué dans le rapport ? Se pouvait-il qu'il l'ait déposé lui-même à cet endroit ? Bosch ne possédait pas le moindre indice, dans un sens ou dans l'autre.

– Nulle part, dit-il à voix haute en s'adressant à la pièce remplie de boîtes d'archives.

Il décrocha de nouveau le téléphone et composa le numéro du coroner. Il donna son nom à la secrétaire et demanda à parler au docteur Corazon, le légiste en chef par intérim. Harry refusa de préciser la raison de son appel. Le téléphone resta muet pendant presque une minute, avant que Corazon ne prenne la communication.

– Je suis occupée, dit-elle.

– Joyeux Noël à toi aussi.

– Désolée.

– C'est l'autopsie de Moore ?

– Oui, mais je n'ai pas le droit d'en parler. Que veux-tu, Harry ?

– Je viens d'hériter d'une affaire et je n'ai pas de rapport d'autopsie dans le dossier. J'essaye de savoir qui s'en est occupé afin d'obtenir une copie.

– Harry, tu n'as pas besoin de demander à parler au légiste en chef pour avoir ce genre de renseignement. Tu pourrais poser la question à n'importe lequel des inspecteurs qui sont installés ici autour de moi, le cul sur une chaise.

– Oui, mais ils ne sont pas aussi aimables que toi.

– Bon, dépêche-toi. C'est quel nom ?

– Juan Doe n° 67. Date du décès, le 18. L'autopsie a été pratiquée le 24.

Elle ne répondit pas, il en déduisit qu'elle consultait un registre.

– Oui, je l'ai, dit-elle au bout d'une trentaine de secondes. Le 24. C'est Salazar qui s'en est occupé, mais il est parti. En vacances. C'était sa dernière autopsie avant le mois prochain. Il est en Australie. C'est l'été là-bas.

– Merde.

– Allons, pas de défaitisme, Harry. J'ai ton rapport juste sous les yeux. Sally pensait que Lou Porter passerait le chercher aujourd'hui. Mais Lou n'est pas venu. Comment se fait-il que tu aies hérité de l'affaire ?

– Lou a jeté l'éponge.

– La vache, c'est du rapide. Qu'est-ce que… Ne quitte pas…

Elle n'attendit pas sa réponse. Cette fois, elle s'absenta plus d'une minute. Quand elle revint au bout du fil, sa voix paraissait plus aiguë.

– Il faut que je te quitte, Harry. Veux-tu qu'on se retrouve quelque part après le boulot ? D'ici là, j'aurai eu le temps de jeter un coup d'œil au rapport et je te dirai ce qu'on a trouvé. Je viens de me rappeler qu'il y avait un détail intéressant. Salazar est venu me trouver pour me faire ratifier une demande de consultation.

– Auprès de qui ?

– D'un entomologiste, un spécialiste des insectes, d'UCLA. Sally avait découvert des drôles de trucs…

Harry savait qu'il ne pouvait pas y avoir de vers dans un cadavre à peine vieux de douze heures. Et, de toute façon, Salazar n'aurait pas eu besoin d'un entomologiste pour les identifier.

– Quels trucs ? dit-il.

– Des insectes dans le contenu de l'estomac et les prélèvements nasaux. Mais je n'ai pas le temps de te parler de ça pour l'instant. J'ai quatre types qui s'impatientent à la salle d'autopsie. Et un seul est mort.

– Je suppose que les vivants s'appellent Irving, Sheehan et Chastain, les trois mousquetaires…

– Gagné, répondit-elle en riant.

– OK… Où et quand veux-tu qu'on se retrouve ?

Il consulta sa montre. Il était presque 3 heures de l'après-midi.

– Vers 6 heures, ça te va ? demanda-t-elle. Ça me donne le temps de finir ce que j'ai à faire ici et de feuilleter ton dossier concernant ce Juan Doe.

– Tu veux que je passe te chercher ?

Son bipper se mit à gazouiller. D'un geste exercé, sa main droite descendit vers sa ceinture pour couper la sonnerie.

– Non, dit-elle. Voyons voir… Si on se donnait rendez-vous au Red Wind ? On laissera passer les embouteillages de l'heure de pointe.

– Très bien. J'y serai, dit Harry.

Après avoir raccroché, il consulta le numéro affiché sur son bipper. Il rappela aussitôt.

– Bosch ? dit une voix.

– Lui-même.

– Rickard. Je travaillais avec Cal Moore. Le BANG, ça vous dit quelque chose ?

– Oui.

– J'ai un truc pour vous…

Bosch garda le silence. Il sentit ses poils se dresser sur le dessus de ses mains et de ses avant-bras. Il essaya de plaquer un visage sur le nom de Rickard, mais en vain. Les types des stups avaient des horaires bizarres et formaient une race à part.

Le dénommé Rickard reprit la parole :

– Disons plutôt que Cal a laissé un truc pour vous. On peut se rencontrer quelque part ? Je ne veux pas que ça se passe au commissariat.

– Pourquoi ?

– J'ai mes raisons. Nous en parlerons quand nous nous verrons.

– Où ?

– Vous connaissez une cafétéria de Sunset qui s'appelle le Egg and I ? On y mange bien. Les toxicos ne fréquentent pas cet endroit.

– Je connais.

– Parfait. Nous sommes installés dans le dernier box,

tout au fond, juste à côté de la porte des cuisines. La seule table avec un Noir. C'est moi. Il y a un parking derrière. Dans la ruelle.

– Je sais. Qui c'est « nous » ?

– Toute l'équipe de Cal est avec moi.

– C'est là que vous passez vos journées ?

– Ouais, avant de commencer les rondes. A tout de suite.

7

L'enseigne du restaurant avait changé depuis la dernière fois qu'il y était venu. L'endroit s'appelait maintenant le All-American Egg and I, ce qui signifiait certainement qu'il avait été vendu à des étrangers. Bosch descendit de sa Caprice et parcourut la ruelle de derrière, en repérant l'endroit où le corps de Juan Doe n° 67 avait été déposé : juste devant la porte de derrière d'une cafétéria fréquentée par l'équipe des stups locale. Ses réflexions furent interrompues par des mendiants qui s'avancèrent vers lui en agitant leurs timbales. Bosch les ignora, mais leur apparition lui permit de constater une autre lacune dans l'enquête de Porter : aucune allusion n'y était faite à d'éventuels SDF susceptibles d'être interrogés en tant que témoins. Il serait sans doute impossible de retrouver leur trace maintenant.

Pénétrant à l'intérieur du restaurant, il avisa quatre hommes, dont un Noir, installés dans un box au fond. Ils étaient assis en silence, les yeux baissés sur les tasses de café vides posées devant eux. Harry remarqua également un dossier dans une chemise bulle. Il prit une chaise à une table voisine et s'assit au bout du box.

– Bosch, dit-il.

– Tom Rickard, lui renvoya le Noir.

Il lui tendit la main, puis présenta les trois autres : Finks, Montirez et Fedaredo.

– On a fini par en avoir marre de traîner au bureau, dit Rickard. Cal aimait bien cet endroit.

Bosch se contenta de hocher la tête, les yeux fixés sur le dossier. Un nom était inscrit sur l'étiquette : *Humberto Zorillo*. Inconnu au bataillon. Rickard fit glisser la chemise vers lui sur la table.

– Qu'est-ce que c'est ? demanda Harry, sans y toucher.
– Sans doute le dernier truc sur lequel il ait bossé, dit Rickard. D'abord, on voulait le refiler à la RHD, puis on s'est dit : merde, Cal avait rassemblé tout ça pour vous. Et les salopards du Parker Center veulent seulement le traîner dans la boue. C'est pas ça qui va arranger les choses...
– Que voulez-vous dire ?
– Ce que je veux dire, c'est qu'ils peuvent pas accepter qu'il se soit suicidé. Il faut qu'ils dissèquent sa putain de vie pour comprendre exactement pourquoi il a fait ci, pourquoi il a fait ça. Bon Dieu, ce type s'est flingué. Qu'est-ce qu'on peut ajouter à ça ?
– Ça ne vous intéresse pas de savoir pour quelle raison ?
– La raison, je la connais, mec. C'est ce putain de boulot. Il finira par nous avoir tous. Je la connais, la raison.
Bosch hocha simplement la tête une fois encore. Les trois autres agents des stups n'avaient toujours rien dit.
– Vous en faites pas, j'évacue la pression, dit Rickard. J'ai eu une sale journée. La plus longue de toute ma vie.
– Où était-il ? demanda Bosch en désignant le dossier. Les types de la RHD n'ont pas fouillé toutes ses affaires ?
– Si, bien sûr. Mais le dossier n'était pas dans son bureau. Cal l'avait laissé dans une bagnole du BANG, un de ces tas de ferraille banalisés qu'on nous a refilés. Il l'avait mis dans la pochette suspendue au dos du siège avant. Généralement, on prend toujours deux bagnoles pour les opérations, mais aujourd'hui, on a tous sauté dans la même pour faire une virée sur le Boulevard après avoir appris la nouvelle. J'ai vu ce truc-là glissé dans la pochette. Il y avait un mot à l'intérieur, comme quoi il fallait vous donner le dossier. On savait que Cal bossait pour vous vu qu'une fois il s'était tiré plus tôt parce qu'il avait rendez-vous avec vous au Catalina.
Bosch n'avait toujours pas ouvert le dossier. Le simple fait de le regarder lui procurait un sentiment de malaise.
– Ce soir-là au Catalina, il m'a expliqué qu'il avait la police des polices sur le dos. Vous savez pour quelle raison ?
– Non, mec, on n'a jamais su ce qui se passait. On savait simplement qu'ils lui tournaient autour. Comme des

mouches à merde. Ils ont fouillé son bureau avant la RHD. Ils lui ont embarqué ses dossiers et son répertoire téléphonique ; ils lui ont même piqué sa putain de machine à écrire. C'était la seule qu'on avait. Mais quant à savoir ce qui se passait... Ce type avait un paquet d'années derrière lui, et ça me fait mal de penser qu'ils voulaient sa peau. Voilà ce que je voulais dire tout à l'heure quand je parlais du boulot qui l'a tué. Il nous tuera tous.

– Et en dehors du travail ? Son passé. Sa femme dit que...

– Je ne veux pas écouter ces conneries. C'est elle qui lui a collé les « costards » au cul. Quand il a foutu le camp, elle a inventé une histoire pour lui faire des emmerdes. Si vous voulez mon avis, elle cherchait à le faire tomber.

– Comment savez-vous que ça venait d'elle ?

– Cal nous l'a dit, mec. Il nous a dit qu'on risquait de venir nous poser des questions. Il nous a expliqué que ça venait de sa femme.

Bosch se demanda qui avait menti. Moore à ses collègues, ou bien Sylvia à lui ? Il ne pouvait l'imaginer en train de dénoncer son ex. Malgré tout, il décida de ne pas tenir tête aux quatre agents des stups. Pour finir, il prit le dossier sur la table. Et s'en alla.

Il était trop impatient pour attendre davantage. Il savait que ce dossier n'aurait jamais dû arriver jusqu'à lui ; il lui faudrait décrocher le premier téléphone venu et appeler Frankie Sheehan à la RHD. Il jeta un rapide coup d'œil autour de la voiture pour s'assurer qu'il était seul et ouvrit le dossier. Il y avait un Post-it sur la première page :

À TRANSMETTRE
À HARRY BOSCH

Ni signé ni daté, le mot était collé sur une feuille à laquelle on avait fixé cinq fiches vertes d'interpellation à l'aide d'un trombone. Harry détacha les fiches et les parcourut rapidement. Cinq noms différents, uniquement des hommes. Tous avaient été arrêtés par le BANG en octobre et en novembre. Ils avaient été interrogés, puis relâchés.

Les fiches comportaient fort peu d'informations en dehors des signalements, adresses, numéros de permis de conduire, ainsi que les dates et lieux des arrestations. Aucun de ces noms n'était connu de Bosch.

Il s'intéressa ensuite à la feuille sur laquelle étaient fixées les fiches d'interpellation. Celle-ci portait la mention MÉMO INTERNE et, juste en dessous : *Bulletin de renseignements du BANG n° 144*. Daté du 1er novembre, le document portait le tampon CLASSÉ postdaté de deux jours.

Au cours de leur mission destinée à réunir des informations concernant le trafic de drogue dans le secteur 12, les agents Moore, Rickard, Finks, Fedaredo et Montirez ont procédé sur le terrain à de nombreux interrogatoires d'individus suspectés de participer au trafic de stupéfiants dans la zone de Hollywood Boulevard. Au cours de ces dernières semaines, ces officiers ont pu constater que certains individus se livraient au commerce d'une drogue connue sous le nom de « glace noire », un mélange d'héroïne, de cocaïne et de PCP, sous forme compacte. Pour l'instant, la demande reste faible, mais sa popularité risque fort de s'étendre.

A la suite de cette enquête, cinq suspects ont été identifiés comme revendeurs, mais aucune arrestation n'a été effectuée. On estime que le réseau de revente dans la rue est dirigé par un seul individu, dont l'identité n'est pas encore connue.

D'après les renseignements récoltés auprès des informateurs et des consommateurs, la forme la plus répandue de cette drogue provient du Mexique, et non de Hawaii d'où l'ice est originaire – voir bulletin 502 de la brigade des stupéfiants – et reste importée en grande partie sur notre territoire.

Les officiers concernés contacteront la brigade des stupéfiants pour obtenir des informations sur la provenance de cette drogue, et poursuivront la surveillance du secteur 12.

Sergent C. V. Moore
matricule 1101

Bosch lut une seconde fois le rapport. On y cherchait avant tout à se couvrir. Ce mémo ne disait rien et ne voulait rien dire. Ça n'avait aucune valeur, mais on pouvait toujours le montrer à son supérieur pour prouver qu'on était conscient du problème et qu'on prenait des mesures pour s'y attaquer. Moore s'était sans doute aperçu que la glace noire n'était plus une simple curiosité sur le marché, et avait rédigé son rapport dans le but de se protéger contre de probables répercussions.

Venait ensuite un procès-verbal d'arrestation daté du 9 novembre, concernant un certain Marvin Dance, accusé d'être en possession d'une substance prohibée. D'après ce document, Dance avait été arrêté par les hommes du BANG dans Ivar Street, au nord du Boulevard, après qu'on l'avait surpris en train de remettre une certaine quantité de glace noire à un petit dealer. Dance avait été repéré par les officiers Rickard et Finks. Le suspect était assis dans une voiture en stationnement et les agents des stups avaient vu un autre homme se diriger vers le véhicule et monter à bord.

Le rapport indiquait que Dance avait sorti quelque chose de sa bouche pour le donner à l'inconnu, qui avait quitté la voiture et s'était éloigné. Les deux officiers s'étaient séparés ; Finks avait suivi le second type jusqu'à ce qu'il soit hors de vue de Dance, puis l'avait appréhendé. Il avait alors découvert qu'il était en possession d'un « eightball », soit huit doses d'un gramme de glace noire chacune enfournées dans une capote. Rickard avait continué à surveiller Dance qui restait dans la voiture, en attendant que le prochain dealer vienne chercher la marchandise. Lorsque Finks l'avait averti par radio qu'il avait appréhendé son suspect, Rickard était passé à l'action pour coincer Dance.

Mais Dance n'avait rien sur lui. Pendant qu'il restait assis sur le trottoir, les menottes aux poignets, Rickard avait fouillé la voiture, sans trouver la moindre trace de drogue. Mais dans un gobelet en carton de chez McDonald, jeté dans le caniveau près de la portière de la voiture, les inspecteurs des stups avaient découvert six autres capotes, contenant chacune un « eightball ».

Dance avait été arrêté pour revente illicite et possession avec intention de revendre. D'après le rapport, le suspect avait refusé de parler aux inspecteurs qui l'avaient arrêté, sauf pour déclarer que le gobelet de chez McDonald ne lui appartenait pas. Bien qu'il n'ait pas réclamé d'avocat, un membre du barreau avait débarqué au commissariat moins d'une heure plus tard pour informer les inspecteurs qu'ils violeraient les droits constitutionnels de son client en le conduisant à l'hôpital pour lui faire subir un lavage d'estomac, ou en examinant ses selles lorsqu'il éprouverait le besoin de se rendre aux toilettes. Chargé d'enregistrer l'arrestation, Moose avait appelé le district attorney de garde pour confirmation et s'était entendu répondre que l'avocat avait raison.

Dance avait donc été libéré en échange d'une caution de cent vingt-cinq mille dollars, deux heures seulement après son arrestation. Bosch trouva cela curieux. Toujours d'après le rapport, l'arrestation avait eu lieu à 23 h 42. Autrement dit, en l'espace de deux heures, et en pleine nuit, Dance avait réussi à se trouver un avocat, un garant et les dix pour cent de la caution en liquide, soit les douze mille cinq cents dollars nécessaires à sa remise en liberté.

De plus, aucune charge n'avait été retenue contre lui. La page suivante du dossier était une note de rejet émanant du bureau du procureur, ce dernier ayant estimé qu'il n'y avait pas suffisamment de preuves pour établir le lien entre Dance et le gobelet en carton de chez McDonald qu'on avait retrouvé dans le caniveau à moins d'un mètre de sa voiture.

Donc, pas d'inculpation pour possession. Plus tard, les inculpations pour revente avaient elles aussi été abandonnées, les inspecteurs des stups n'ayant assisté à aucun échange d'argent lorsque Dance avait donné le « eight-ball » à l'homme qui était monté dans sa voiture. Ce dernier se nommait Glenn Druzon et était âgé de dix-sept ans. Il avait refusé de déclarer avoir reçu la capote des mains de Dance. En fait, comme l'indiquait la note de rejet, il était même prêt à témoigner que cette capote était déjà en sa possession avant qu'il ne monte à bord de la voiture de Dance. S'il était appelé à témoigner, il dirait qu'il avait essayé de la vendre à Dance, mais que celui-ci n'était pas intéressé.

Toute les poursuites contre Dance avaient donc été abandonnées. Druzon, quant à lui, avait été accusé de possession de drogue et placé en liberté surveillée.

Bosch leva les yeux de dessus son dossier pour contempler la ruelle. Devant lui se dressait la silhouette ronde du bâtiment de cuivre et de verre de l'Association des metteurs en scène. Il aperçut le sommet du panneau Marlboro Man qui trônait dans Sunset depuis toujours. Il alluma une cigarette.

Il parcourut encore une fois la notification de rejet du procureur. On y avait accroché un cliché de police montrant le dénommé Dance, un type aux cheveux blonds, en train de grimacer devant l'objectif. Bosch savait que tout cela n'était que routine; c'est ainsi que s'achevaient de nombreuses affaires de drogue, pour ne pas dire toutes. Le menu fretin se faisait prendre dans les mailles du filet. Les gros poissons, eux, cassaient la ligne et s'enfuyaient. Les policiers savaient qu'ils devaient se contenter de semer la panique, sans pouvoir espérer débarrasser les rues de ce fléau. On éliminait un dealer et un autre prenait aussitôt sa place. Ou bien un avocat marron le faisait libérer sous caution, et un procureur dont les tiroirs regorgeaient de dossiers en attente classait l'affaire sans suite. C'était une des raisons pour lesquelles Bosch continuait à travailler à la Criminelle. Parfois, il se disait que le meurtre était le seul crime qui comptait vraiment.

Mais même cela était en train de changer.

Il prit le cliché et le glissa dans sa poche avant de refermer le dossier. Pour l'instant. L'arrestation de Dance le tracassait. Il se demanda quel lien unissait Dance et Jimmy Kapps et pourquoi Calexico Moore avait éprouvé le besoin de lui transmettre ce dossier.

Sortant un petit carnet de sa poche, il entreprit de dresser une liste chronologique des faits. Il nota :

– *9/11 : arrestation de Dance*
– *13/11 : mort de Jimmy Kapps*
– *4/12 : rencontre avec Moore*

Puis il referma son carnet. Il savait qu'il allait devoir retourner à l'intérieur de la cafétéria pour poser une question à Rickard. Mais, avant cela, il rouvrit le dossier. Il ne lui restait plus qu'une seule page à lire : le résumé d'une note d'information que Moore avait reçue d'un inspecteur de la brigade des stupéfiants en poste à Los Angeles. Le document était daté du 11 novembre ; autrement dit, il avait été rédigé par Moore une semaine après son entrevue avec Bosch au Catalina.

Harry s'efforça de comprendre comment cela était relié avec le reste et ce que ça pouvait signifier, si ça signifiait quelque chose. Lors de leur rencontre, Moore lui avait caché des informations, mais juste après il s'était adressé aux stupéfiants pour obtenir des renseignements. Comme s'il cherchait à jouer sur les deux tableaux. A moins qu'il n'ait eu l'intention de piquer l'affaire à Bosch, pour tenter de la résoudre seul.

Bosch lut lentement le rapport, cornant machinalement les coins du dossier entre ses doigts.

Les renseignements fournis à ce jour par l'agent spécial de la brigade des stupéfiants Rene Corvo, responsable du bureau de Los Angeles, indiquent que la glace noire provient de Baja California. La cible 44Q3 Humberto Zorillo (11/11/54) est soupçonnée de diriger un laboratoire clandestin dans la région de Mexicali. On y produisait de l'ice mexicaine destinée à être vendue aux Etats-Unis. L'homme vivait dans un ranch de 3 000 hectares, où on élève des taureaux, au sud-ouest de Mexicali. La police judiciaire mexicaine n'a entrepris aucune action contre Zorillo pour des raisons politiques. Le moyen de transport utilisé pour les transferts est inconnu. La surveillance aérienne n'a révélé aucune piste d'atterrissage sur sa propriété. En se basant sur leur expérience, les hommes de la brigade des stupéfiants pensent que les trafiquants empruntent les routes qui traversent Calexico ou San Ysidro, mais à ce jour aucun chargement n'a encore été intercepté dans ces deux endroits. On estime que le suspect bénéficie du soutien et de la coopération d'officiers de la police judiciaire locale.

Zorillo est en effet considéré comme un véritable héros dans les barrios du sud-ouest de Mexicali. Le soutien apporté au suspect est dû en grande partie à tous les emplois qu'il fournit et à ses dons généreux en médicaments, habitations et soupes populaires dans les quartiers défavorisés où il a lui-même grandi. Certains habitants du coin l'appellent El Papa de Mexicali. Le ranch reste sous étroite surveillance vingt-quatre heures sur vingt-quatre. El Papa – le Pape – se montre rarement hors de sa propriété, sauf lorsque, une fois par semaine, il assiste aux évolutions de ses taureaux dans les arènes de Baja. Les responsables des stups affirment que toute coopération locale à des opérations anti-drogue dirigées contre Zorillo est impossible.

Sergent C. V. Moore
matricule 1101

Bosch regarda encore quelques instants son dossier après l'avoir refermé. Il n'était pas homme à croire aux coïncidences. Jetant un coup d'œil à sa montre, il constata qu'il était bientôt temps d'aller retrouver Teresa Corazon. Malgré tout ce qui se bousculait dans sa tête, il ne parvenait pas à oublier cette pensée qui s'imposait aux autres : Frankie Sheehan devait être mis en possession des informations contenues dans le dossier Zorillo. Bosch avait travaillé avec lui à la RHD. C'était un type bien, et un bon enquêteur. S'il menait une enquête légitime, il devait avoir ce dossier entre les mains. Dans le cas contraire, ça n'avait pas d'importance.

Il descendit de voiture et retourna dans la cafétéria. Cette fois, il entra par la porte des cuisines située dans la ruelle. L'équipe du BANG était toujours là, les quatre jeunes inspecteurs des stups aussi silencieux que s'il étaient assis dans l'arrière-salle d'un salon funéraire. La chaise de Bosch n'avait pas bougé, elle non plus. Il s'y rassit.

– Alors ? demanda Rickard.

– Vous l'avez lu, non ? Parlez-moi de l'arrestation de Dance.

– Que voulez-vous que je vous raconte ? On se crève le

cul, le procureur classe l'affaire. Rien de très nouveau. C'est une drogue nouvelle, mais c'est toujours la même histoire.

– Qu'est-ce qui vous a mis sur la piste de Dance ? Comment saviez-vous qu'il faisait ses livraisons à cet endroit ?

– Des bruits qui couraient.

– Ecoutez, c'est important. Ça concerne Moore.

– Pourquoi ?

– Je ne peux pas vous le dire pour l'instant. Il faut me faire confiance jusqu'à ce que je rassemble certains éléments. Dites-moi seulement qui vous a rencardés. Car il s'agit bien d'un tuyau, pas vrai ?

Rickard sembla peser les différents choix qui s'offraient à lui.

– Oui. Je l'ai appris par mon indic.

– Qui ?

– Ecoutez, mec, je ne peux pas...

– Jimmy Kapps. C'était Jimmy Kapps, hein ?

Voyant Rickard hésiter de nouveau, Bosch eut la confirmation de ce qu'il supposait. Il était furieux d'apprendre la vérité presque par hasard, et seulement après la mort d'un flic. Mais le tableau s'éclaircissait. Kapps balance Dance, histoire de restreindre la concurrence. Après quoi il fout le camp à Miami, se bourre les intestins de capotes et revient. Mais Dance n'est plus sous les verrous et Jimmy Kapps se fait descendre avant d'avoir eu le temps de vendre une seule dose.

– Bon Dieu, pourquoi ne m'avez-vous pas prévenu quand vous avez appris que Kapps s'était fait buter ? J'essayais désespérément de trouver une piste dans cette putain de...

– Qu'est-ce que vous racontez, Bosch ? Vous aviez rendez-vous avec Moore pour parler de l'affaire Kapps. Il...

A cet instant précis, tout le monde autour de la table comprit que Moore n'avait pas dit tout ce qu'il savait à Bosch, le soir du Catalina. Le silence s'abattit lourdement sur les cinq hommes. S'ils l'ignoraient jusqu'à présent, maintenant ils savaient : Moore mijotait quelque chose. Bosch fut le premier à reprendre la parole :

– Moore savait que Kapps était votre indic ?

Rickard hésita encore une fois, avant de hocher la tête. Bosch se leva et fit glisser le dossier sur la table jusque devant Rickard.

– Je n'en veux pas. Appelez Frank Sheehan à la RHD et dites-lui que vous venez de le trouver. Vous faites ce que vous voulez, mais à votre place, je ne dirais pas que vous me l'avez montré. De mon côté, je n'en parlerai pas.

Harry s'éloigna de la table, puis s'arrêta.

– Encore une chose. Ce Dance, l'un de vous l'a revu dans les parages ?

– Non, pas depuis son arrestation, répondit Fedaredo.

Les trois autres secouèrent la tête.

– Si jamais vous le repérez, tenez-moi au courant. Vous savez où me joindre.

En ressortant par la porte de la cuisine, Bosch observa encore une fois l'endroit de la ruelle où Moore avait découvert le corps de Juan Doe n° 67. Soi-disant. Il ne savait plus que penser de Moore. Et il ne pouvait s'empêcher de s'interroger sur le lien entre Juan Doe, Dance et Kapps, à supposer qu'il y en ait un. Il savait que la clé de l'énigme consistait à découvrir l'identité de l'homme aux mains et aux muscles de travailleur. Ensuite, il découvrirait le meurtrier.

8

Harry passa devant le monument commémoratif qui se dressait à l'entrée de Parker Center et pénétra dans le hall, où il dut montrer son insigne au policier installé derrière son guichet. Le département était une structure trop vaste, trop impersonnelle. Les flics en faction à l'entrée du bâtiment étaient incapables de reconnaître quiconque ne possédait pas au moins le grade de capitaine.

Le hall était encombré de gens qui entraient et sortaient. Certains étaient en uniforme, d'autres en civil, d'autres encore affichaient sur leur chemise des badges portant la mention VISITEURS et sur le visage l'expression hébétée du simple citoyen qui s'aventure pour la première fois dans ce genre de labyrinthe. Harry lui-même en était venu à considérer Parker Center comme un dédale bureaucratique qui entravait plus qu'il ne facilitait le travail du policier de base. Sept étages de fiefs bordés de couloirs et jalousement gardés par des capitaines, des chefs et des sous-chefs. Et chaque groupe se méfiait des autres, chacun constituant une société à l'intérieur de la grande société.

Durant les huit années qu'il avait passées à la brigade des vols et homicides, Bosch avait été un des maîtres du labyrinthe. Puis il avait été broyé par l'enquête à laquelle les services d'Internal Affairs l'avaient soumis après qu'il eut tué un suspect certes responsable d'une série de meurtres, mais désarmé. Bosch avait ouvert le feu au moment où l'homme glissait la main sous son oreiller, dans la chambre même où il tuait ses victimes : pour se saisir d'une arme, avait pensé Bosch. Mais ce n'était pas une arme. Sous l'oreiller se trouvait seulement une perruque. C'était presque risible, sauf pour le type qui avait reçu la balle. D'autres enquêteurs de la brigade des vols et homicides suspectaient le chauve d'avoir commis onze meurtres. Son corps avait été expédié au crématorium dans une boîte en carton. Bosch, lui, s'était retrouvé à la Criminelle, à Hollywood.

L'ascenseur bondé dégageait une odeur d'haleine fétide. Harry en descendit au troisième étage et pénétra dans les locaux du service de la police scientifique. La secrétaire était déjà partie. En se penchant par-dessus le guichet, Harry atteignit le bouton commandant l'ouverture de la demi-porte. Après avoir traversé le laboratoire de balistique, il entra dans la salle des inspecteurs. Donovan était encore là, assis derrière son bureau.

– Hé, comment t'as fait pour entrer ?

– J'ai poussé la porte.

– Arrête tes conneries, Harry. Tu ne peux pas passer ton temps à enfreindre les règles de sécurité... (Bosch hocha la tête en signe de contrition.) Bon, qu'est-ce que tu veux ? reprit Donovan. C'est pas moi qui m'occupe de tes enquêtes.

– Si, justement.

– Ah ? Laquelle ?

– Cal Moore.

– Mon cul.

– Ecoute, je suis sur le coup moi aussi. J'ai juste deux ou trois questions à te poser. Libre à toi d'y répondre ou pas. Si tu ne veux pas, parfait.

– En quoi ça te concerne ?

– Je m'intéresse à quelques éléments qui sont apparus dans deux affaires dont je m'occupe, et il se trouve qu'ils empiètent directement sur l'histoire de Cal Moore. Tu vois ce que je veux dire ?

– Non, je ne vois pas.

Bosch prit une chaise devant un autre bureau et s'assit. Bien qu'ils soient seuls dans la pièce, Bosch s'exprima lentement et à voix basse, dans l'espoir de convaincre le technicien.

– Il faut que j'en aie le cœur net, par simple acquis de conscience. Ce que je voudrais que tu me dises, c'est si tout concorde...

– Concorde avec quoi ?

– Allez, vieux. Est-ce que c'était bien lui, et est-ce qu'il y avait quelqu'un d'autre dans la chambre ?

Il y eut un long silence, puis Donovan se racla la gorge. Finalement, il demanda :

– Pourquoi dis-tu que tes enquêtes empiètent sur l'affaire Moore ?

Question légitime, songea Bosch. Il y vit une possibilité d'ouverture.

J'avais un cadavre de dealer sur les bras. J'ai demandé à Moore de se renseigner. Ensuite, je me suis retrouvé avec un autre macchabée, un Latino non identifié, dans une ruelle près de Sunset. C'est Moore qui a découvert le corps. Le lendemain même, il prend une chambre dans un trou à rat et il se flingue avec un fusil à pompe. Selon les apparences du moins. Je veux juste m'assurer que ça s'est bien passé de cette façon. J'ai entendu dire qu'ils l'avaient identifié à la morgue.

– Qu'est-ce qui te fait penser que tes deux affaires ont un rapport avec l'histoire de Moore ?

– Pour l'instant, je ne pense rien. J'essaye simplement d'éliminer des possibilités. Peut-être ne s'agit-il que de coïncidences, je n'en sais rien.

– Ecoute, dit Donovan, je ne sais pas ce qu'ils ont trouvé chez le coroner, mais moi, j'ai relevé des empreintes qui lui appartiennent. Moore était bien dans la chambre. Je viens juste de finir. Ça m'a pris toute la journée.

– Comment ça se fait ?

– L'ordinateur du Département de la Justice est resté en rade toute la matinée. Impossible d'obtenir les empreintes. Il a fallu que je m'adresse au service du personnel pour avoir celles de Moore, et là ils m'ont dit qu'Irving avait déjà fait main basse dessus. Il les avait embarquées pour les montrer au coroner. Evidemment, on n'a pas le droit de faire ça, mais qui va lui dire quelque chose ? Pour risquer d'avoir des emmerdes ensuite ? Il a fallu que j'attende que l'ordinateur du Département de la Justice recommence à fonctionner. J'ai enfin obtenu ses empreintes après le déjeuner, et je viens juste de finir de les comparer. C'était bien Moore qui était dans cette chambre.

– Où a-t-on relevé les empreintes ?

– Attends…

Donovan fit reculer son fauteuil à roulettes jusqu'à une rangée de classeurs métalliques et ouvrit un tiroir à l'aide d'une clé qu'il sortit de sa poche. Pendant qu'il feuilletait ses dossiers, Bosch alluma une cigarette. Finalement, Donovan sortit un classeur et fit rouler son fauteuil jusqu'au bureau.

– Eteins-moi cette saloperie, Harry. Je déteste ça.

Bosch laissa tomber sa cigarette sur le linoléum, l'écrasa sous son talon et l'envoya sous le bureau de Donovan du bout du pied. Le technicien entreprit de passer en revue des feuilles qu'il avait sorties du dossier. Bosch constata que chacune d'entre elles contenait un plan en plongée de la chambre de motel où le corps de Moore avait été découvert.

– Bon, dit Donovan. Les empreintes relevées dans la chambre correspondent bien à celles de Moore. L'ordinateur a…

– Tu l'as déjà dit.

– Patience. Voyons voir, nous avons un pouce – quatorze points – sur la crosse de l'arme. C'est ça qui a fait tilt, les quatorze points.

Harry savait qu'il suffisait de cinq points identiques dans une comparaison d'empreintes pour qu'une identification soit validée par un tribunal. Quatorze points de similitude, cela équivalait presque à avoir la photo de la personne en train de tenir l'arme.

– Ensuite… On a quatre fois trois points sur les deux canons du fusil. J'imagine que ces empreintes ont été plus ou moins effacées quand l'arme lui a échappé des mains à cause du recul. C'est pas très net à cet endroit.

– Et les détentes ?

– Rien. Que dalle. Il a appuyé avec son orteil, et il avait gardé une chaussette au pied, souviens-toi.

– Et le reste de la chambre ? Je t'ai vu mettre de la poudre sur le climatiseur.

– Oui, mais je n'ai rien trouvé sur les boutons. On pensait qu'il avait poussé la clim à fond, tu vois, pour retarder la décomposition. Mais rien sur le bouton de réglage.

Remarque, c'est un truc en plastique rugueux, ça ne pouvait pas nous apprendre grand-chose.

– Rien d'autre ?

Donovan replongea le nez dans ses feuilles.

– J'ai des empreintes sur son insigne, l'index et le pouce, respectivement cinq et sept points. L'insigne était sur le bureau, avec le portefeuille. Mais rien sur le portefeuille. Rien que des traînées. Même chose sur le pistolet posé sur le bureau ; par contre, j'ai un pouce bien net sur le chargeur. A part ça… j'ai presque toute une main, la paume, le pouce et trois doigts sur la porte du placard de gauche sous le lavabo de la salle de bains. C'est là qu'il a dû s'appuyer quand il s'est allongé par terre. Bon Dieu, tu parles d'un moyen d'en finir…

– Ouais. C'est tout ?

– Oui. Euh, non. Sur le journal… il y avait un journal sur le fauteuil et là, j'ai une empreinte bien nette. Le pouce encore une fois et trois doigts.

– Et les cartouches ?

– Juste des taches. Pas moyen de trouver quoi que ce soit.

– Et sur le mot ?

– Rien.

– Quelqu'un a vérifié l'écriture ?

– En fait, il a été tapé à la machine. Mais Sheehan a fait une vérification ; il dit que ça correspond. Il y a quelques mois, Moore a plaqué sa femme et a emménagé à Los Feliz, dans un endroit qui s'appelle Les Fontaines. Il a rempli une fiche de changement d'adresse ; elle était dans le dossier qu'a piqué Irving. La fiche de changement d'adresse était tapée à la machine elle aussi. Ils ont relevé un tas de similitudes entre les caractères : les « a » et les « t »… tu vois ce que je veux dire.

– Et le fusil à pompe ? On a retrouvé la trace du numéro de série ?

– Limé et brûlé à l'acide. Aucune trace. Tu sais, Harry, je n'ai pas le droit de te raconter tout ça. Je pense qu'on devrait…

Il n'acheva pas sa phrase. Il fit pivoter son fauteuil vers le classeur pour ranger ses dossiers.

– J'ai presque fini, vieux. Parle-moi un peu de l'angle de tir. Tu as fait une expertise ?

Donovan referma et verrouilla le tiroir du classeur, puis se retourna.

– J'ai commencé. Je n'ai pas eu le temps de terminer. Mais on parle d'un fusil à canon double, avec des cartouches de double zéro. Ça crache dans tous les coins, un engin pareil. A mon avis, il aurait pu tirer à une dizaine de centimètres et causer autant de dégâts. Aucun mystère là-dessous.

Bosch acquiesça ; il consulta sa montre et se leva.

– Une dernière chose…

– J'espère. Je t'en ai déjà suffisamment dit pour me foutre dans la merde. Tu me promets de garder ça pour toi, hein ?

– Evidemment. Une dernière question. Les autres empreintes… combien en as-tu relevées qui n'appartiennent pas à Moore ?

– Aucune. D'ailleurs, je me demandais si quelqu'un allait enfin s'y intéresser…

Bosch se rassit. Cela n'avait aucun sens. Chaque client d'une chambre de motel laisse derrière lui un petit quelque chose, tache ou autre. Et peu importe que les chambres soient faites et nettoyées correctement après chaque passage. Il reste toujours une marque, un signe. Harry ne pouvait croire que toutes les surfaces examinées par Donovan étaient totalement vierges d'empreintes autres que celles de Moore.

– Pourquoi dis-tu que personne ne s'y est intéressé ?

– Personne n'a rien dit. J'en ai parlé à Sheehan et au connard d'Internal Affairs qui le suit partout. Ils ont fait comme si ça n'avait aucune espèce d'importance. Tu vois ce que je veux dire ? Le genre : « Pas d'autres empreintes, et alors ? » Je suppose que c'est la première fois qu'ils trouvent un macchabée dans une chambre d'hôtel. Je pensais que j'allais passer toute la nuit sur les empreintes. Finalement, je n'ai relevé que celles dont je t'ai parlé. Je n'ai jamais bossé dans une chambre de motel aussi impec. J'y suis même allé au laser. Rien. Uniquement des traces de chiffon partout. Et si tu veux mon avis, Harry, c'est pourtant pas le genre d'endroit où on est très regardant sur la propreté...

– Tu l'as bien dit à Sheehan, hein ?

– Oui, je lui en ai parlé après avoir terminé. Comme c'était la nuit de Noël, je pensais qu'ils allaient dire que je racontais des conneries pour pouvoir rentrer plus vite chez moi retrouver ma famille. Mais quand je leur ai expliqué le problème, ils ont simplement répondu : « Très bien, ce sera tout. Bonne nuit et joyeux Noël. » Je me suis barré. Merde, après tout.

Bosch pensa à Sheehan, Chastain et Irving. Sheehan était un inspecteur compétent. Mais, avec les deux autres sur le dos, il pouvait avoir commis une erreur. En entrant dans la chambre, ils étaient déjà certains qu'il s'agissait d'un suicide. Bosch aurait agi de la même façon. Ils avaient même trouvé un mot. A partir de ce moment-là, il aurait fallu qu'ils découvrent un couteau planté dans le dos de Moore pour changer d'avis. L'absence d'autres empreintes dans la chambre, de numéro de série sur le fusil à pompe... toutes ces choses auraient dû suffire à ramener leur taux de certitude à cinquante-cinquante. Pourtant, cela n'avait même pas entamé leur conviction. Harry en vint à s'interroger sur les résultats de l'autopsie : confirmeraient-ils la thèse du suicide ?

Il se leva de nouveau, remercia Donovan pour les renseignements et s'en alla.

Il redescendit au deuxième étage et entra dans les locaux de la RHD. La plupart des bureaux alignés par rangées de trois étaient vides, comme toujours après 17 heures. Celui de Sheehan ne faisait pas exception. Quelques rares inspecteurs encore présents à cette heure levèrent brièvement la tête, avant de détourner le regard. Ils ne voulaient pas s'occuper de Bosch. Il était le symbole même de ce qui pouvait leur arriver en mal, la preuve palpable qu'il était si facile de chuter.

– Sheehan est encore dans les parages ? demanda-t-il à l'inspecteur de garde, une femme assise à l'entrée et chargée de répondre au téléphone, d'enregistrer les appel radio et un tas d'autres conneries administratives.

– Non, il est parti pour la journée, répondit-elle sans

lever les yeux du planning des congés qu'elle était occupée à remplir. Il a été appelé par le bureau du coroner il y a quelques minutes, et il est en code 7 jusqu'à demain.

– Je peux m'installer à un bureau juste un instant ? J'ai quelques coups de fil à passer.

Il détestait avoir à demander ce genre de chose alors qu'il avait travaillé dans cette pièce pendant huit ans.

– Faites votre choix, répondit-elle.

Toujours sans lever les yeux.

Bosch choisit un bureau pas trop en désordre. Il appela le service des inspecteurs de la Criminelle de Hollywood, en espérant qu'il y aurait encore quelqu'un. Karen Moshito décrocha, Bosch lui demanda s'il avait des messages.

– Un seul. Une certaine Sylvia. Elle n'a pas donné son nom.

Il nota le numéro, en sentant les battements de son cœur s'accélérer.

– Tu es au courant pour Moore ? reprit Karen Moshito.

– Au sujet de l'identification, tu veux dire ? Oui, je suis au courant.

– Non. Il y a une merde à l'autopsie. La radio a annoncé qu'elle n'était pas concluante. C'est la première fois que j'entends dire qu'une décharge de fusil en pleine gueule n'est pas concluante...

– Ça date de quand ?

– Je viens de l'entendre sur KFWB, à 17 heures.

Après avoir raccroché, Bosch essaya encore une fois le numéro de Porter. Toujours pas de réponse, et aucun répondeur ne se mit en marche. Peut-être le flic dépressif était-il chez lui, mais refusait de décrocher. Il s'imagina Porter assis avec une bouteille dans un coin de sa chambre obscure, incapable de répondre au téléphone ou d'aller ouvrir la porte.

Il composa le numéro laissé par Sylvia Moore. Avait-elle entendu parler de l'autopsie ? C'était sans doute la raison de son appel. Elle décrocha après la troisième sonnerie.

– Madame Moore ?

– Sylvia.

– C'est Harry Bosch.

– Oui, je sais.

Elle ne dit rien d'autre.
– Vous tenez le coup ?
– Oui, je crois… Je… je vous ai appelé pour vous remercier. Pour la façon dont vous vous êtes conduit hier soir. Avec moi.
– Oh, vous n'aviez… C'était…
– Vous savez, ce livre dont je vous ai parlé ?
– *Le Grand Sommeil* ?
– Je me suis souvenu d'une autre phrase. « Pour moi, un chevalier servant est aussi rare qu'un facteur obèse. » J'ai l'impression qu'on voit un tas de facteurs obèses de nos jours. (Elle laissa échapper un petit rire discret qui ressemblait presque à un sanglot.) Mais pas beaucoup de chevaliers servants. Sauf hier soir…
Ne sachant quoi répondre, Bosch essaya de l'imaginer à l'autre bout du fil.
– C'est gentil à vous. Mais je ne sais pas si je le mérite. Parfois, j'ai l'impression que les choses que je suis obligé de faire ne me donnent pas l'air d'un chevalier.
Ils échangèrent encore quelques banalités, puis elle lui dit au revoir. Ayant raccroché, Bosch resta immobile un moment, les yeux fixés sur le téléphone, songeant aux mots prononcés et aux autres. Il y avait quelque chose de nouveau entre eux. Une sorte de lien. Quelque chose qui dépassait la mort de son mari. Qui dépassait le cadre de l'enquête. Quelque chose qui les rapprochait.
Il feuilleta les pages de son carnet jusqu'au résumé chronologique qu'il avait établi :

– 9/11 : arrestation de Dance
– 13/11 : mort de Jimmy Kapps
– 4/12 : rencontre avec Moore

Il entreprit d'ajouter d'autres dates et d'autres faits, y compris ceux qui, pour le moment, semblaient ne pas cadrer avec l'ensemble. Mais il avait l'impression que toutes ces affaires étaient liées, et que le lien s'appelait Calexico Moore. Il ne s'arrêta pas pour relire ce qu'il avait noté avant d'en avoir terminé. Puis il examina le tableau d'ensemble et constata que celui-ci conférait une sorte de cohérence aux pensées qui se bousculaient dans son esprit depuis deux jours.

– *1/11 : mémo du BANG sur la glace noire*
– *9/11 : Rickard est tuyauté... par Jimmy Kapps*
– *9/11 : arrestation de Dance, affaire classée*
– *13/11 : mort de Jimmy Kapps*
– *4/12 : rencontre avec Moore... Moore cache des choses*
– *11/12 : Moore reçoit les notes des stups*
– *18/12 : Moore découvre le corps. Juan Doe n° 67*
– *18/12 : Porter chargé de l'enquête sur la mort de Juan Doe*
– *19/12 : Moore prend une chambre au motel. Suicide ?*
– *24/12 : autopsie de Juan Doe n° 67. Insectes ?*
– *25/12 : on retrouve le cadavre de Moore*
– *26/12 : Porter jette l'éponge*
– *26/12 : autopsie de Moore : pas concluante ?*

Impossible d'étudier trop longtemps cette liste sans penser à Sylvia Moore.

9

Il prit Los Angeles Street jusqu'à Second Street avant de remonter vers le Red Wind. En passant devant Saint-Vibiana, il vit un groupe de sans-abri en haillons sortir de l'église. Après avoir dormi toute la journée sur les bancs, ils se dirigeaient vers la mission d'Union Street pour dîner. A la hauteur de l'immeuble du *L. A. Times*, il leva les yeux vers la grosse horloge et constata qu'il était très exactement 18 heures. Il se brancha sur KFWB pour écouter les informations. L'autopsie de Moore venait en seconde position, après l'annonce que le maire venait d'être la dernière victime d'une vague de manifestations kamikazes contre le sida. Il avait été atteint par un préservatif rempli de sang de porc sur les marches en pierre blanche de l'hôtel de ville. Cette action avait été revendiquée par un groupe baptisé Cool AIDS.

« … dans un tout autre domaine, l'autopsie pratiquée sur le corps de l'officier de police Calexico Moore n'a pu confirmer que l'inspecteur de la brigade anti-drogue s'était suicidé, a annoncé le bureau du coroner du comté de Los Angeles. Malgré tout, la police a officiellement classé l'affaire en maintenant l'hypothèse du suicide. Rappelons que le corps de cet officier de police de trente-huit ans a été découvert le jour de Noël dans une chambre de motel de Hollywood. A en croire les autorités, il était mort depuis déjà une semaine, tué par une décharge de fusil à pompe. Un mot expliquant les raisons de son geste aurait été retrouvé sur les lieux du drame, mais son contenu n'a pas été révélé. Moore sera enterré lundi… »

Bosch éteignit la radio. De toute évidence, cette information provenait d'un communiqué de presse. Il se demanda ce qu'il fallait penser du fait que l'autopsie n'était pas concluante. C'était la seule parcelle de véritable information dans tout ce communiqué.

Après s'être garé devant le Red Wind, il entra, mais ne vit pas Teresa Corazon. Il se rendit aux toilettes pour s'asperger le visage d'eau fraîche. Il avait besoin de se raser. Il s'essuya avec une serviette en papier et essaya de lisser sa moustache et ses cheveux bouclés avec sa main. Il desserra sa cravate, puis resta un long moment à se regarder dans la glace. Son image était celle d'un homme qu'on évite d'approcher à moins d'y être obligé.

Il acheta un paquet de cigarettes au distributeur automatique situé près des toilettes et regarda de nouveau autour de lui ; toujours pas de Teresa. Se dirigeant vers le bar, il commanda une Anchor et alla s'asseoir à une table libre près de la porte d'entrée. Les clients de cette fin de journée commençaient à envahir la salle. Des hommes et des femmes en costume et tailleur. Beaucoup d'hommes d'un certain âge avec des femmes plus jeunes. Parmi eux, Harry reconnut plusieurs journalistes du *L. A. Times*. Il commençait à se dire que Teresa s'était trompée de lieu de rendez-vous, à moins qu'elle n'ait décidé de lui poser un lapin. Après l'histoire de l'autopsie, elle risquait de se faire repérer par les journalistes. Ayant vidé sa bouteille de bière d'un trait, il ressortit du bar.

Immobile sur le trottoir, dans l'air froid du soir, il scrutait la rue en direction du tunnel de Second Street quand il entendit soudain un coup de klaxon et vit une voiture s'arrêter à sa hauteur. La vitre électrique s'abaissa. C'était Teresa.

– Attends-moi à l'intérieur, Harry. Je cherche une place pour me garer. Désolée d'être en retard.

Bosch se pencha vers la vitre baissée.

– Le bar grouille de journalistes. J'ai entendu parler de l'autopsie de Moore à la radio. Je me demande si tu ne cours pas un risque.

Il fallait peser le pour et le contre. Avec son nom dans le journal, elle augmentait ses chances de passer du statut de légiste en chef par intérim à celui de chef permanent. Mais la moindre gaffe, ou des propos déformés, et le légiste par intérim pouvait tout aussi aisément se transformer en ex-légiste.

– Où peut-on aller ? demanda-t-elle.

Harry ouvrit la portière et monta.

– Tu as faim ? On peut aller chez Gorky ou au Garde-Manger.

– Oui. Gorky est toujours ouvert ? J'ai envie d'une soupe.

Il leur fallut un quart d'heure pour se faufiler au milieu des embouteillages du centre ville et trouver une place pour se garer. Une fois installés chez Gorky, ils commandèrent des chopes de bière russe brassée maison, Teresa prenant une soupe au poulet et au riz.

– La journée a été longue, hein ? dit-il.

– Ne m'en parle pas. Même pas le temps de déjeuner. Je suis restée enfermée au labo pendant cinq heures.

Bosch mourait d'envie d'en savoir plus sur l'autopsie de Moore, mais il ne voulait pas l'interroger de but en blanc. Il devait l'inciter à lui en parler.

– Alors… et ce Noël ? Tu t'es réconciliée avec ton mari ?

– Non. Rien à faire. Il n'a jamais supporté mon métier, et maintenant que j'ai des chances d'être nommée légiste chef, cela le rend encore plus amer. Il est parti le jour du réveillon. Je voulais appeler mon avocate aujourd'hui pour lui demander de reprendre la procédure, mais j'étais trop occupée.

– Tu aurais dû m'appeler. J'ai passé Noël avec un coyote.

– Ah. Timido rôde toujours dans les parages ?

– Oui, il continue à venir de temps en temps. Il y a eu un incendie de l'autre côté du canyon. Je crois que ça lui a fichu la frousse.

– Oui, j'ai lu ça dans le journal. Tu as eu de la veine.

Bosch acquiesça. Teresa Corazon et lui entretenaient une relation intermittente depuis maintenant quatre mois, et chacune de leurs rencontres était alimentée par ce genre de demonstration d'intimité superficielle. Mais c'était avant tout une relation de commodité, solidement basée sur des besoins physiques et non émotionnels ; chez l'un comme chez l'autre, jamais cela ne se transformait en passion intense. Quelques mois plus tôt, elle s'était séparée de son mari, professeur à la fac de médecine d'UCLA, et avait apparemment choisi de reporter toute son affection sur Harry. Mais celui-ci savait qu'il n'était qu'un palliatif. Leur liaison demeurait sporadique, leurs rencontres étant parfois espacées de plusieurs semaines, et Harry acceptait d'en laisser l'initiative à Teresa.

Il la regarda baisser la tête pour souffler sur une cuillerée de soupe fumante. Des tranches de carotte flottaient dans le bol. Teresa avait de longues boucles châtain clair qui lui tombaient sur les épaules. D'une main, elle repoussa quelques mèches, tandis qu'elle soufflait sur une seconde cuillerée avant de la porter à sa bouche. Son teint était naturellement très mat, et son visage possédait une forme elliptique, exotique, qui faisait ressortir ses pommettes déjà saillantes. Ses lèvres pleines étaient maquillées en rouge, un très léger duvet blanc couvrant ses joues. Harry savait qu'elle avait environ trente-cinq ans, mais il n'avait jamais osé lui poser la question. Pour finir, il remarqua ses ongles. Sans vernis et coupés très courts afin de ne pas trouer les gants en latex qu'elle utilisait en permanence pour son travail.

Tout en buvant des gorgées de bière épaisse dans sa chope elle aussi épaisse, il se demanda s'il s'agissait là d'un nouvel épisode de leur liaison, ou si Teresa était réellement venue lui donner une information importante sur l'autopsie de Juan Doe n° 67.

– Conclusion, je cherche quelqu'un pour passer le réveillon du jour de l'an, déclara-t-elle en levant les yeux de dessus sa soupe. Qu'est-ce que tu regardes comme ça ?

– Toi, tout simplement. Tu cherches quelqu'un pour le réveillon ? Ne cherche plus. J'ai vu dans le journal que Frank Morgan jouait au Catalina.

– Qui est-ce et de quel instrument joue-t-il ?

– Tu verras. Ça te plaira.

– Ma question était stupide. Si tu aimes ce musicien, c'est qu'il joue du saxophone.

Harry sourit, comme pour lui-même. Il était heureux de savoir qu'il avait trouvé quelqu'un pour sortir. Se retrouver seul le soir du réveillon du jour de l'an le chagrinait plus qu'à Noël, à Thanksgiving ou n'importe quel autre jour. La nuit de la Saint-Sylvestre est faite pour le jazz et, lorsque vous vous retrouvez seul, le son du saxophone peut vous fendre le cœur.

Elle sourit à son tour et lui dit :

– Ah, Harry, tu es si accommodant avec les femmes seules.

Il songea à Sylvia Moore et revit son sourire triste.

– Bon, reprit Teresa, comme si elle sentait qu'elle s'égarait. Je parie que tu veux en savoir plus sur les insectes retrouvés dans l'estomac de Juan Doe n° 67 ?

– Finis d'abord ta soupe.

– Non, ça ne me gêne pas. A vrai dire, je suis toujours affamée après avoir passé la journée à découper des cadavres.

Elle sourit. Il n'était pas rare de l'entendre proférer ce genre de choses, comme si lui aussi elle le mettait au défi de critiquer son métier. Harry savait qu'elle était toujours amoureuse de son mari. Malgré ce qu'elle pouvait dire. Il comprenait.

– J'espère que tes scalpels ne te manqueront pas trop quand tu seras nommée chef. Tu ne tailleras plus que dans des budgets.

– Non, je continuerai à mettre la main à la pâte. Je m'occuperai encore des trucs un peu particuliers. Comme aujourd'hui. Mais après ce qui vient de se passer, je me demande s'ils vont me nommer chef, tu sais.

Harry eut le sentiment à son tour d'avoir jeté un froid en abordant ce sujet. C'était peut-être le bon moment.

– Tu as envie d'en parler ?

– Non. Je voudrais bien, mais je ne peux pas. Je te fais confiance, Harry, mais il vaudrait mieux que je garde ça pour moi pour l'instant.

Il acquiesça, bien décidé malgré tout à y revenir plus tard pour savoir ce qui s'était passé exactement lors de l'autopsie de Moore. Sortant son carnet de sa poche, il le déposa sur la table.

– Bon, parle-moi de Juan Doe n° 67.

Elle repoussa son bol de soupe sur le côté et posa son

attaché-case sur ses genoux. Elle en sortit une fine chemise bulle qu'elle ouvrit devant elle.

– OK. Voici un double que tu pourras conserver une fois que j'aurai terminé mes explications. J'ai relu les notes et tout ce que Salazar possédait sur ce cas. Comme tu le sais certainement, la mort a été provoquée par plusieurs coups violents sur le crâne, tous portés avec un objet contondant. Fractures du frontal, du pariétal, du sphénoïde et du supra-orbital.

Tout en énumérant ces traumatismes, elle porta successivement sa main à son front, sa nuque, sa tempe gauche et le coin de son œil gauche. Sans lever les yeux du document.

– Toutes fatales. Il y a aussi d'autres blessures que tu pourras analyser plus tard. Euh... Salazar a extrait de minuscules éclats de bois de deux blessures crâniennes. Apparemment, il s'agirait d'un objet ressemblant à une batte de base-ball, mais moins épais à mon avis. A cause de la terrible violence des coups, je penche pour un objet assez long. Pas un bâton. Plus gros. Un manche de pioche, de pelle, un truc comme ça... peut-être une queue de billard. Mais très certainement un objet mal fini. Comme je te l'ai dit, Sally a retrouvé des échardes dans les blessures. Je ne suis pas sûre qu'une queue de billard poncée et vernie puisse laisser des échardes... (Elle se repencha sur ses notes.) Ah, autre chose... Je ne sais pas si Porter t'en a parlé, mais le corps a très certainement été déposé à cet endroit. La mort remonte au moins à six heures avant la découverte. Or, compte tenu du passage dans cette ruelle, avec la porte de derrière du restaurant, le cadavre n'a pas pu rester là pendant six heures sans que quelqu'un le remarque. On l'y a forcément déposé.

– Ouais, c'était mentionné dans ses notes.

– Bien.

Elle feuilleta les pages, jetant au passage de rapides coups d'œil aux clichés d'autopsie, avant de les mettre de côté.

– Ah, voilà... Les analyses de toxicité ne nous sont pas encore parvenues, mais la couleur du sang et du foie indique qu'on ne trouvera rien à ce niveau. Attention, ce n'est qu'une supposition de ma part, ou plutôt de la part de Sally.

Harry acquiesça. Il n'avait encore pris aucune note. Il alluma une cigarette, et Teresa ne parut pas s'en formaliser. Jamais elle ne lui avait fait la moindre remarque à ce sujet, mais un jour où il assistait à une autopsie, elle était sortie de la salle voisine pour lui montrer un poumon appartenant à un homme de quarante ans qui fumait trois paquets par jour. On aurait dit une vieille chaussure noire écrasée par un camion.

– Conformément à la routine, reprit-elle, on a fait divers prélèvements et analysé le contenu de l'estomac. Pour commencer, on a trouvé une espèce de poudre marron dans le cérumen. Et aussi dans les cheveux, et sous les ongles des doigts.

Bosch songea aussitôt à l'héroïne brute, un des composants de la glace noire.

– De l'héro ?

– Bonne idée, mais ce n'est pas ça.

– Juste de la poudre marron ?...

Bosch prenait des notes dans son carnet maintenant.

– Oui. On l'a mise sur des plaques pour l'agrandir, et pour autant qu'on puisse en juger, c'est du blé. De la poudre de blé. C'est du... apparemment, c'est du blé écrasé.

– Des grains de céréales, tu veux dire ? Il avait des grains de céréales dans les oreilles et les cheveux ?

Chemise blanche, nœud papillon noir, épaisse moustache et beau regard slave, un serveur vint à leur table pour leur demander s'ils désiraient autre chose. Il regarda la pile de photos posée à côté de Teresa. Celle du dessus montrait Juan Doe n° 67 allongé nu sur la table d'autopsie en acier inoxydable. Teresa s'empressa de la cacher avec le dossier, et Harry réclama deux autres bières. L'homme s'éloigna à petits pas.

– Des céréales, c'est ça ? répéta Bosch. Comme la poudre qu'on trouve au fond de la boîte, ce genre de truc ?

– Non, pas exactement. Mais mets ça de côté pour l'instant, et laisse-moi continuer. Tu vas comprendre... (Il lui fit signe de poursuivre.) L'examen des muqueuses nasales et de l'estomac a fait apparaître deux choses très intéressantes. C'est un peu pour cette raison que j'aime ce que je fait, même si certains ne partagent pas ma façon de voir. (Elle leva les yeux du dossier et lui sourit.) Enfin bref, dans l'estomac on a retrouvé du café et du riz, du poulet, des poivrons, différentes épices et du boyau de porc mastiqués. En résumé, c'était du chorizo, de la saucisse mexicaine. Le boyau de porc utilisé pour faire la saucisse me permet de penser qu'il s'agit d'une fabrication artisanale et non pas d'un produit industriel. Il a mangé cette saucisse peu de temps avant sa mort ; la décomposition avait à peine débuté dans l'estomac. Peut-être même qu'il était en train de manger au moment où on l'a agressé. La gorge et la bouche étaient vides, mais il y avait encore des débris dans les dents… Soit dit en passant, toutes les dents étaient d'origine, aucune prothèse ni rien. Tu commences à comprendre que ce type n'était pas d'ici, je suppose ?

Bosch acquiesça ; il se souvenait des remarques de Porter disant que tous les vêtements de Juan Doe n° 67 avaient été fabriqués au Mexique. Il continua de prendre des notes dans son carnet.

Elle ajouta :

– Il y avait aussi ça, dans son estomac.

Elle fit glisser un Polaroïd sur la table. Celui-ci représentait un insecte rosâtre avec une aile manquante et l'autre brisée. Il paraissait mouillé, et cela n'avait rien de surprenant si l'on songeait à l'endroit où il avait été découvert. Il reposait dans une boîte de Pétri à côté d'une pièce de dix cents. La pièce était environ dix fois plus grosse que l'insecte.

Harry remarqua le serveur qui attendait à quelques mètres de la table, deux chopes de bière à la main. L'homme leva les verres avec un regard interrogateur. Bosch lui fit signe qu'il pouvait approcher sans danger. Le serveur déposa les chopes sur la table, jeta un rapide coup d'œil à la photo de l'insecte, puis s'empressa de s'éloigner. Harry fit glisser la photo vers Teresa.

– Qu'est-ce que c'est ?

– *Trypetid*, répondit-elle avec un sourire.

– Zut, j'allais le dire.

Cette plaisanterie qui avait fait ses preuves la fit éclater de rire.

– C'est une drosophile. Une variété méditerranéenne. Le petit insecte qui cause tant de dégâts dans l'industrie de l'agrume en Californie. Salazar est venu me trouver pour que je sollicite un avis extérieur, car nous n'avions pas la moindre idée de ce que c'était. J'ai chargé un inspecteur de l'apporter à un entomologiste d'UCLA recommandé par Gary. Il nous a permis d'identifier l'insecte.

Bosch savait que le Gary en question était le futur ex-mari de Teresa. Il l'écoutait en hochant la tête, sans comprendre toutefois l'intérêt de cette découverte.

Elle poursuivit :

– Revenons-en aux prélèvements nasaux. On y a trouvé de la poudre de céréale, comme je te l'ai dit, et aussi ceci.

Elle fit glisser une autre photo sur la table. Celle-ci représentait également une boîte de Pétri contenant une pièce de dix cents. On y distinguait un petit point marron rose juste à côté de la pièce. C'était beaucoup plus petit que la mouche du premier cliché, mais Bosch vit qu'il s'agissait encore d'un insecte.

– Et ça ? demanda-t-il.

– Même chose, d'après mon entomologiste. Mais c'est un bébé. Une larve, si tu préfères.

Elle joignit l'extrémité de ses doigts, sourit et attendit.

– Ça te plaît, hein ? dit-il. (Il but d'un trait un quart de sa bière.) D'accord, je donne ma langue au chat. Qu'est-ce que ça signifie ?

– En gros, tu connais le problème des drosophiles, les mouches à fruit, non ? Cette saloperie dévore les plantations d'agrumes, elle peut entraîner la ruine de toute cette industrie, des millions et des millions de dollars de pertes, plus de jus d'orange le matin, etc., etc., bref, le déclin de notre civilisation. D'accord ?

Il hocha la tête, elle poursuivit, avec un débit rapide :

– Apparemment, nous sommes confrontés à une invasion annuelle de drosophiles. Tu as remarqué les panneaux de quarantaine sur les autoroutes et tu as entendu les hélicos qui balancent du malathion la nuit, non ?

– Oui. A cause d'eux, je rêve du Vietnam.

– Tu as sans doute entendu parler également des campagnes contre la pulvérisation du malathion. Certaines personnes affirment que ce produit empoisonne les insectes, mais aussi les gens. Ils exigent qu'on y mette fin. Que peut faire le ministère de l'Agriculture ? Une solution consiste à développer l'autre procédé qui permet de combattre ces insectes. Le ministère et le Service d'éradication des drosophiles libèrent des milliards de mouches stériles dans toute la Californie du Sud. Des millions chaque semaine. L'idée, vois-tu, c'est que les insectes présents dans la nature s'accouplent avec des partenaires stériles en sorte que tout finisse par s'arrêter au bout d'un moment, les insectes étant de moins en moins nombreux à se reproduire. C'est mathématique, Harry. Problème réglé… à condition qu'on parvienne à inonder la région avec suffisamment de mouches stériles…

Arrivé à ce stade de son exposé, Teresa marqua une pause, mais Bosch ne comprenait toujours pas.

– Fichtre, c'est fantastique tout ça, Teresa. Mais ça mène quelque part au bout du compte ou bien… ?

– J'y arrive, j'y arrive. Ecoute-moi. Tu es inspecteur de police, non ? Tu es censé écouter. Un jour, tu m'as expliqué que pour résoudre un meurtre, il fallait pousser les gens à parler et se contenter de les écouter. Eh bien, écoute-moi quand je te parle…

Il leva les mains en l'air, elle reprit :

– Les mouches répandues dans la nature par le ministère de l'Agriculture sont teintes au stade larvaire. En rose, afin de pouvoir les suivre à la trace et de faire rapidement le tri entre les mouches stériles et les non-stériles quand on examine les petits pièges installés dans les orangers un peu partout. Une fois teintes en rose, les larves sont stérilisées. Ensuite, on les lâche. (Harry acquiesça. Ça commençait à devenir intéressant.) Mon entomologiste a examiné les deux échantillons retrouvés dans l'estomac de Juan Doe n° 67, et voici ses conclusions… (Elle consulta les notes jointes au dossier.) La mouche adulte découverte dans l'estomac du mort était à la fois teinte et stérilisée, il s'agissait d'une femelle. Bon, rien d'anormal là-dedans. Comme je te le disais, ils lâchent quelque chose comme trois cents millions d'insectes de ce genre par semaine, des milliards en une année ; il n'est donc pas anormal que notre homme en ait avalé un accidentellement s'il se trouvait quelque part... disons en Californie du Sud.

– Voilà qui réduit beaucoup le champ de l'enquête, dit-il. Et l'autre échantillon ?

Teresa sourit de nouveau.

– La larve est différente. Le docteur Braxton, c'est le spécialiste des insectes, affirme qu'elle a été teinte conformément aux prescriptions du ministère. Mais elle n'avait pas encore été irradiée, c'est-à-dire stérilisée, quand elle a pénétré dans le nez de notre Juan Doe.

Elle décroisa ses mains et les posa à plat sur la table. Fin du rapport. Le moment était venu de passer aux spéculations, et elle lui laissait ouvrir le feu.

– Bon. Il a deux mouches mortes à l'intérieur du corps, une stérilisée et l'autre pas, résuma Bosch. On peut en déduire que, peu de temps avant sa mort, notre homme se trouvait à l'endroit où on stérilise ces mouches. Il y a des millions de mouches dans les parages. Une ou deux ont pu tomber dans sa nourriture, ou il a pu en inspirer une par le nez. Un truc dans ce genre.

Elle hocha la tête.

– Bon, et la poudre de céréales ? demanda-t-il. Dans les oreilles et les cheveux du...

– Cette poudre sert d'aliment. Braxton m'a expliqué qu'on l'utilisait lors de la phase d'élevage.

– Donc, il faut que je découvre l'endroit où on « fabrique », où on élève ces mouches stériles. Je trouverai peut-être des renseignements sur Juan Doe. Apparemment, il s'occupait de l'élevage de mouches ou un truc comme ça.

Elle sourit.

– Pourquoi tu ne me demandes pas où on les élève, Harry ?

– Où les élève-t-on, Teresa ?

– L'astuce, c'est de les élever dans un endroit où elles font déjà partie de l'environnement et de la population naturelle des insectes, afin d'éviter les problèmes au cas où quelques-unes réussiraient à se faufiler par la porte avant d'avoir été irradiées. Voilà pourquoi le ministère de l'Agriculture a passé des contrats avec des usines d'élevage dans deux endroits seulement : à Hawaii et au Mexique. A Hawaii, il y a trois usines à Oahu. Au Mexique, il y en a une près de Zihuatenejo, mais la plus grande des cinq est située près de…

– Mexicali.

– Hé, comment le sais-tu ? Tu étais déjà au courant et tu m'as laissée…

– Non, c'était une simple supposition. Ça cadre avec une autre affaire dont je m'occupe.

Elle l'observa d'un drôle d'air et, pendant un instant, Harry regretta de lui avoir gâché son plaisir. Il vida sa chope d'un trait et chercha du regard le serveur à l'estomac délicat.

10

Elle le raccompagna jusqu'à sa voiture garée à proximité du Red Wind, puis elle le suivit vers la périphérie de la ville, jusqu'à sa maison dans les collines. Teresa habitait dans un immeuble de Hancock Park, plus près du centre, mais elle lui expliqua qu'elle avait besoin de changer de décor et, dc plus, elle avait très envie de voir oû simplement entendre le coyote. Mais Harry savait qu'en réalité il lui serait plus facile de s'enfuir de chez lui que de lui demander de partir de chez elle.

Il s'en fichait. En vérité, il ne se sentait pas à son aise chez elle. Son appartement lui rappelait trop ce que L. A. était en train de devenir. Elle vivait dans un loft au quatrième étage ; vue sur le centre ville, et l'immeuble, le Warfield, était classé monument historique. L'extérieur du bâtiment était toujours aussi beau qu'en 1911, date à laquelle il avait été terminé par George Allan Hancock. D'architecture classique, avec de nombreux ornements sur une façade en terre cuite gris-bleu, le Warfield indiquait que George n'avait pas été avare avec l'argent du pétrole. Mais c'était la décoration intérieure – la décoration actuelle, s'entend – qui lui déplaisait. L'immeuble avait été racheté quelques années auparavant par une société japonaise qui l'avait totalement éventré, puis rénové et « relooké ». Les murs de tous les appartements avaient été abattus ; ce n'était plus maintenant qu'une succession de longues pièces stériles avec de faux planchers et des comptoirs en acier, le tout éclairé par des rampes de spots. Rien qu'une belle enveloppe vide, songeait Bosch. Et il avait le sentiment que George aurait partagé son avis.

Une fois arrivés chez lui, ils bavardèrent un instant, pendant qu'il allumait le brasero dans la véranda et déposait un filet de daurade sur le grill. Il l'avait acheté la veille de Noël, mais il était encore frais et suffisamment gros pour deux personnes. Teresa lui annonça que la commission du comté choisirait sans doute le nouveau médecin légiste chef avant la fin de l'année. Harry lui souhaita bonne chance, même si intérieurement, il n'était pas certain d'être sincère. C'était une nomination politique et Teresa devrait apprendre à marcher au pas. Pourquoi se fourrer dans ce guêpier ? Il changea de sujet.

– Si ce type, ce Juan Doe, se trouvait à Mexicali... près de l'endroit où on élève ces drosophiles, comme expliques-tu que son cadavre se soit retrouvé ici ?

– Ce n'est pas mon domaine, lui répondit-elle.

Accoudée à la balustrade, elle contemplait la Vallée. Un million de lumières scintillaient dans l'air froid et sec. La veste de Harry était posée sur ses épaules. Celui-ci badigeonna le poisson d'une sauce barbecue à l'ananas avant de le retourner.

– Il fait plus chaud près du feu, dit-il.

Tout en s'occupant du poisson, il ajouta :

– A mon avis, ils ne voulaient peut-être pas que quelqu'un vienne traîner autour de cette usine qui travaille pour le ministère de l'Agriculture. Tu comprends ? Ils ne voulaient pas qu'on puisse faire un rapprochement entre le mort et cet endroit. Et donc, ils ont emporté le corps.

– D'accord, mais pourquoi jusqu'à Los Angeles ?

– Peut-être qu'ils... je n'en sais rien. Ça fait un sacré bout de chemin.

L'un et l'autre demeurèrent silencieux un moment, plongés dans leurs pensées. Bosch entendait l'ananas goutter et grésiller sur les braises incandescentes.

– Comment fait-on pour franchir la frontière avec un cadavre ? demanda-t-il.

– Oh, j'imagine qu'on a déjà fait passer des trucs encore plus encombrants, tu ne crois pas ? (Il acquiesça.) Dis, Harry, tu y es déjà allé, à Mexicali ?

– J'y suis passé en voiture en allant à Bahia San Felipe l'été dernier pour pêcher. Mais je ne m'y suis jamais arrêté. Et toi ?

– Jamais.

– Sais-tu comment s'appelle la ville située juste derrière la frontière ?

– Non.

– Calexico.

– Tu te moques de moi ? C'est là que...

– Exact.

Le poisson était cuit. Harry le déposa sur une assiette, referma le couvercle du grill, et ils retournèrent à l'intérieur. Il servit le poisson accompagné de riz préparé avec du Pico Pico. Il ouvrit une bouteille de vin rouge et remplit deux verres. Le sang des dieux. Il n'avait pas de vin blanc. Tandis qu'il mettait tout sur la table, il remarqua un sourire sur le visage de Teresa.

– Tu ne pensais quand même pas que j'étais un type du genre plateau-télé, si ?

– Si, je l'avoue. C'est superbe, Harry.

Ils trinquèrent, puis mangèrent tranquillement. Elle le complimenta pour le repas, mais Harry savait que le poisson était un peu trop sec. Ils retombèrent dans une conversation banale. Pendant tout ce temps, Harry guettait l'ouverture favorable pour l'interroger au sujet de l'autopsie de Moore. Elle ne se présenta pas pendant le repas.

– Que vas-tu faire maintenant ? demanda Teresa en reposant sa serviette.

– Je crois que je vais débarrasser la table et voir si...

– Non, tu as très bien compris. Je parle de l'affaire Juan Doe.

– Je ne sais pas trop. Il faut que je parle à Porter. Je vais sans doute me renseigner auprès du ministère de l'Agriculture. Je suis curieux de savoir comment ces mouches transitent jusqu'ici.

Elle hocha la tête et dit :

– Si jamais tu as envie d'interroger l'entomologiste, dis-le-moi, je pourrai t'arranger le coup.

Il remarqua de nouveau le regard lointain et absent qu'elle avait eu par instants au cours de la soirée.

– Et toi ? lui demanda-t-il. Qu'est-ce que tu vas faire maintenant ?

– A quel sujet ?

– Au sujet des problèmes dus à l'autopsie de Moore.

– Ça se voit tant que ça ?

Il se leva pour débarrasser. Teresa restant à table, Harry se rassit et vida le fond de la bouteille dans leurs verres. Il songea qu'il devait lui donner quelque chose afin qu'elle se sente plus libre de se livrer à son tour.

– Ecoute-moi, Teresa. Je crois qu'on a certaines choses à se dire. Je pense que nous sommes en présence de deux enquêtes, peut-être même trois, qui sont peut-être toutes liées à la même affaire. Comme les différents rayons d'une même roue.

Elle leva la tête, perplexe.

– Quelle affaire ? De quoi parles-tu ?

– Je sais que tout ce que je vais te dire n'est pas de ton domaine, mais il me semble que tu as besoin de savoir pour t'aider à prendre ta décision. Je t'ai observée toute la soirée. Je sens que tu as un gros problème et que tu ne sais pas quoi faire.

Il marqua une pause, pour lui donner la possibilité de l'interrompre. Elle ne le fit pas. Alors il lui parla de l'arrestation de Marvin Dance et des liens avec le meurtre de Jimmy Kapps.

– Quand j'ai découvert que Kapps importait de l'ice de Hawaii, je suis allé trouver Cal Moore pour en savoir plus sur la glace noire. Les histoires de concurrence entre trafiquants, ce genre de trucs. Je voulais savoir d'où elle venait, où on la trouvait, qui la vendait… tout ce qui pouvait m'aider à comprendre qui avait pu flinguer Jimmy Kapps. Enfin bref, toujours est-il que j'ai cru que Moore bluffait en me disant qu'il ne savait rien, mais, aujourd'hui, je découvre qu'il constituait un dossier sur la glace noire. Il chassait sur mon territoire. Il me cachait des informations, mais, en même temps, il rassemblait des tuyaux au moment de sa disparition. Et on m'a refilé le dossier. Avec un mot disant « A transmettre à Harry Bosch ».

– Qu'est-ce qu'il y avait dans le dossier ?

– Un tas de choses. Y compris un rapport de surveillance expliquant que la source principale de la glace noire se trouve probablement dans un ranch à Mexicali…

Elle le regarda fixement, mais garda le silence.

– Ce qui nous ramène à notre Juan Doe. Porter jette l'éponge et l'affaire me tombe sur les bras. Je prends connaissance du dossier et je te laisse deviner qui a découvert le corps, avant de disparaître le lendemain.

– Merde..., fit-elle.

– Tout juste. Cal Moore. Ce que ça signifie, je l'ignore. Mais c'est lui qui a découvert le cadavre. Le lendemain, il disparaît dans la nature. La semaine suivante, on retrouve son corps dans une chambre de motel... un suicide, soi-disant. Et le lendemain, après qu'on a parlé de la mort de Moore dans les journaux et à la télé, Porter appelle le bureau et dit : « Vous savez quoi, les gars ? Je rends mon tablier. » Tu ne trouves pas tout ça un peu louche ?

Teresa se leva brusquement, gagna la porte coulissante de la véranda et contempla le canyon à travers la vitre.

– Quels salopards, dit-elle. Ils veulent étouffer l'affaire. Parce que ça risque d'embarrasser je ne sais qui.

Bosch vint se placer dans son dos.

– Il faut que tu en parles à quelqu'un. Vas-y.

– Non, je ne peux pas. Raconte-moi, toi.

– Je t'ai tout dit. Le peu qui reste est trop embrouillé. En fait, il n'y avait pas grand-chose dans le dossier, si ce n'est que les stups ont expliqué à Moore que la glace noire venait de Mexicali. C'est comme ça que j'ai deviné l'emplacement de l'élevage de mouches. Et à cause de Moore aussi. Il a grandi à Calexico et Mexicali. Tu comprends maintenant ? Il y a trop de coïncidences qui n'en sont pas.

Elle continuait à regarder dehors, et il parlait à son dos mais voyait le reflet de son visage anxieux dans la vitre. Il sentait l'odeur de son parfum.

– Le détail important, c'est que Moore ne gardait pas ce dossier dans son bureau ni chez lui ; il l'avait mis dans un endroit où personne d'Internal Affairs ou de la brigade des vols et homicides ne risquait de le trouver. Et quand les gars de son équipe l'ont découvert, il y avait un mot disant qu'ils devaient me le donner. Tu vois ?

Son regard songeur lui fournit une réponse suffisante. Elle pivota sur ses talons et traversa le salon pour aller s'asseoir dans le fauteuil moelleux en se passant la main dans les cheveux. Harry choisit de rester debout et fit les cent pas devant elle.

– Et ce mot disant de me remettre le dossier ? A qui était-il destiné ? Evidemment pas à lui-même : il était le mieux placé pour savoir que c'était pour moi qu'il rassemblait ces informations… Donc, le mot était destiné à quelqu'un d'autre. Qu'est-ce qu'on peut en conclure ? Qu'au moment de l'écrire il savait qu'il allait se suicider ? Ou bien…

– Il savait qu'on allait le tuer, dit-elle.

Bosch acquiesça :

– Ou du moins il savait qu'il avait mis les pieds dans le plat. Il était dans de sales draps. En danger.

– Bon Dieu !

Harry s'avança et lui tendit son verre de vin. Il se pencha vers son visage.

– Il faut que tu me parles de l'autopsie. Il y a quelque chose qui cloche. J'ai entendu leur communiqué à la con. « Pas concluant. » C'est quoi, cette arnaque ? Depuis quand est-ce qu'on ne peut pas déterminer si un coup de fusil en plein visage a tué quelqu'un ou non ? Raconte-moi tout, Teresa. A nous deux, on trouvera peut-être ce qu'il faut faire…

Elle haussa les épaules et secoua la tête, mais Harry sentit qu'elle allait tout lui dire.

– Comme je n'étais pas sûre à cent pour cent, ils m'ont demandé… Tu ne dois pas révéler d'où vient cette information, Harry. Surtout pas.

– Ne t'inquiète pas, ça ne te retombera pas sur le nez. S'il le faut, je m'en servirai pour nous aider, mais ça ne te retombera pas dessus. Je te le promets.

– Ils m'ont demandé de n'en parler à personne, car je ne pouvais pas être absolument certaine. Le chef adjoint Irving, ce connard prétentieux, a su me convaincre. Il m'a dit que la commission du comté allait bientôt décider de mon statut, qu'on choisirait un légiste chef qui sache se montrer discret. Il a même ajouté qu'il avait des amis à la commission. Ah, si je pouvais prendre un scalpel et…

– Laisse tomber tout ça. De quoi est-ce que tu n'étais pas sûre à cent pour cent ?

Elle vida son verre de vin d'un trait. Puis les mots se

déversèrent enfin. L'autopsie s'était déroulée de manière habituelle, si ce n'est qu'en plus des deux inspecteurs chargés de l'enquête, Sheehan et Chastain d'Internal Affairs, le chef adjoint Irving était présent lui aussi. Ainsi qu'un type du labo qui se trouvait là pour comparer les empreintes digitales.

– La décomposition du corps était déjà très avancée, précisa-t-elle. J'ai dû découper l'extrémité des doigts et pulvériser un agent durcissant chimique. Ensuite, Collins, c'est le technicien du labo, a réussi à relever les empreintes. Il a établi les comparaisons immédiatement, car Irving avait apporté celles de Moore. Les empreintes concordaient. C'était bien lui.

– Et les dents ?

– Là, ce fut plus difficile. Presque toute la dentition avait été pulvérisée. On a comparé un morceau d'incisive retrouvé dans la baignoire avec les dossiers dentaires apportés par Irving. Moore s'était fait faire une couronne. On en a retrouvé des traces. Là aussi, ça correspondait.

Elle expliqua qu'elle avait débuté l'autopsie après avoir eu confirmation de l'identité et elle avait conclu immédiatement à l'évidence : les dégâts provoqués par la double décharge du fusil à pompe avaient été importants et fatals. Instantanément. Mais, en examinant les éléments détachés du corps, elle avait commencé à avoir des doutes quant au suicide de Moore.

– La violence de l'explosion avait provoqué un arrachement complet du crâne, dit-elle. Et, bien évidemment, la règle de l'autopsie veut qu'on examine tous les organes vitaux, y compris le cerveau. Le problème, c'est que le cerveau était en grande partie déchiqueté à cause de la dissémination des projectiles. Je crois avoir entendu dire qu'ils provenaient d'un double canon en parallèle. En effet... Malgré tout, une grosse partie du lobe frontal et le fragment de crâne correspondant étaient encore quasiment intacts, bien que séparés du reste du corps... Tu me suis, Harry ? D'après le schéma, cette partie du crâne se trouvait dans la baignoire. Est-ce que... tu veux que je t'épargne les détails ? Je sais que tu le connaissais...

– Pas tant que ça. Continue.

– J'ai donc examiné ce morceau, sans espérer véritablement trouver quelque chose de nouveau. Mais j'avais tort. J'ai relevé une démarcation hémorragique dans le lobe, au niveau de la paroi crânienne.

Elle but une gorgée de vin dans le verre de Harry et poussa un long soupir, comme pour expulser un démon.

– Et ça, Harry, ça pose un putain de problème…

– Explique-toi.

– On croirait entendre Irving : « Expliquez-vous. » C'est évident, non ? Pour deux raisons. Premièrement, l'hémorragie n'est jamais aussi importante dans le cas d'une mort instantanée comme ici. Il n'y a pas beaucoup de sang au niveau de la paroi crânienne quand le cerveau a été littéralement arraché du corps en une fraction de seconde. Mais, s'il est toujours possible de discuter ce point, je le concède à Irving, impossible en revanche de mettre en doute la seconde raison. Cette hémorragie indique très nettement une blessure à la tête par contrecoup. Pour moi, cela ne fait pas le moindre doute.

Harry passa rapidement en revue les quelques connaissances qu'il avait acquises au cours des dix années qu'il avait passées à assister à des autopsies. Une blessure par contrecoup est un choc subi par le cerveau sur le côté opposé à la blessure. De fait, le cerveau est une espèce de gelée occupant l'intérieur du crâne. Un coup violent porté sur le côté gauche cause parfois plus de dégâts du côté droit, le choc projetant la gelée contre la paroi droite du crâne. Et si Moore présentait à l'avant du cerveau les signes d'hémorragie décrits par Teresa, cela voulait dire qu'il avait été frappé par-derrière. Une décharge de fusil en plein visage n'aurait pas provoqué une telle marque.

– Est-il possible que…

Il laissa sa phrase en suspens, ne sachant pas trop quoi demander. Soudain, il sentit son corps réclamer furieusement une cigarette et tapota le fond d'un paquet neuf dans la paume de sa main.

– Que s'est-il passé ? demanda-t-il en l'ouvrant.

– Dès que j'ai commencé à donner des explications, Irving est monté sur ses grands chevaux ; il n'arrêtait pas de me demander : « Vous êtes certaine ? C'est sûr à cent pour cent ? Est-ce qu'on ne tire pas des conclusions trop hâtives ? » et ainsi de suite. C'était très clair : il voulait absolument que ce soit un suicide. Dès l'instant où j'ai commencé à émettre des doutes, il a parlé de conclusions précipitées, de la nécessité d'avancer avec précaution. Il m'a expliqué que le département pouvait être gêné par une enquête si nous n'agissions pas lentement, prudemment et correctement. Je te cite ses paroles. Le sale con.

– Il ne faut pas réveiller le chien qui dort, dit Bosch.

– Exact. Alors, je leur ai simplement dit d'un ton ferme qu'il n'était pas question que je conclue au suicide. Et après… après, ils m'ont convaincue de ne pas conclure à l'homicide. D'où l'absence de conclusion. Un compromis. Pour l'instant. J'ai l'impression d'avoir fait quelque chose de mal. Les salopards !

– Ils vont étouffer le coup.

Il ne comprenait pas pourquoi. Sans doute à cause de l'enquête d'Internal Affairs. Quoi qu'ait magouillé Moore, Irving pensait certainement que cela l'avait conduit à se suicider, ou à se faire tuer. Dans un cas comme dans l'autre, Irving ne voulait pas ouvrir la boîte sans savoir d'abord ce qu'il y avait à l'intérieur. Peut-être même ne voulait-il pas savoir. Bosch en déduisit une chose : il était seul. Peu importaient ses découvertes : s'il transmettait ses informations à Irving ou à la brigade des vols et homicides, elles seraient enterrées aussi sec. Donc, s'il décidait de continuer, il devait agir en solo.

– Ils savent que Moore travaillait sur un truc pour toi ? lui demanda Teresa.

– Maintenant, oui, mais ils l'ignoraient certainement au moment de l'autopsie. Ça ne changera sans doute rien.

– Et l'affaire Juan Doe ? Le fait que ce soit lui qui ait découvert le corps ?

– J'ignore ce qu'ils savent là-dessus.

– Qu'est-ce que tu vas faire ?

– Aucune idée. Et toi, qu'est-ce que tu vas faire ?

Elle resta silencieuse un long moment, puis elle se leva et s'avança vers lui. Elle se glissa entre ses bras et l'embrassa sur la bouche.

– Oublions tout ça un moment, susurra-t-elle.

Harry décida de s'abandonner totalement à elle. Il la laissa prendre toutes les initiatives et se servir de son corps comme elle le souhaitait. Ils avaient fait l'amour assez souvent pour se sentir à l'aise et connaître leurs façons de procéder. Ils avaient passé le stade de la curiosité ou de la gêne. Pour finir, elle vint se placer sur lui à califourchon, tandis qu'il était couché sur le dos, appuyé contre les oreillers. Elle rejeta la tête en arrière et planta ses ongles dans son torse, sans lui faire mal. Ni laisser échapper le moindre son.

Dans l'obscurité, il leva les yeux et aperçut l'éclat argenté de ses pendants d'oreilles. Il caressa les lobes de ses oreilles et laissa glisser ses mains dans son cou, sur ses épaules, ses seins. Sa peau était chaude et moite ; ses mouvements lents et méthodiques l'entraînèrent un peu plus profondément dans le vide où rien ne pouvait pénétrer.

Tandis qu'ils reprenaient des forces, Teresa recroquevillée sur lui, Harry fut soudain envahi par un sentiment de culpabilité. Il repensait à Sylvia Moore. Une femme qu'il avait rencontrée pour la première fois la veille au soir. Comment pouvait-elle faire ainsi intrusion dans sa vie ? Il se demanda d'où lui venait cette culpabilité. Peut-être de ce qui allait se passer.

Il lui sembla entendre au loin, derrière la maison, l'aboiement bref et aigu du coyote. Teresa décolla sa tête de sa poitrine, et ils écoutèrent les glapissements solitaires de l'animal.

– Timido…, dit-elle à voix basse.

Harry sentit renaître sa culpabilité. Il pensa à Teresa. Avait-il bassement manœuvré pour l'inciter à se confesser ? Non, sans doute pas. Une fois de plus, peut-être se sentait-il coupable à cause de ce qu'il n'avait pas encore fait. De ce qu'il allait faire avec l'information qu'elle lui avait donnée.

Teresa sembla deviner qu'il était loin d'elle à cet instant. Une altération de son rythme cardiaque, peut-être, une légère crispation des muscles.

– Rien, dit-elle.

– Hein ?

– Tu m'as demandé ce que j'allais faire. Rien. Je ne veux pas me retrouver mêlée à cette merde. S'ils veulent étouffer le coup, libre à eux.

Harry sut alors qu'elle ferait un excellent médecin légiste chef pour le comté de Los Angeles.

Il se sentit dériver loin d'elle.

Elle roula sur le côté et s'assit au bord du lit, observant par la fenêtre la lune presque pleine ; ils n'avaient pas tiré les rideaux. Le coyote poussa encore un hurlement. Bosch crut entendre un chien lui répondre dans le lointain.

– Est-ce que tu lui ressembles ? demanda-t-elle.

– A qui ?

– A Timido. Seul dans l'obscurité.

– Parfois. Comme tout le monde.

– Mais ça te plaît, n'est-ce pas ?

– Pas toujours.

– Pas toujours...

Il réfléchit à ce qu'il allait dire. Une parole de travers et elle s'en allait.

– Je suis désolé si je suis distant parfois. Il y a beaucoup de choses...

Il n'acheva pas sa phrase. Il n'avait aucune excuse à faire valoir.

– Ça te plaît de vivre ici dans cette petite maison isolée, avec le coyote pour seul ami, hein ?

Il ne répondit pas. Sans qu'il sache pourquoi, le visage de Sylvia Moore s'imprima de nouveau dans son esprit. Mais, cette fois, il n'éprouva aucune culpabilité. Il était heureux de la voir là.

– Il faut que je rentre, dit-elle. J'ai une dure journée demain.

Il la regarda se diriger vers la salle de bains, nue, récupérant au passage son sac à main sur la table de chevet. Il écouta couler l'eau. Il l'imagina sous la douche, effaçant sur elle et en elle toute trace de lui, avant de s'asperger du parfum qu'elle gardait en permanence dans son sac pour masquer les odeurs éventuelles laissées par son travail.

Il roula sur le lit jusqu'aux vêtements éparpillés sur le sol afin de prendre son carnet d'adresses. Il composa le numéro de téléphone pendant que l'eau coulait encore. La voix qui lui répondit était engourdie de sommeil. Il était presque minuit.

– Tu ne sais pas qui c'est, et je ne t'ai jamais parlé.

Il y eut un moment de silence jusqu'à ce qu'enfin on comprenne à l'autre bout du fil.

– OK. Pigé. Je comprends.

– Il y a un os dans l'autopsie de Cal Moore.

– Hé, je suis déjà au courant, bordel. « Pas concluante », qu'ils ont dit. Pas la peine de me réveiller pour…

– Non, tu ne comprends pas. Tu confonds l'autopsie avec le communiqué de presse. Ce sont deux choses différentes. Tu y es ?

– Ouais… je crois. Alors, qu'est-ce qui cloche ?

– Le chef adjoint de la police et le légiste chef intérimaire ne sont pas d'accord. L'un dit suicide, l'autre meurtre. Ça ne peut pas être les deux à la fois. Je crois que c'est ce qu'on appelle « une absence de conclusion » dans un communiqué de presse.

Il y eut une sorte de long sifflement à l'autre bout du fil.

– Bon, d'accord. Mais pourquoi est-ce que les flics voudraient étouffer un meurtre, surtout un type de chez eux ? Un suicide, c'est mauvais pour l'image du département. Pourquoi cacher un meurtre, à moins qu'il n'y ait autre chose…

– Exact, dit Bosch.

Il raccrocha.

Une minute plus tard, l'eau s'arrêta de couler et Teresa ressortit de la salle de bains en s'essuyant avec une serviette. Elle n'était nullement gênée de se montrer nue devant lui, et Harry s'aperçut qu'il regrettait son absence de timidité. Il avait constaté que chaque fois qu'une femme perdait sa timidité envers lui, elle ne tardait pas à le quitter.

Il enfila un jean et un T-shirt pendant qu'elle s'habillait de son côté. Sans échanger un seul mot. Elle lui adressa un petit sourire, et il la raccompagna jusqu'à sa voiture.

– Au fait, c'est toujours d'accord pour le réveillon ? demanda-t-elle après qu'il lui eut ouvert la portière.

– Bien sûr, répondit-il, tout en sachant qu'elle l'appellerait pour se désister sous un prétexte quelconque.

Elle se dressa sur la pointe des pieds pour l'embrasser, puis se glissa au volant.

– Bonsoir, Teresa, dit-il, mais elle avait déjà refermé la portière.

Il était minuit quand il rentra dans la maison. L'appartement sentait le parfum de Teresa. Et celui de sa propre culpabilité. Il mit dans le lecteur le disque de Frank Morgan *Mood Indigo* et resta là dans le salon, sans bouger, à écouter le phrasé du premier solo de *Lullaby*. Bosch se dit qu'il ne connaissait rien de plus authentique que le son d'un saxophone.

11

Dormir ne faisait pas partie des choses envisageables et il le savait. Il resta dans la véranda à contempler le tapis de lumières, en laissant l'air froid raffermir sa peau et sa détermination. Pour la première fois depuis des mois, il se sentait revigoré. Il était de nouveau en chasse. Faisant défiler dans son esprit tout ce qu'il savait sur ces différentes affaires, il dressa mentalement la liste des gens qu'il devait voir et des choses qu'il devait faire.

En première place figurait Lucius Porter, l'inspecteur dépressif dont la retraite semblait trop opportune pour qu'il s'agisse d'une simple coïncidence. Harry constata qu'il lui suffisait de songer à Porter pour sentir naître sa colère. Et aussi la gêne. La gêne de s'être mouillé avec Pounds en prenant sa défense.

Après être allé chercher son carnet, il composa une fois de plus le numéro de Porter. Il ne s'attendait pas à ce qu'on décroche et ne fut pas déçu. Porter était au moins digne de confiance sur ce point précis. Vérifiant l'adresse qu'il avait notée précédemment, Harry se mit en route.

En descendant des collines, il ne croisa pas une seule voiture avant d'atteindre Cahuenga. Il prit la direction du nord et emprunta le Hollywood Freeway à Barham. Sur l'autoroute, le trafic était dense, mais pas au point de ralentir la circulation. Les voitures roulaient vers le nord en un flot continu, tel un ruban scintillant qui avançait en douceur. Au-dessus de Studio City, il aperçut un hélicoptère qui décrivait des cercles dans le ciel et projetait un faisceau de lumière blanche sur les lieux d'un délit. Le rayon lumineux ressemblait à une laisse empêchant l'appareil tournoyant de s'échapper dans les airs.

Il aimait particulièrement cette ville la nuit, car la nuit dissimulait la plupart des drames. Elle étouffait les bruits, mais faisait remonter à la surface des courants souterrains et c'était dans ces courants obscurs qu'il avait le sentiment de se mouvoir le plus librement. Sous le couvert des ombres. Comme un homme au volant d'une limousine aux vitres teintées, il voyait au-dehors sans être vu.

L'obscurité sentait le hasard, les caprices de la chance se déployant dans la nuit de néon bleu. Il y avait tant de façons de vivre. Et de mourir. Un jour on roulait dans la limousine noire d'un studio de cinéma, le lendemain on prenait place à l'arrière d'une camionnette bleue de la morgue. Le bruit des applaudissements ressemblait au bourdonnement d'une balle qui siffle à l'oreille dans l'obscurité. Le hasard. C'était ça, L.A.

Il y avait les incendies et les crues subites, les tremblements de terre et les glissements de terrain. Il y avait le tueur qui tire au volant de sa voiture et le cambrioleur défoncé au crack. Le conducteur ivre et la route qui finissait toujours par tourner devant lui. Il y avait les flics tueurs et les tueurs de flics. Il y avait le mari de la femme avec qui on couche. Et il y avait la femme. A tout moment, n'importe où, des gens étaient violés, agressés, mutilés. Assassinés et aimés. Il y avait toujours un bébé qui tétait le sein de sa mère. Et, parfois, un bébé abandonné dans une poubelle.

Quelque part.

Harry sortit à North Hollywood à la hauteur de Vanowen et prit la direction de Burbank, vers l'est. Puis il tourna à nouveau vers le nord pour pénétrer dans une zone d'immeubles décrépis. A en juger par les tags des gangs sur les murs, le quartier se composait en majorité de Latinos. Bosch savait que Porter y vivait depuis plusieurs années. Une fois qu'il avait réglé sa pension alimentaire et l'alcool, il ne pouvait pas s'offrir autre chose.

Après avoir pénétré à l'intérieur du camp de la Vallée joyeuse, il découvrit la caravane extra-large de Porter tout au bout d'un chemin baptisé Greenbriar Lane. Le véhicule était plongé dans l'obscurité ; pas la moindre lumière ne brillait au-dessus de la porte et il n'y avait pas de voiture sous l'abri en aluminium. Bosch resta assis dans la sienne un instant et fuma une cigarette en observant les lieux. De la musique mariachi montait d'un des clubs mexicains situés non loin de là, dans Lankershim. Celle-ci fut soudain masquée par le vrombissement d'un jet qui gagnait péniblement Burbank Airport. Ayant sorti de la boîte à gants une petite sacoche en cuir contenant une torche électrique et des crochets de cambrioleur, Bosch descendit de voiture.

Il frappa trois fois à la porte et, personne ne répondant, ouvrit sa sacoche. Pénétrer par effraction au domicile de Porter ne lui posait aucun cas de conscience. Porter n'avait rien d'un innocent ; il était partie prenante dans la magouille. Aux yeux de Bosch, il avait perdu tout droit à son intimité dès le moment où il n'avait pas joué franc-jeu avec lui en omettant de lui indiquer que c'était Moore qui avait découvert le corps de Juan Doe n° 67. Bosch était bien décidé à avoir une explication avec lui.

Il sortit la petite lampe électrique de sa sacoche, l'alluma et la coinça entre ses dents tandis qu'il se baissait pour insérer un crochet et une minuscule pince à l'intérieur de la serrure. Il ne lui fallut que quelques minutes pour écarter les broches et ouvrir la porte.

Une odeur âcre l'assaillit aussitôt. Il reconnut l'odeur caractéristique de la sueur d'alcoolique. Plusieurs fois il appela Porter, sans obtenir de réponse.

En passant d'une pièce à l'autre, il alluma les lumières. Des verres vides encombraient presque toutes les surfaces planes. Le lit était défait et les draps d'un blanc douteux. Sur la table de chevet, au milieu des verres, un cendrier débordait de mégots. A côté, la statue d'un saint que Bosch ne reconnut pas. Dans la salle de bains adjacente, la baignoire était crasseuse et une brosse à dents traînait par terre. Il y avait aussi une bouteille de whisky vide dans la poubelle, d'une marque si chère ou si bon marché que Harry n'en avait jamais entendu parler. Il penchait plutôt pour la seconde hypothèse.

Il y avait une autre bouteille vide dans la poubelle de la cuisine. La vaisselle sale débordait de l'évier. Il ouvrit le réfrigérateur et n'y découvrit qu'un pot de moutarde et une boîte d'œufs. Le domicile de Porter ressemblait beaucoup à son occupant. Il portait les traces d'une vie marginale, si on pouvait encore appeler ça ainsi.

De retour dans le salon, Bosch s'empara d'une photo encadrée posée sur une table à côté d'un canapé jaune. La photo d'une femme. Pas très belle, sauf peut-être aux yeux de Porter. Une ex-épouse qu'il ne parvenait pas à oublier. Peut-être. Harry reposa la photo et, à cet instant, le téléphone sonna.

La sonnerie le conduisit jusque dans la chambre. Le téléphone était posé par terre près du lit. Il décrocha après la septième sonnerie, attendit un moment, puis, d'une voix d'homme qu'on arrache au sommeil, il dit :

– Allô ?

– Porter ?

– Hmm.

La communication fut coupée. Ça n'avait pas marché. Bosch crut avoir reconnu la voix malgré tout. Pounds ? Non, ce n'était pas lui. Un seul mot avait été prononcé. Pourtant, l'accent était perceptible. Un accent espagnol ? Après l'avoir enregistré dans un coin de son cerveau, il se leva du lit. Un autre avion passa à la verticale du camp et la caravane trembla. Bosch retourna dans le salon où il entreprit de fouiller, sans conviction, un petit bureau doté d'un seul tiroir, en sachant que tout ce qu'il pourrait trouver ne résoudrait pas son problème immédiat : où était donc passé Porter ?

Il éteignit les lumières et referma soigneusement la porte de la caravane en partant. Il décida de commencer par North Hollywood pour descendre ensuite vers le sud en traversant le centre ville. Dans chaque secteur de police, il y avait des bars dont la clientèle se composait d'une forte quantité de flics. Après 2 heures du matin, quand ils fermaient, il restait les clubs ouverts toute la nuit, endroits généralement obscurs où des types venaient boire sans s'arrêter et sans faire d'histoires, comme si leur vie en dépendait. C'étaient des havres à l'écart de la rue, des lieux pour oublier, s'oublier et se pardonner. C'est là que Bosch pensait avoir une chance de trouver Porter.

Il commença par une boîte de Kittridge baptisée « Le

Perroquet ». Le barman, un ancien flic, n'avait pas revu Porter depuis le réveillon de Noël. Bosch se rendit ensuite au 502 dans Lankershim, puis au Saint's dans Cahuenga. Dans ces deux endroits on connaissait Porter, mais personne ne l'avait vu.

Cela continua ainsi jusqu'à 2 heures. Bosch était arrivé à Hollywood. Assis dans sa voiture devant le Bullet, il cherchait à se souvenir d'autres clubs situés dans les parages, quand son bipper retentit. Le numéro affiché sur le cadran lui était inconnu. Il retourna à l'intérieur du Bullet pour téléphoner. Après qu'il eut composé le numéro, les lumières du bar se rallumèrent. On fermait.

– Bosch ?

– Ouais.

– C'est Rickard. Quoi de neuf ?

– J'appelle du Bullet.

– Parfait, mec. Dans ce cas, vous êtes juste à côté.

– Pourquoi ? Vous avez chopé Dance ?

– Non, pas tout à fait. Je suis branché sur une « rave » derrière Cahuenga, au sud du Boulevard. J'arrivais pas à dormir, alors j'ai décidé de me mettre un peu en chasse. Je n'ai pas trouvé Dance, mais j'ai l'œil sur un de ses anciens revendeurs. Un de ceux qui figuraient sur les fiches d'interpellation dans le dossier. Un certain Kerwin Tyge.

Bosch réfléchit un instant. Il se souvenait de ce nom. C'était un des ados que l'équipe du BANG avait arrêtés et contrôlés, pour tenter de leur flanquer la frousse afin qu'ils ne traînent plus dans les rues. Son nom se trouvait sur une des fiches dans le dossier laissé par Moore.

– C'est quoi, une « rave » ?

– Une mégafête clandestine. Ils ont dégoté un entrepôt dans la ruelle. Au programme de la nuit : alcool, came et musique techno. Ils vont s'éclater jusqu'à 6 heures du mat'. La semaine prochaine, ils iront ailleurs.

– Comment êtes-vous tombé dessus ?

– Ce n'est pas difficile à trouver. Les magasins de disques de Melrose affichent les numéros de téléphone. On appelle le numéro et on se met sur la liste. Vingt dollars le droit d'entrée. Après, défonce et danse jusqu'à l'aube.

– Votre type, il vend de la glace noire ?

– Non, il fourgue des sherms à l'entrée.

Un « sherm » était une cigarette trempée dans du PCP. Vingt dollars pièce, et celui qui la fumait planait toute la nuit. Apparemment, Tyge ne travaillait plus pour Dance.

– Je suppose qu'on a le droit de l'embarquer, dit Rickard. Ensuite, on pourra peut-être lui faire cracher l'endroit où se planque Dance. Personnellement, je pense qu'il a foutu le camp, mais le gamin sait peut-être où il est. A vous de décider. J'ignore si Dance est important à vos yeux.

– Où puis-je vous retrouver ?

– Continuez sur le Boulevard et, juste après Cahuenga, prenez vers le sud dans la ruelle suivante. Celle qui passe derrière les sex-shops. Il fait noir là-dedans, mais vous verrez la flèche bleue en néon. C'est là. Je suis un peu au nord, dans une Camaro rouge toute pourrie. Immatriculée dans le Nevada. Je vous attends. Faut que j'invente une ruse pour l'épingler avec la came.

– Vous savez où elle est ?

– Ouais, dans une bouteille de bière planquée dans le caniveau. Il n'arrête pas d'entrer et de sortir. Il emmène ses clients dehors. Le temps que vous rappliquiez, j'aurai trouvé une idée.

Bosch raccrocha et regagna sa voiture. Il lui fallut un quart d'heure pour se rendre sur place, tant il y avait de voitures en maraude sur le Boulevard. Arrivé dans la ruelle, il se gara derrière la Camaro rouge. Il aperçut Rickard enfoncé dans son siège.

– Bien le bonjour, l'ami, lui lança Rickard lorsqu'il se glissa sur le siège passager de la Camaro.

– Salut ! Le gosse est toujours là ?

– Oh oui. On dirait que ça marche fort pour lui. Il fourgue ses saloperies comme s'il n'y avait plus que ça à vendre sur terre. Quel dommage de lui gâcher son plaisir !

Bosch scruta la ruelle sombre. Durant les brèves périodes où le néon en forme de flèche y projetait sa lumière bleue, il distinguait un groupe d'individus vêtus de couleurs sombres réunis devant la porte qui se découpait dans la façade en briques de l'entrepôt. De temps à autre, la porte s'ouvrait, et quelqu'un entrait ou sortait. Il entendait alors la musique : un rock massif avec rythmes techno et basse monstrueuse qui semblait faire vibrer toute la rue. Ses yeux s'habituant à la pénombre, il constata que les gens dehors buvaient et fumaient, en prenant le frais après avoir dansé. Quelques-uns tenaient à la main un préservatif gonflé. Appuyés contre les voitures garées à proximité de l'entrée, ils inspiraient le contenu de la capote, avant de la passer au voisin, comme un joint.

– Ces machins sont remplis de protoxyde d'azote, dit Rickard.

– Du gaz hilarant ?

– Tout juste. On en vend dans ce genre de soirées ; cinq dollars la capote. On peut se faire dans les deux mille dollars avec un bidon fauché dans un hôpital ou chez le dentiste.

Une fille tomba du capot d'une voiture et sa capote remplie de gaz s'envola dans la nuit. Les autres l'aidèrent à se relever. Bosch entendit leurs rires aigus.

– C'est légal, ce truc ?

– Bof. Il n'est pas interdit d'en posséder et il y a un tas d'usages licites. En revanche, on n'a pas le droit d'en consommer pour le plaisir. Mais on ne s'en occupe même pas. S'ils ont envie de renifler ce machin, de se casser la gueule et de s'ouvrir le crâne, libre à eux, voilà ce que je dis. Pourquoi est-ce qu'on… Ah, le voilà.

La silhouette frêle d'un adolescent franchit la porte de l'entrepôt et se dirigea vers les voitures garées dans la ruelle.

– Regardez-le se baisser, dit Rickard.

La silhouette disparut derrière une voiture.

– Vous voyez ? Il est en train de tremper la cigarette. Il va attendre quelques minutes qu'elle sèche un peu et que son client sorte. Ensuite, il va faire l'échange.

– Vous voulez lui sauter dessus ?

– Non. Si on le chope avec juste une clope au PCP, c'est du bidon. Possession pour usage personnel. Ils ne le garderont même pas toute la nuit au poste. Si on veut le tenir par les couilles, faut le choper avec la marchandise.

– Alors, qu'est-ce qu'on fait ?

– Retournez dans votre voiture. Faites le tour par

Cahuenga et remontez la ruelle dans l'autre sens. Je pense que vous pouvez réussir à vous approcher. Garez-vous et continuez d'avancer pour me servir de soutien. Moi, j'arriverai de ce côté. J'ai des vieilles fringues dans le coffre. Une tenue de camouflage. J'ai un plan.

Bosch regagna sa Caprice, effectua un demi-tour et ressortit de la ruelle. Il contourna le pâté de maisons et revint par le sud. Apercevant une place devant une poubelle, il se gara. Lorsqu'il vit la silhouette voûtée de Rickard avancer dans la ruelle, il descendit de voiture et s'avança à son tour. Ils approchaient de la porte de l'entrepôt, chacun d'un côté. Mais, alors que Bosch demeurait dans l'ombre, Rickard – vêtu maintenant d'un sweat-shirt maculé de graisse et portant un sac de linge sale – marchait au milieu de la chaussée, en chantant. Malgré le vacarme qui s'échappait de l'entrepôt, Harry crut reconnaître le standard de Percy Sledge *When a Man Loves a Woman*, chanté d'une voix avinée.

Rickard avait accaparé l'attention de toutes les personnes regroupées à l'entrée de l'entrepôt. Deux des filles défoncées l'encouragèrent en riant. Cette diversion permit à Bosch de s'approcher de la porte ; il n'était plus qu'à trois voitures de l'endroit où Tyge planquait sa bouteille.

En passant devant l'endroit, Rickard s'arrêta brusquement de chanter et ouvrit de grands yeux comme s'il venait de découvrir un trésor. Plongeant entre les deux voitures en stationnement, il se redressa en brandissant la bouteille de bière. Il s'apprêtait à la glisser dans son sac, lorsque l'adolescent se faufila rapidement entre les voitures pour tenter de la lui reprendre. Rickard refusa de la lui rendre et pivota, le gamin tournant maintenant le dos à Bosch. Ce dernier se remit à avancer.

– Hé, c'est à moi, mec ! beugla Rickard.

– Non, c'est moi qui l'ai posée là ! Lâche-la avant qu'elle se renverse !

– Va t'en chercher une autre ailleurs. Celle-là est à moi.

– Rends-moi cette putain de bouteille !

– T'es sûr qu'elle est à toi ?

– Et comment !

Bosch frappa l'adolescent par-derrière, avec force. Celui-ci eût un soubresaut et se plia en deux sur le capot de la voiture. Bosch l'immobilisa en lui appuyant son avant-bras dans la nuque. La bouteille était toujours dans la main de Rickard. Pas une goutte ne s'était renversée.

– Puisque tu le dis, c'est qu'elle est à toi, déclara l'agent du BANG. Et dans ce cas, ça me donne le droit de t'arrêter.

Bosch prit ses menottes accrochées à sa ceinture, attacha les mains du gamin et l'obligea à se relever. Quelques témoins de la scène commençaient à se rassembler autour d'eux.

– Barrez-vous ! leur lança Rickard. Retournez à l'intérieur pour renifler vos saloperies. Allez vous bousiller les tympans. Ceci ne vous regarde pas, à moins que vous vouliez accompagner votre pote au trou ?

Il se pencha vers Tyge et lui souffla à l'oreille :

– Pas vrai, mec ?

Comme personne ne bougeait, Rickard s'avança d'un air menaçant : tous se dispersèrent. Plusieurs filles coururent se réfugier à l'intérieur. La musique couvrit l'éclat de rire de Rickard, qui se retourna et saisit Tyge par le bras.

– En route. On prend votre bagnole, Harry.

Ils roulèrent en silence pendant un moment, en direction du poste de police de Wilcox. Sans qu'ils en aient discuté au préalable, Harry décida de laisser Rickard mener la danse. Celui-ci s'était assis à l'arrière avec l'adolescent. Dans le rétroviseur, Harry remarqua ses cheveux châtains gras et emmêlés qui tombaient sur ses épaules. Quelques années plus tôt, il aurait sans doute fallu lui poser un appareil dentaire, mais il suffisait de le regarder pour comprendre qu'il venait d'une famille où ce genre de choses ne faisait pas partie des questions essentielles. Il avait un anneau doré à l'oreille et l'air indifférent. Mais c'étaient surtout ses dents qui retenaient l'attention. Tordues et proéminentes, elles symbolisaient mieux que tout le reste le désespoir qu'était sa vie.

– Ça te fait quel âge maintenant, Kerwin ? demanda Rickard. Ne te fatigue pas à me raconter des bobards. On a un dossier sur toi, je peux vérifier.

– Dix-huit ans. Et vous pouvez vous torcher le cul avec votre dossier, j'en ai rien à branler.

– Ouah ! s'exclama Rickard. Dix-huit ans. Hé, on dirait qu'on a affaire à un adulte, Harry ! Pas besoin de lui tenir la mimine jusqu'au tribunal pour enfants. On va le fourrer directement au 7000 pour voir s'il se met vite en ménage avec un gros dur.

Le 7000 était le nom que la plupart des flics et des criminels donnaient au centre de détention pour adultes du comté : le numéro de téléphone qu'il fallait faire pour avoir des nouvelles des détenus était en effet le 555-7000. La prison était située dans le centre : trois étages de vacarme, de haine et de violence juste au-dessus des bureaux du shérif du comté. Quelqu'un y était assassiné tous les jours. Quelqu'un y était violé toutes les heures. Et rien n'était fait pour y remédier. Tout le monde s'en foutait, à l'exception de ceux qui se faisaient assassiner ou violer. S'ils voulaient faire cracher le morceau à ce gamin, Harry savait que Rickard avait choisi la bonne technique.

– On va te coffrer et te coller un numéro, Kerwin, reprit l'inspecteur du BANG. Il y a au moins cinquante grammes de came là-dedans. Tu vas tomber pour possession et revente, mon gars. T'es cuit.

– Je vous emmerde.

Le gamin avait parlé d'un ton méprisant. Il était décidé à périr en combattant. Bosch remarqua que Rickard tenait sa bouteille de bière à l'extérieur pour éviter que les effluves n'envahissent la voiture et ne leur donnent la migraine.

– C'est pas gentil ça, Kerwin. Surtout que mon collègue qui est au volant est disposé à conclure un marché avec toi… Si ça ne tenait qu'à moi, je te laisserais te démerder avec tes potes du 7000. Deux ou trois jours là-bas et tu te rases les jambes et tu te trimbales en culotte rose trempée dans le Hawaiian Punch.

– Allez vous faire foutre ! Filez-moi un téléphone…

Ils roulaient dans Sunset, non loin de Wilcox. Ils allaient arriver, et Rickard n'avait pas obtenu le renseignement qu'ils voulaient. Apparemment, le gamin n'était pas décidé à coopérer, quels que soient les termes du marché.

– Tu auras un téléphone quand on aura envie de t'en donner un. Tu joues à l'homme pour l'instant, petit cul blanc, mais ça ne va pas durer. Une fois à l'intérieur, tout le monde finit par craquer. Tu verras. A moins que tu acceptes de nous aider. On veut juste causer un peu avec ton pote Dance.

Bosch tourna dans Wilcox. Le poste se trouvait deux rues plus loin. Le gamin resta muet, Rickard laissant le silence s'éterniser, avant de faire une nouvelle tentative.

– Alors, qu'est-ce que t'en penses, mon gars ? Tu nous files une adresse et je balance cette saloperie immédiatement. Ne sois pas comme tous ces connards qui pensent que le 7000 fera d'eux des hommes et que c'est une sorte de rite initiatique à la con. Rien à voir, mec. C'est juste le terminus. C'est ça que tu veux ?

– Je veux vous voir crever.

Bosch pénétra dans l'allée qui conduisait au parking situé derrière le poste. Ils devraient d'abord enregistrer l'arrestation et les preuves avant de conduire le gamin en prison. Harry comprit qu'ils n'y couperaient pas. Le gamin refusait de parler. Ils allaient devoir lui montrer qu'ils ne bluffaient pas.

12

Bosch ne se remit en quête de Porter qu'à 4 heures du matin. Il avait déjà bu deux tasses de café au poste de police et tenait la troisième dans sa main. Au volant de sa Caprice, seul, il parcourait la ville.

Rickard avait accepté de conduire Kerwin Tyge jusqu'au centre ville. Le gamin avait persisté dans son refus. Rien n'avait pu entamer son épaisse carapace faite de rejet, de haine des flics et de fierté mal placée. Une fois au poste, briser la volonté du gamin était devenu une nécessité absolue. Rickard avait réitéré ses menaces, posé les mêmes questions, avec une ardeur qui inquiétait Bosch. A tel point qu'il dut intervenir pour dire à Rickard de laisser tomber et demanda à l'agent de la brigade anti-drogue de coffrer le gamin ; on ressaierait plus tard. En sortant de la salle d'interrogatoire, les deux hommes convinrent de se retrouver au 7000 à 2 heures de l'après-midi. Kerwin pourrait ainsi goûter pendant une dizaine d'heures aux joies de la prison du comté, le temps de prendre sa décision.

Depuis, Bosch écumait toutes les boîtes et clubs privés où les soi-disant « membres » apportaient leurs propres bouteilles en acquittant un droit d'entrée. Evidemment, c'était une escroquerie, et il y avait même des clubs qui allaient jusqu'à faire payer une cotisation annuelle. Mais certaines personnes sont incapables de boire seules à la maison. Certaines n'ont même pas de maison.

Alors qu'il était arrêté au feu rouge de Sunset et Western, une forme floue surgit sur la droite de la voiture, une silhouette se penchant aussitôt sur le capot, côté passager. Instinctivement, Bosch porta sa main gauche à sa ceinture et manqua renverser son café, avant de constater que le type s'était mis à frotter le pare-brise avec un journal. 4 h 30 du matin et un sans-abri nettoyait son pare-brise. Façon de parler. En guise de lavage, il ne réussissait qu'à couvrir la vitre de traînées grasses. Bosch sortit un billet d'un dollar de sa poche et le tendit par la portière au clochard lorsque celui-ci contourna la voiture pour s'attaquer au côté conducteur. Bosch lui fit signe de s'en aller.

– Laisse tomber, vieux, dit-il.

L'homme s'éloigna sans un mot.

Bosch reprit sa quête, visitant les clubs d'Echo Park, près de l'école de police, puis ceux de Chinatown. Aucune trace de Porter. Il franchit le Hollywood Freeway pour pénétrer dans le centre ville, et songea au gamin lorsqu'il passa devant la prison du comté. On l'avait enfermé dans le secteur 7, celui des narcos, là où les locataires étaient généralement moins agressifs. Il en réchapperait.

Il vit les gros camions bleus sortir de l'immeuble du *L. A. Times*, du côté de Spring Street, et s'éloigner en transportant une énième cargaison de nouvelles du matin. Il visita encore deux clubs près de Parker Center, puis un troisième situé à proximité du *skid row*, le quartier des clochards. Il raclait le fond, il approchait de la fin, il ne lui restait plus beaucoup d'endroits à inspecter.

Le dernier club où il s'arrêta fut le Poe. Situé en plein centre ville, dans la IIIe Avenue, l'établissement était proche du *skid row*, du *L. A. Times*, de Saint-Vibiana et des tours de verre du quartier des affaires, où l'on fabriquait les alcooliques à la chaîne. Au Poe, il se faisait de bonnes affaires au tout petit matin, avant que la frénésie et l'avidité ne s'emparent à nouveau du centre ville.

Le club se trouvait au rez-de-chaussée d'un vieil immeuble en briques construit avant guerre et voué à la démolition sur avis de l'Agence de rénovation urbaine. Il ne répondait pas aux normes antisismiques et les travaux d'aménagement auraient dépassé la valeur de l'immeuble. L'ARU l'avait racheté et avait décidé de l'abattre pour construire à cet emplacement des appartements en copropriété afin d'attirer des habitants dans le centre. Mais le projet était actuellement suspendu : une autre agence municipale, le Bureau de conservation, souhaitait que le

« Poe Building », ainsi qu'on l'appelait couramment, soit classé et avait engagé une procédure afin d'empêcher sa démolition. Jusqu'à présent, ils avaient bloqué le projet pour quatre ans. Le Poe était toujours ouvert. Les quatre étages au-dessus étaient abandonnés.

A l'intérieur, l'endroit ressemblait à un trou noir avec un long bar en bois gauchi et pas de tables. Le Poe n'était pas un endroit où on venait s'asseoir entre amis. C'était un endroit pour boire seul. Un endroit pour les cadres dépressifs, les flics désabusés et abandonnés, les écrivains en panne, les prêtres assaillis par le doute ou le poids de leurs propres péchés. Un endroit pour boire seul dans son coin, aussi longtemps qu'on avait de quoi payer. Il en coûtait cinq dollars pour un tabouret au bar et un dollar pour un verre de glaçons en plus de la bouteille de whisky. Un soda coûtait trois dollars, mais la plupart des gens avalaient leur médication telle quelle, sans faire de chichis. C'était plus économique et nettement plus direct. On racontait que le nom de ce club n'était pas un hommage au célèbre écrivain, mais une allusion à la philosophie de la clientèle : *Piss on everything*[1].

Bien qu'il fît nuit au-dehors, franchir la porte du Poe, c'était comme s'aventurer au plus profond d'une grotte. L'espace d'un instant, Bosch revécut les sensations qui accompagnaient la descente dans les galeries souterraines creusées par les Vietcongs. Il demeura totalement immobile près de la porte jusqu'à ce que ses yeux s'habituent à la pénombre. Enfin, il repéra le revêtement de cuir rouge autour du bar. L'endroit sentait encore plus mauvais que la caravane de Porter. Le barman, vêtu d'une chemise blanche froissée et d'un gilet noir ouvert, se tenait sur la droite, devant un mur de bouteilles, chacune portant le nom de son propriétaire sur un bout de ruban adhésif. Une longue et fine barre de néon rouge courait le long de l'étagère, derrière les bouteilles, les enveloppant de reflets étranges.

Sur sa gauche, dans l'obscurité, Bosch entendit s'élever une voix :

– Merde ! Qu'est-ce que tu fous là, Harry ? Tu me cherches ?

1. « On se fout de tout. »

Il se retourna. Porter se trouvait à l'autre extrémité du bar, installé à un endroit d'où il pouvait voir tous ceux qui entraient avant d'être vu. Harry s'approcha. Devant Porter étaient posés un petit verre, un grand verre d'eau rempli à moitié et une bouteille de bourbon aux trois quarts pleine. Un billet de vingt et trois billets d'un dollar étaient étalés sur le bar, à côté d'un paquet de Camel. Bosch sentit la colère monter dans sa gorge à mesure qu'il s'approchait de Porter.

– Oui, je te cherche.

– Qu'est-ce qui se passe ?

Bosch savait qu'il lui fallait agir avant que la compassion n'ait raison de sa colère. D'un mouvement brusque, il fit descendre le veston de Porter sur ses épaules, afin de lui bloquer les bras le long du corps, puis il se pencha pour prendre l'arme glissée dans le holster et la déposa sur le bar.

– Pourquoi est-ce que tu gardes ton arme, Lou ? Tu as rendu ton insigne, n'oublie pas. Tu as peur de quelque chose ?

– Hé, qu'est-ce qui t'arrive, Harry ? Pourquoi tu fais ça ?

Le barman fit mine de sortir de derrière le comptoir pour voler au secours de son client, mais Bosch le foudroya du regard et l'arrêta d'un geste de la main, à la manière d'un policier qui règle la circulation.

– Du calme. C'est une affaire personnelle…

– Ça va, Tommy, fit Porter. Je le connais. Je m'en occupe.

Deux types qui étaient assis à quelques tabourets de Porter se levèrent et allèrent s'installer à l'autre bout du bar avec leurs bouteilles et leurs verres. Deux autres poivrots déjà assis à cet endroit observaient la scène. Personne ne s'en alla : il y avait à boire dans les verres et il n'était pas encore 6 heures. Et d'ailleurs, où aller ? Les bars n'ouvraient pas avant 7 heures et ça risquait de faire une éternité. Non, ils n'iraient nulle part. Ils resteraient assis là et regarderaient un homme se faire assassiner, s'il le fallait.

– Allez, Harry. Calme-toi. On peut parler…

– Ah oui ? Parler ? Pourquoi tu ne m'as pas parlé quand

je t'ai appelé l'autre jour ? Et Moore, hein ? Tu as parlé avec Cal Moore ?

– Ecoute, Harry…

Bosch l'arracha à son tabouret et le projeta contre le mur lambrissé, la face en avant. Son nez fit un drôle de bruit, comme un cornet de glace qui tombe sur le trottoir. Bosch appuya son dos contre celui de Porter, lui écrasant un peu plus le visage contre la paroi.

– Epargne-moi tes « Ecoute, Harry », Porter. J'ai pris ta défense, mec, car je croyais que… je croyais que t'en valais la peine. Je m'aperçois que j'avais tort. Tu as laissé tomber au moment de l'affaire Juan Doe. Je veux savoir pourquoi. Je veux savoir ce qui se passe.

La voix de Porter était étouffée par le mur et son propre sang :

– Merde, Harry, arrête. Je crois que tu m'as pété le nez. Je saigne…

– On s'en fout. Parle-moi de Moore. Je sais que c'est lui qui a découvert le corps.

Porter émit une sorte de reniflement humide, Bosch appuya encore plus fort. Ce type empestait la sueur acide, l'alcool et la cigarette, et Bosch se demanda depuis combien de temps il était assis là dans ce bar, à contempler la porte.

– Je vais appeler la police ! beugla le barman.

En disant cela, il brandit le combiné du téléphone afin de montrer à Bosch que la menace était réelle, ce qui, bien sûr, était faux. Le barman savait pertinemment qu'à l'instant même où il décrocherait l'appareil tous les tabourets du bar se mettraient à tourner dans le vide, comme pour saluer la ruée des poivrots vers la sortie. Il ne resterait plus personne à arnaquer en rendant la monnaie, plus personne pour laisser quelques pièces de pourboire.

Se servant de son corps pour plaquer Porter contre le mur, Bosch sortit son insigne et le leva à bout de bras.

– La police, c'est moi. Occupez-vous de vos affaires…

Le barman secoua la tête et reposa le téléphone à côté de la caisse en bougonnant. L'annonce que Bosch était officier de police incita la plupart des clients à vider leur verre d'un trait et à mettre les bouts. Sans doute étaient-ils recherchés, pour une raison ou pour une autre.

Porter marmonna quelque chose et Bosch crut qu'il allait se remettre à pleurer, comme le jeudi matin au téléphone.

– Harry, je… je ne savais pas que je… J'ai…

Bosch lui donna un grand coup dans le dos et le front de Porter heurta une nouvelle fois le mur.

– Ne commence pas ton cinoche avec moi, Porter. Tu voulais sauver ta peau. Voilà ce que tu voulais. Et…

– Je me sens pas bien. Je crois que je vais vomir.

– … et maintenant, crois-le si tu veux, maintenant le seul qui se soucie vraiment de ton sort, c'est moi. Alors tu vas me dire ce que tu as fait, espèce de salaud ! Tu me le dis et on est quitte. Ça restera entre nous. Tu prends ta retraite pour cause de dépression et je ne vois plus jamais ta gueule.

Bosch entendait sa respiration humide contre le mur. C'était quasiment comme s'il l'entendait réfléchir.

– C'est vrai, Harry ?

– Tu n'as pas le choix… Si tu refuses de parler, tu te retrouves sans boulot, sans pension.

– Il… euh… j'ai simplement… Il y a du sang sur ma chemise, je ferais mieux de… (Bosch appuya plus fort.) OK, OK, je vais tout te dire… Je lui ai rendu un service, c'est tout, et pour finir, il est mort. Quand j'ai appris la nouvelle, je… j'ai pas eu le courage de revenir bosser, tu comprends ? Je ne savais pas ce qui s'était passé. Je veux dire… tu vois… peut-être que quelqu'un me cherchait. J'ai paniqué, Harry. J'ai la trouille. Depuis que je t'ai parlé au téléphone hier, je traîne dans les bars. Je pue. Et maintenant, j'ai du sang partout. Il me faut une serviette. Je crois qu'ils me cherchent…

Bosch se décolla de lui, en laissant une main appuyée dans son dos pour l'empêcher de bouger. Il tendit le bras en arrière vers le bar et s'empara d'une poignée de serviettes en papier empilées près d'un bocal contenant des allumettes. Il les offrit à Porter qui sortit sa main de sa manche de veste pour les prendre. Il décolla la tête du mur afin d'appliquer les serviettes sur son nez tuméfié. Voyant les larmes couler sur son visage, Harry détourna son regard.

La porte du bar s'ouvrit à ce moment-là et la lumière grise du petit jour envahit le décor. Un homme resta immobile sur le seuil, sans doute pour s'habituer à la pénombre, comme l'avait fait Bosch. Peau mate, cheveux noir corbeau. Trois larmes tatouées coulaient du coin de son œil gauche sur sa joue. Assurément pas un banquier ou un avocat en quête d'un double scotch en guise de petit déjeuner pour débuter la journée. Peut-être avait-il passé la nuit à faire l'encaissement pour les Italiens ou les Mexicains, et il avait besoin de quelque chose pour arrondir les angles. Le regard de l'homme s'arrêta finalement sur Bosch et Porter, puis sur l'arme de ce dernier toujours posée sur le bar. Ayant évalué la situation, l'homme ressortit calmement, sans dire un mot.

– Ah, bravo ! brailla le barman. Foutez-moi le camp, tous les deux ! Vous me faites perdre des clients maintenant ! Tirez-vous !

Sur la gauche de Bosch, une pancarte portait la mention *Toilettes*, une flèche indiquant un couloir obscur. Il poussa Porter dans cette direction. Ils tournèrent au coin et entrèrent dans des toilettes pour hommes qui sentaient encore plus mauvais que Porter. Une serpillière trempait dans un seau d'eau grise, mais le sol en carrelage fendu était encore plus sale que l'eau. Bosch poussa Porter vers le lavabo.

– Lave-toi. Alors, c'était quoi, ce service ? Tu as dit que tu avais fait quelque chose pour Moore. De quoi s'agit-il ?

Porter observait son reflet flou dans une plaque d'acier qui avait sans doute été installée là le jour où le patron en avait eu marre de changer les glaces brisées.

– Ça n'arrête pas de saigner, Harry. Je suis sûr que j'ai le nez cassé.

– Oublie un peu ton nez. Dis-moi ce que tu as fait.

– Je, euh… Ecoute, il m'a simplement dit qu'il connaissait certaines personnes qui seraient satisfaites si le corps retrouvé derrière le restaurant n'était pas identifié tout de suite. « Fais traîner les choses, qu'il m'a dit, pendant une ou deux semaines. » Bon Dieu, ce type n'avait aucun papier sur lui, de toute façon. Moore m'a dit que je pouvais foutre les empreintes dans les ordinateurs, car il savait que ça ne donnerait rien. Il m'a juste demandé de prendre mon temps, et ces gens qu'il connaissait m'en seraient reconnaissants. Il a dit que j'aurais droit à un joli cadeau de Noël. Alors moi, je m'en suis occupé la semaine dernière. De toute façon, je serais arrivé à rien. Tu le sais bien, tu as vu le dossier. Pas de papiers, pas de témoins, que dalle. Le type était mort depuis au moins six heures quand on l'a balancé là.

– Alors, qu'est-ce qui t'a fichu la trouille ? Que s'est-il passé à Noël ?

Porter se moucha dans un paquet de serviettes en papier, et cela lui fit monter de nouveau les larmes aux yeux.

– Ouais, c'est sûr, il est cassé. Je peux plus respirer. Faut que j'aille à l'hôpital pour me faire soigner. En fait... il s'est rien passé à Noël. C'est justement ça le truc. Je m'explique. Moore avait disparu depuis presque une semaine et cette histoire commençait à me rendre sacrément nerveux. A Noël, pas de nouvelles de Moore, pas de nouvelles de personne. Mais quand je suis rentré chez moi en revenant du Lucky, la bonne femme qui vit dans la caravane à côté de la mienne m'a dit qu'elle était sincèrement désolée à cause de ce pauvre policier qu'on avait retrouvé mort. Je l'ai remerciée et je suis entré pour allumer la radio. En apprenant qu'il s'agissait de Moore, j'ai carrément flippé, Harry. Tu peux me croire !

Porter imbiba une poignée de serviettes et entreprit de frotter les taches de sang sur sa chemise. Bosch le trouva encore plus pitoyable. En voyant le holster vide, il se souvint qu'il avait laissé l'arme de Porter sur le bar. Il hésitait à retourner la chercher maintenant que Porter s'était mis à parler.

– Je savais que Moore ne s'était pas suicidé. Ils peuvent dire ce qu'ils veulent, à Parker Center. Moi, je sais qu'il ne s'est pas flingué de cette façon. Il était mêlé à une histoire. Ça suffit comme ça, me suis-je dit. J'ai appelé le syndicat, je me suis trouvé un avocat. Je rends mes billes, Harry. Je vais foutre le camp à Vegas, je trouverai peut-être un boulot de surveillant dans un casino. Millie vit là-bas avec mon gamin, j'ai envie d'être près d'eux.

C'est ça, songea Bosch. Et tu passeras ton temps à regarder par-dessus ton épaule.

– Tu saignes encore, dit-il. Lave-toi le visage. Je vais chercher du café. Tu repars avec moi.

Bosch ouvrit la porte, mais Porter le retint par le bras.

– Tu vas me protéger, Harry ?

Bosch observa son visage ensanglanté avant de répondre :

– Ouais, je ferai ce que je peux.

Il retourna dans la salle et fit signe au barman qui fumait tranquillement une cigarette à l'autre bout du bar. La cinquantaine, avec des tatouages bleus délavés qui lui couvraient les deux avant-bras comme des veines supplémentaires, l'homme prit tout son temps pour s'approcher. Bosch déposa un billet de dix dollars sur le bar.

– Donnez-moi deux cafés à emporter. Noirs. Avec beaucoup de sucre dans un des deux.

– Vous foutez le camp ? C'est pas trop tôt ! (D'un mouvement de tête, le barman désigna le billet de dix dollars.) Je vous compte les serviettes également. Elles sont pas faites pour les flics qui s'amusent à tabasser les clients. Ça devrait faire le compte.

Il versa dans deux gobelets en polystyrène du café qui semblait avoir passé les fêtes dans la cafetière. Bosch retourna à la place de Porter pour récupérer le calibre .38 et les vingt-trois dollars. Il revint ensuite vers son billet de dix et alluma une cigarette.

Sans savoir que Bosch l'observait, le barman versa une énorme quantité de sucre dans les deux cafés. Bosch ne dit rien. Après avoir posé des couvercles en plastique sur les gobelets, le barman les apporta à Bosch et désigna l'un des deux, avec un sourire à faire dérailler un train à grande vitesse.

– C'est celui sans… Hé, c'est quoi ce bordel ?

Le billet de dix dollars que Bosch avait étalé sur le bar s'était transformé en un billet d'un dollar. Bosch souffla sa fumée au visage du barman en prenant les deux gobelets.

– C'est pour les cafés, expliqua-t-il. Les serviettes, vous pouvez les rouler très fines et vous les mettre où je pense.

– Foutez le camp d'ici, salopard ! hurla le barman.

Il pivota sur ses talons et se dirigea vers l'autre extrémité du bar où plusieurs clients levaient leurs verres vides d'un air impatient. Plus assez d'alcool dans le sang : l'angoisse montait.

Bosch poussa la porte des toilettes avec son pied. Porter n'était plus là. Il ouvrit la porte de l'unique WC, mais Porter n'était pas là non plus. Ressortant dans le couloir, Harry poussa la porte des toilettes pour dames. Toujours pas de Porter. Suivant le couloir jusqu'au bout, il avisa une porte surmontée de l'inscription SORTIE. Il aperçut des gouttes de sang sur le sol. Il regretta le temps perdu avec le barman et se demanda s'il avait une chance de retrouver Porter en appelant les hôpitaux et les cliniques. Puis il appuya sur la barre de la porte avec sa hanche. La porte ne s'ouvrit que de quelques centimètres. Quelque chose la bloquait de l'autre côté.

Bosch déposa les deux gobelets par terre et poussa de tout son poids. La porte s'ouvrit lentement, en résistant. Parvenant enfin à se faufiler par l'ouverture, il constata qu'on avait appuyé une grosse poubelle en fer contre la porte. Il était dans une ruelle derrière le Poe, et la lumière du matin l'aveuglait.

Une Toyota abandonnée, dépouillée de ses quatre roues, du capot et d'une portière, gisait dans la ruelle, parmi d'autres poubelles. Le vent faisait tourbillonner des détritus. Porter s'était volatilisé.

13

Assis au comptoir de l'Original Pantry, Bosch buvait du café en picorant dans une assiette d'œufs au bacon ; il attendait un second souffle. Il n'avait même pas essayé de courir après Porter. Il savait que c'était sans espoir. Bosch voulait lui mettre la main dessus, et même un flic usé comme Porter était assez malin pour se tenir à l'écart des endroits où Harry risquait de venir le chercher.

Harry ouvrit son carnet à la page du relevé chronologique qu'il avait établi la veille. Mais impossible de se concentrer ; il était trop déprimé. Déprimé parce que Porter lui avait glissé entre les doigts, parce qu'il ne lui avait pas fait confiance. Déprimé parce qu'il paraissait désormais évident que la mort de Moore avait à voir avec cette zone obscure qui s'étendait juste là, à la périphérie du champ de vision de chaque flic. Moore était passé de l'autre côté. Et il en était mort.

J'ai découvert qui j'étais. Ce message l'intriguait. Si Moore ne s'était pas suicidé, que signifiait-il ? Il repensa à ce que Sylvia Moore lui avait dit de son passé, comment son mari s'était retrouvé prisonnier d'un piège qu'il s'était lui-même tendu. Il eut alors envie de l'appeler pour lui rapporter ce qu'il avait appris, mais il repoussa cette idée pour l'instant. Il ne possédait pas les réponses aux questions qu'elle ne manquerait pas de lui poser. Pourquoi avait-on assassiné Calexico Moore ? Qui l'avait tué ?

Il était un peu plus de 8 heures. Il déposa quelques billets sur le comptoir et sortit. Dehors, deux sans-abri lui agitèrent leurs timbales sous le nez, mais il fit semblant de ne pas les voir. Il roula jusqu'à Parker Center et pénétra suffisamment tôt dans le parking pour y trouver une place.

Il se rendit d'abord dans les bureaux de la brigade des vols et homicides au deuxième étage, mais Sheehan n'était pas encore arrivé. Il monta ensuite au troisième, au département « Fugitifs », pour faire ce qu'aurait dû faire Porter s'il n'avait pas conclu son marché avec Moore. La brigade des fugitifs s'occupait également des personnes disparues, ce qui avait toujours paru à Bosch pleinement justifié : la plupart des disparus fuyaient quelque chose, souvent une part de leur existence.

Un inspecteur du service, un certain Capetillo, lui demanda ce qu'il voulait. Bosch expliqua qu'il voulait consulter la liste des Hispaniques disparus depuis une dizaine de jours. Capetillo le conduisit à son bureau et l'invita à s'asseoir pendant qu'il allait chercher les dossiers. Harry observa les lieux. Ses yeux s'arrêtèrent sur une photo encadrée représentant l'inspecteur en compagnie d'une femme et de deux fillettes. Corpulent, le monsieur. Un vrai père de famille. Sur le mur au-dessus du bureau était scotchée une affiche annonçant le programme d'une corrida qui avait eu lieu deux ans plus tôt dans les arènes de Tijuana. Les noms des six matadors se succédaient sur la droite ; tout le côté gauche de l'affiche était occupé par la reproduction d'un tableau montrant un matador exécutant une passe face à un taureau qui chargeait, écartant les cornes de l'animal à l'aide de sa grande cape rouge. Sous le dessin, on pouvait lire : *El arte de la Muleta*.

– Une véronique classique.

Bosch se retourna. C'était Capetillo. Il tenait un dossier peu épais dans la main.

– Pardon ? demanda Bosch.

– Une véronique. Vous connaissez un peu la *corrida de toros* ? La tauromachie ?

– Je n'y suis jamais allé.

– C'est magnifique. Moi, j'y vais au moins quatre fois par an. Rien ne vaut la corrida. Ni le football, ni le basket, rien. La véronique, c'est le nom de cette passe. Le matador se laisse frôler par les cornes du taureau. Au Mexique, la corrida s'appelle la « fête des braves ».

Bosch regarda le dossier que tenait l'inspecteur. Capetillo l'ouvrit et tendit à Bosch une fine liasse de feuilles.

– Voilà, c'est tout ce qu'on a pour les dix derniers jours, dit-il. Les Mexicains, les Chicanos, tous ces gens-là ne déclarent pas les disparitions à la police ; c'est une question de culture. La plupart ne nous font pas confiance. Très souvent, quand des gens disparaissent, on suppose qu'ils sont simplement partis vers le sud. Beaucoup vivent ici de manière illégale ; ils ne veulent pas appeler les flics.

Bosch parcourut les documents en cinq minutes. Aucune de ces déclarations ne correspondait au signalement de Juan Doe n° 67.

– Avez-vous reçu des télex, des avis de recherche du Mexique ?

– Ah, ça, c'est pas la même chose. Les correspondances officielles sont classées à part. Je peux regarder. Mais si vous me disiez plutôt ce que vous cherchez ?

– Je suis une intuition. J'ai un cadavre non identifié sur les bras. Cinquante-cinq ans environ. Je pense que cet homme venait peut-être de là-bas, peut-être de Mexicali. Remarquez, ce sont plus des suppositions qu'autre chose...

– Ne bougez pas, dit Capetillo.

Il quitta à nouveau le petit bureau.

Bosch se remit à étudier l'affiche et fut frappé de constater que le visage du matador ne trahissait aucun signe d'hésitation ni de peur ; juste de la concentration sur ces cornes mortelles. L'homme avait les yeux aussi ternes et inanimés que ceux d'un requin. Capetillo revint rapidement.

– Belle intuition. J'ai déniché trois rapports reçus au cours des deux dernières semaines. Tous les trois concernent des hommes qui ressemblent à votre type, mais un plus que les autres. Je crois qu'on a du bol.

Il tendit une feuille à Bosch.

– Tenez, c'est arrivé du consulat d'Olvera Street hier.

Il s'agissait de la photocopie d'un télex rédigé en anglais et adressé au consulat par un officier de la police judiciaire nommé Carlos Aguila.

Cherchons informations concernant la disparition de Fernal Gutierrez-Llosa, âge 55 ans, journalier. Vivant à Mexicali. Porté disparu. Vu pour la dernière fois à Mexicali le 17/12.

Signalement : 1 m 70, 72 kilos. Yeux marron, cheveux châtains avec des mèches grises. Tatouage sur le haut de la poitrine à droite (un fantôme à l'encre bleue, symbole du barrio de la Ville des Ames perdues).

Contacter Carlos Aguila, 57 20 13, Mexicali, BC.

Bosch relut le télex. Ce n'était pas grand-chose, mais c'était suffisant. Fernal Gutierrez-Llosa disparaît à Mexicali le 17 et, le lendemain matin à l'aube, le corps de Juan Doe n° 67 est découvert à Los Angeles. Bosch parcourut rapidement les deux autres feuilles que lui avait apportées Capetillo, mais elles concernaient des hommes trop jeunes pour être Juan Doe n° 67. Il revint à la première. Le tatouage l'avait convaincu.

– Oui, je crois que c'est lui, dit-il. Puis-je avoir un double ?

– Pas de problème. Vous voulez que j'appelle là-bas, pour voir s'ils peuvent nous envoyer des empreintes ?

– Non, pas pour l'instant. Je veux d'abord vérifier deux ou trois choses.

En vérité, Bosch voulait surtout éviter de mêler davantage Capetillo à cette histoire.

– Encore une chose, dit-il. Savez-vous ce que signifie cette allusion à la Ville des Ames perdues ? Cette référence au tatouage ?

– Ouais. Au départ, le tatouage est un symbole du barrio. Fernal Gutierrez-Llosa vivait à Cuidad de los Personas perdidos, la Ville des Ames perdues. Là-bas, la plupart des habitants des barrios se font tatouer. C'est un peu comme les tags chez nous. Mais eux, ils écrivent sur leur corps, ils ne dégueulassent pas les murs. La police de là-bas sait quels tatouages symbolisent quels barrios. C'est un truc très répandu à Mexicali. Si vous appelez Aguila, il vous expliquera. Peut-être même pourra-t-il vous envoyer une photo si vous en avez besoin.

Bosch resta silencieux un moment, faisant semblant de

relire le document du consulat. La Ville des Ames perdues… Un fantôme. Il faisait tourner cette information dans son cerveau, comme un gamin qui trouve une balle de base-ball et la fait rouler entre ses doigts pour examiner l'usure des coutures. Il repensa au tatouage sur le bras de Moore. Le diable avec une auréole. Provenait-il d'un barrio de Mexicali ?

– Vous dites que les flics de là-bas classent tous ces tatouages ?

– Exact. C'est une des rares choses qu'ils savent faire.

– Que voulez-vous dire ?

– Vous n'êtes jamais allé là-bas ? En mission ? C'est le tiers monde, mon vieux ! Comparé à ici, l'appareil policier est très primitif. En fait, je ne serais pas étonné qu'ils n'aient pas d'empreintes de ce type à vous envoyer. D'ailleurs, je m'étonne même qu'ils aient envoyé une demande de renseignements au consulat. Cet Aguila a dû avoir une intuition, comme vous.

Bosch jeta un dernier regard à l'affiche sur le mur, remercia Capetillo pour son aide et la photocopie du télex, puis il quitta le bureau.

En prenant l'ascenseur pour redescendre, il tomba sur Sheehan. La cabine était bondée et Sheehan se trouvait tout au fond. Ils ne se parlèrent qu'en sortant au deuxième étage.

– Salut, Frankie, dit Bosch. On n'a pas eu l'occasion de discuter tous les deux le soir du réveillon.

– Qu'est-ce que tu fous ici, Harry ?

– Je t'attendais. Tu dois être en retard, à moins que tu pointes au quatrième maintenant ?

C'était une pique. Les bureaux d'Internal Affairs se trouvaient au quatrième étage. C'était également un moyen de lui faire comprendre qu'il savait ce qui se passait dans l'affaire Moore. Puisque Sheehan se trouvait dans l'ascenseur, c'est qu'il venait du quatrième ou du cinquième. Soit d'Internal Affairs ou du bureau d'Irving. Peut-être même des deux.

– Ne joue pas au malin avec moi, Bosch. Si je n'étais pas à ma place, c'est que j'ai été occupé toute la matinée, grâce à tes petites combines.

– Comment ça ?
– Laisse tomber. Ecoute, je n'aime pas trop qu'on me voie avec toi. Irving m'a donné des ordres bien précis te concernant. Tu n'es pas sur l'affaire. Tu nous as filé un coup de main l'autre soir, mais ça s'arrête là.
Ils étaient dans le couloir devant les bureaux de la brigade des vols et homicides. Bosch n'aimait pas le ton qu'avait pris Sheehan ; c'était la première fois qu'il voyait Frankie courber l'échine devant la hiérarchie.
– Viens, Frankie, allons boire un café. Tu me raconteras ce qui te tracasse.
– Rien ne me tracasse. Tu oublies qu'on a bossé ensemble : je sais que quand tu plantes tes dents dans quelque chose, y a plus moyen de te faire lâcher prise. Alors, laisse-moi te mettre les points sur les i. Tu étais là le soir où on l'a trouvé. Ça s'arrête là. Retourne à Hollywood.
Bosch s'avança d'un pas et lui glissa à voix basse :
– Tu sais aussi bien que moi que ça ne s'arrête pas là, Frankie. Ça ne va pas s'arrêter là. Et si tu penses que tu dois aller répéter ce que je viens de te dire à Irving, vas-y.
Sheehan le regarda fixement pendant quelques secondes et Bosch vit sa détermination s'envoler.
– OK, Harry, amène-toi. Mais je sais que je vais m'en mordre les doigts plus tard.
Ils se rendirent au bureau de Sheehan, Bosch prenant une chaise devant un autre bureau inoccupé. Après avoir ôté sa veste, Sheehan l'accrocha à un portemanteau. Il s'assit, remit en place son holster, croisa les bras et dit :
– Tu sais où j'étais ce matin ? Chez le coroner, pour tenter de les convaincre d'étouffer le coup pendant quelques heures. Apparemment, on a eu une fuite hier soir, et dès ce matin Irving a reçu des appels l'accusant de vouloir dissimuler le meurtre d'un de nos hommes. Tu n'aurais rien à voir là-dedans, par hasard ?
– La seule chose que je peux te dire, c'est que j'ai longuement repensé à ce que j'ai vu au motel, et à cette autopsie qui n'est pas concluante, comme ils disent, et maintenant je ne crois plus à la thèse du suicide.
– On ne te demande pas de croire à quoi que ce soit. Tu n'es pas sur le coup, je te le rappelle. Et ça, c'est quoi ?

Il ouvrit un tiroir et en sortit une chemise. C'était le dossier Zorillo que Rickard lui avait apporté la veille.

– Ne te fatigue pas à me raconter que tu n'as jamais vu ce dossier, parce que je risquerais de l'emporter au labo pour qu'ils relèvent les empreintes. Et je suis prêt à parier le diaphragme de ma femme qu'on y découvrirait les tiennes !

– Tu perdrais, Frankie.

– Dans ce cas, je me retrouverais avec d'autres gamins... Mais je suis sûr de moi, Harry.

Bosch attendit un peu qu'il se calme.

– Cette mauvaise humeur et cette agressivité à mon égard indiquent une chose : tu ne crois pas au suicide, toi non plus. Alors, laisse tomber ton baratin.

– Tu as raison. Je n'y crois pas. Mais j'ai un chef adjoint qui me casse les couilles et qui a eu la brillante idée de me coller un type d'Internal Affairs sur le dos. Résultat, j'ai l'impression d'avoir les deux pieds dans un seau de merde avant même d'avoir commencé.

– Tu veux dire qu'ils ne souhaitent pas que l'enquête aboutisse ?

– Non, je ne dis pas ça.

– Qu'est-ce qu'ils vont raconter aux journalistes du *L. A. Times* ?

– Conférence de presse cet après-midi. Pour tout le monde. Irving a décidé de ne pas faire de jaloux. Il va annoncer que nous envisageons l'éventualité – *l'éventualité* – d'un meurtre. Le *L. A. Times* ira se faire foutre pour l'exclusivité. Au fait, comment sais-tu que c'est le *L. A. Times* qui fait du raffut ?

– J'ai dit ça au hasard.

– Fais gaffe à toi, Bosch. Commets ce genre de gaffe avec Irving et il te fait la peau. Il ne se gênera pas, crois-moi, avec tes antécédents et le reste. Faut déjà que j'invente une histoire au sujet de ce dossier. Tu as dit à Irving que tu ne connaissais pas ce type, et voilà qu'on découvre un dossier qui prouve qu'il collectait des renseignements pour toi.

Bosch s'aperçut alors qu'il avait oublié d'enlever le Post-it que Moore avait collé sur la chemise.

– Dis ce que tu veux à Irving. Tu crois que ça me préoccupe ? (Bosch baissa les yeux sur le dossier.) Qu'est-ce que tu en penses ?

– De ce dossier ? Je n'en pense rien à voix haute.

– Allez, Frankie, je demande à Moore de se renseigner sur cette histoire de meurtre et de came, et on le retrouve dans une chambre de motel le crâne pulvérisé dans la baignoire ? C'était du travail de pro, pas l'ombre d'une empreinte appartenant à quelqu'un d'autre dans cette putain de chambre !

– Bon d'accord, c'était du bon boulot et il n'y avait pas d'empreintes, et alors ? Je trouve que certains types n'ont que ce qu'ils méritent...

C'était la brèche dans la défense de Sheehan. Consciemment ou pas, il était en train de dire à Bosch que Moore était passé de l'autre côté de la barrière.

– Je ne me contente pas de cette explication, fit Bosch à voix basse. Toi, tu as la pression sur les épaules, mais pas moi. Je suis libre d'agir à ma guise et j'ai bien l'intention de tirer ça au clair. Moore a peut-être franchi la frontière, c'est possible, mais personne n'avait le droit de le liquider de cette façon. Tu le sais aussi bien que moi. De plus, il y a d'autres cadavres... (Harry sentit qu'il avait réussi à ferrer Sheehan.) J'ai un marché à te proposer...

Sheehan se leva.

– Allons boire ce café.

Cinq minutes plus tard, ils étaient installés autour d'une table à la cafétéria du premier étage, et Bosch lui parlait de Jimmy Kapps et de Juan Doe n° 67. Il souligna les liens entre Moore et Juan Doe, entre Juan Doe et Mexicali, Mexicali et Humberto Zorillo, Zorillo et la glace noire, la glace noire et Jimmy Kapps. Et ainsi de suite. Sheehan ne posa aucune question et ne prit aucune note avant que Harry ait terminé.

– Alors, qu'en penses-tu ? demanda-t-il finalement.

– Je pense comme toi, répondit Bosch. Moore est passé de l'autre côté. Peut-être qu'il servait de paravent à Zorillo, le type de l'ice ; et il était tellement impliqué qu'il ne pouvait plus s'en sortir. Pour l'instant, j'ignore comment tout ça s'imbrique, mais j'ai un certain nombre d'idées qui me trottent dans la tête. Peut-être qu'il voulait se retirer, peut-être qu'il réunissait ce dossier pour me filer des tuyaux. En tout cas, on l'a buté.

– Ce sont des possibilités. Il y en a sûrement d'autres.

– Il y en a *une* autre : il se peut que l'enquête d'Internal Affairs menée par ton cher collègue Chastain se soit ébruitée ; Moore leur est alors apparu comme une menace et ils l'ont buté…

Sheehan hésita. C'était l'instant de vérité. S'il abordait le sujet de l'enquête d'Internal Affairs, il enfreignait suffisamment de règles du département pour se faire virer définitivement de la brigade des vols et homicides. Comme Harry.

– Je peux me faire sacquer pour te parler de ça, dit Sheehan. Je risque de finir comme toi, dans le trou des chiottes.

– C'est partout pareil, mon vieux. Peu importe que tu sois au fond du trou ou au-dessus, tu nages dans la merde.

Sheehan avala une gorgée de café.

– Il y a environ deux mois, Internal Affairs a appris que Moore était mêlé au trafic de drogue sur le Boulevard. Une histoire de protection peut-être, ou plus grave. L'informateur n'était pas très précis sur ce point, paraît-il.

– Il y a deux mois ? Et ils n'ont rien trouvé ? Moore a continué à bosser dans la rue pendant tout ce temps. Ils n'ont même pas trouvé de quoi le coller derrière un bureau ?

– Ecoute, n'oublie pas que c'est Irving qui m'a foutu Chastain sur le dos pour cette affaire. Je ne bosse pas avec lui. Chastain ne me fait pas beaucoup de confidences. Tout ce qu'il m'a dit, c'est que l'enquête débutait à peine quand Moore a disparu dans la nature. Il n'y avait aucune preuve permettant de confirmer ou d'infirmer cette accusation.

– Sais-tu s'il a bossé dur sur cette affaire ?

– Très dur, à mon avis. Ce type est toujours prêt à épingler un insigne supplémentaire à son tableau de chasse. Et apparemment ces accusations dépassaient le cadre du département. Nul doute que l'affaire serait remontée jusqu'au district attorney. Je suppose que ça le faisait triquer.

Malheureusement pour lui, il n'a rien trouvé. Moore avait bien magouillé.

Pas suffisamment bien, songea Bosch. De toute évidence.

– Qui l'a dénoncé ?

– Ça ne te regarde pas.

– Tu sais bien que si. Si je veux pouvoir mener ma petite enquête en privé, j'ai besoin de tout savoir.

Sheehan fit mine d'hésiter.

– C'était une dénonciation anonyme... une lettre. Mais Chastain a dit que c'était la femme de Moore. C'est ce qu'il avait déduit. Elle a dénoncé son mari.

– Comment peut-il en être si sûr ?

– A cause des détails contenus dans la lettre, il paraît. Chastain disait que seule une personne proche pouvait les connaître. Il m'a expliqué que c'était un truc courant, l'épouse qui dénonce son mari. Mais la plupart du temps, c'est du bidon. La femme ou le mari raconte n'importe quoi, tu vois, au moment du divorce ou un truc comme ça, uniquement pour causer des emmerdes à l'autre. Conclusion, il a passé pas mal de temps à vérifier simplement si c'était le cas une fois de plus. Etant donné que Moore et sa femme se séparaient. Il m'a dit qu'elle n'avait jamais voulu l'avouer, mais il était certain que la lettre venait d'elle. Seulement, il n'a pas eu l'occasion de vérifier si elle disait la vérité.

Bosch pensa à Sylvia. Il était persuadé qu'ils se trompaient.

– Au fait, tu as contacté sa femme pour lui dire que l'identité du cadavre avait été confirmée ?

– Non, Irving s'en est chargé hier soir.

– Il lui a parlé de l'autopsie ? Il lui a dit que ce n'était pas un suicide ?

– Je n'en sais rien, Harry. Ecoute, je n'ai pas l'habitude d'aller boire des petits cafés avec Irving, comme avec toi, pour lui poser toutes les questions qui me viennent à l'esprit.

Bosch sentit qu'il commençait à lasser son interlocuteur.

– Une dernière chose, Frankie. Est-ce que Chastain s'intéressait à la glace noire ?

– Non. Quand on est tombés sur ce putain de dossier hier, il a failli faire dans son froc. J'ai eu l'impression qu'il entendait parler de cette histoire pour la première fois. J'avoue que ça m'a fait plaisir, Harry.

– Maintenant, tu peux aller lui raconter tout ce que je t'ai dit.

– Ça risque pas. Cette conversation n'a jamais eu lieu. Il faut que j'essaye de démêler seul cette histoire, avant de lui refiler quoi que ce soit.

Bosch réfléchissait rapidement. Que pouvait-il lui demander d'autre ?

– Et le message ? Pour l'instant, c'est le seul truc qui ne colle pas. S'il ne s'agit pas d'un suicide, d'où vient ce mot ?

– Ouais, c'est ça le problème. C'est pour ça qu'on a foutu la pression sur le coroner. A priori, Moore l'avait dans sa poche depuis un moment, ou bien celui qui l'a buté l'a obligé à l'écrire. Je ne sais pas.

– Ouais…

Bosch réfléchit encore un instant.

– Est-ce que tu écrirais ce genre de truc si on était sur le point de te flinguer comme un chien ?

– Comment savoir ? Sous la menace d'une arme, les gens font parfois des choses surprenantes. Ils espèrent toujours que ça va bien finir. C'est ma façon de voir.

Bosch acquiesça. Sans savoir s'il partageait cette opinion ou pas.

– Bon, faut que j'y aille, conclut Sheehan. Tiens-moi au courant s'il y a du nouveau.

Bosch répondit par un hochement de tête et Sheehan l'abandonna avec ses deux tasses de café. Quelques secondes plus tard, il était de retour.

– Tu sais, je ne te l'ai jamais dit, mais c'est moche ce qui t'est arrivé. On aurait bien besoin de toi ici, Harry. Je l'ai toujours pensé.

Bosch leva la tête.

– Ouais. Merci, Frankie.

14

Le Centre d'éradication des drosophiles était situé à la périphérie d'East L. A., sur la route de San Fernando, non loin du centre médical USC qui abritait la morgue. Bosch fut tenté d'y faire un saut pour voir Teresa, mais il préférait lui donner le temps de se calmer. Certes, il avait conscience d'agir en froussard, mais il ne revint pas sur sa décision. Il continua à rouler.

Le centre était un ancien établissement psychiatrique qui avait été abandonné quelques années plus tôt quand les décisions de la Cour suprême avaient fait en sorte qu'il devienne quasiment impossible pour les autorités – via la police – de ramasser les malades mentaux dans la rue pour les placer en observation et protéger le public. L'établissement avait été fermé au moment où le comté regroupait ses centres psychiatriques.

Depuis, il avait servi à différentes activités, y compris de décor de cinéma pour le tournage d'un film d'horreur censé se dérouler dans un asile hanté, et même de morgue temporaire quand un tremblement de terre avait endommagé les installations d'USC quelques années auparavant. On avait alors stocké les corps dans deux camions réfrigérés sur le parking. Compte tenu de l'urgence de la situation, les responsables du comté avaient dû réquisitionner les premiers camions qui leur tombaient sous la main. Sur l'un d'eux était écrit *Homards vivants du Maine* ! Bosch se souvenait d'avoir lu cette anecdote dans la rubrique du *L. A. Times* intitulée « Ça n'arrive qu'à L. A. ».

Un poste de contrôle était installé à l'entrée, surveillé par un agent de la police d'Etat. Bosch baissa sa vitre, lui montra son insigne et lui demanda où se trouvait le responsable du centre. On lui indiqua un emplacement où se garer, puis l'entrée des locaux administratifs.

Sur la porte figurait encore le panneau *Interdit aux patients non accompagnés*. Bosch entra et longea un couloir, croisant un autre policier d'Etat qu'il salua d'un signe de tête. Arrivé au secrétariat, il montra de nouveau son badge à une femme assise derrière un bureau et demanda à voir l'entomologiste en chef. Après s'être entretenue brièvement avec quelqu'un au téléphone, celle-ci conduisit Harry jusqu'à un bureau voisin et le présenta à un nommé Roland Edson. La secrétaire demeura ensuite plantée sur le seuil, l'air bouleversé, jusqu'à ce que le dénommé Edson lui dise de disposer.

Lorsqu'ils se retrouvèrent seuls dans le bureau, Edson déclara :

– Je gagne ma vie en tuant des mouches, inspecteur, pas des gens.

Et il éclata de rire. Bosch se força à esquisser un sourire poli. Edson était un petit homme vêtu d'une chemise blanche à manches courtes avec une cravate vert pâle. Son crâne chauve, couvert de taches de rousseur par le soleil, portait les cicatrices de ses erreurs de jugement. Il avait d'énormes lunettes à monture d'écaille qui agrandissaient ses yeux et le faisaient curieusement ressembler aux insectes qu'il exterminait. Dans son dos, ses subordonnés le surnommaient sans doute « la mouche ».

Bosch lui expliqua qu'il travaillait sur une affaire de meurtre, mais il ne pouvait pas lui en dire beaucoup plus à cause de la nature hautement confidentielle de l'enquête. Après l'avoir prévenu que d'autres policiers risquaient de venir lui poser des questions, il sollicita quelques informations générales sur l'élevage et le transport des drosophiles stériles, tentative pour séduire le scientifique afin d'amener le bureaucrate à se confier.

Edson lui fournit grosso modo les mêmes informations que Teresa Corazon, mais Bosch fit comme si tout cela était entièrement nouveau pour lui et prit des notes.

– Voici le spécimen, inspecteur, déclara Edson en brandissant un presse-papiers.

Celui-ci était constitué d'un bloc de verre à l'intérieur

duquel était figée à tout jamais une mouche à fruit, tel un insecte préhistorique prisonnier de l'ambre.

Bosch acquiesça, avant d'entraîner la conversation vers le sujet plus précis de Mexicali. L'entomologiste lui apprit alors que l'adjudicataire était une société baptisée Enviro-Gènes. Celle-ci transportait une moyenne de trente millions de mouches vers le centre d'éradication chaque semaine.

– Comment arrivent-elles jusqu'ici ?

– Sous forme de chrysalide, bien sûr.

– Oui, bien sûr. Mais je voulais savoir « comment ».

– A ce stade, l'insecte est immobile, il ne se nourrit pas. C'est ce que nous appelons le stade de transformation entre la larve et l'imago, l'insecte adulte, si vous préférez. C'est idéal pour le transport et ça marche très bien ainsi. Ils arrivent dans des sortes d'incubateurs. Nous, nous appelons ça des boîtes d'environnement. Bien évidemment, peu de temps après leur arrivée ici la métamorphose s'achève et ils sont prêts à être lâchés dans la nature sous leur forme adulte.

– Donc, quand elles arrivent, les mouches ont déjà été teintes et irradiées ?

– Tout à fait.

– Et elles en sont au stade de la chrysalide, pas de la larve ?

– Exactement, inspecteur. Ça aussi, je vous l'ai dit.

Bosch commençait à penser qu'Edson était un sale con prétentieux. Aucun doute, tout le monde devait le surnommer « la mouche ».

– OK. A supposer que je découvre une larve à L. A., une larve teinte, mais pas irradiée… Est-ce possible ?

Edson resta muet un instant. Il ne voulait surtout pas parler trop vite et prendre le risque de se tromper. Bosch se dit que c'était le genre de type qui regardait *Jeopardy* à la télévision chaque soir et qui beuglait les réponses avant tous les candidats, même s'il était seul.

– Tous les scénarios sont envisageables, inspecteur. Toutefois, je dirais que l'exemple que vous venez de me citer paraît fort improbable. Comme je vous l'ai dit, nos fournisseurs soumettent les colis de larves à des radiations avant de nous les expédier. Dans ces colis, il n'est pas rare de trouver des larves mélangées aux chrysalides, car il est généralement impossible de séparer totalement les deux. Mais ces échantillons de larves ont subi les mêmes radiations que les chrysalides. Alors non, je ne vois pas comment ce pourrait être possible.

– Donc, si j'avais affaire à quelqu'un qui avait une seule chrysalide teinte mais pas irradiée dans le corps, cette personne ne pourrait pas venir d'ici, c'est bien ça ?

– Je serais tenté de répondre oui.

– Tenté ?

– Disons que je réponds oui.

– Dans ce cas, d'où viendrait cette personne ?

Edson réfléchit une fois encore avant de répondre. Avec la gomme fixée à l'extrémité du crayon qu'il triturait entre ses doigts, il fit remonter ses lunettes sur l'arête de son nez.

– J'imagine que la personne dont vous parlez est morte, étant donné que vous appartenez à la brigade criminelle et que, de toute évidence, vous n'avez pas pu poser cette question à la personne concernée…

– Vous devriez participer à *Jeopardy*, monsieur Edson.

– *Docteur* Edson. Quoi qu'il en soit, je n'ai aucune idée de l'endroit où cette personne a pu être en contact avec le spécimen dont vous me parlez.

– Peut-être travaillait-elle dans une des usines auxquelles vous faisiez allusion, au Mexique ou à Hawaii, non ?

– Oui, c'est une des possibilités.

– Il y en a d'autres ?

– Monsieur Bosch, vous avez vu les mesures de sécurité dont nous sommes entourés. De vous à moi, certaines personnes n'apprécient pas ce que nous faisons ici. Quelques extrémistes pensent que la nature doit suivre son cours. Si les drosophiles viennent en Californie du Sud, de quel droit tentons-nous de les éliminer ? disent-ils. D'autres pensent que nous n'avons pas notre place dans ce secteur d'activité. Certains groupes nous ont adressé des menaces. Anonymes, mais des menaces néanmoins : celles d'élever des mouches à fruit non stériles et de les lâcher dans la nature, causant ainsi une infestation massive. Moi, si je devais faire une chose pareille, je pense que je les teindrais, pour égarer mes adversaires.

Edson semblait satisfait de son numéro. Mais Bosch n'était pas convaincu. Ça ne collait pas avec les faits. Il hocha la tête malgré tout, pour indiquer à Edson qu'il y réfléchirait. Puis il lui demanda :

– Dites-moi, comment les colis d'insectes arrivent-ils jusqu'ici ? Par exemple, comment sont-ils expédiés de cet élevage de Mexicali avec lequel vous traitez ?

Edson lui expliqua que des milliers de chrysalides étaient empaquetées dans des tubes en plastique ressemblant à des saucisses de deux mètres de long. Les tubes étaient ensuite disposés dans des boîtes dotées d'incubateurs et d'humidificateurs. Les boîtes étaient alors scellées dans les laboratoires d'EnviroGènes sous le contrôle d'un inspecteur du ministère de l'Agriculture et transportées ensuite jusqu'à Los Angeles. Les livraisons s'effectuaient deux ou trois fois par semaine, en fonction des stocks disponibles.

– Les cartons ne sont pas inspectés au passage de la frontière ? s'étonna Bosch.

– Ils sont inspectés, mais pas ouverts. Cela risquerait d'altérer la marchandise. Vous comprenez, chaque carton renferme un environnement soigneusement contrôlé. Mais, comme je vous l'ai dit, les cartons sont scellés sous l'œil des inspecteurs gouvernementaux et chaque carton est de nouveau inspecté lors de l'ouverture des scellés au centre d'éradication pour s'assurer qu'il n'y a eu aucune manipulation illicite pendant le transport. Au poste-frontière, la patrouille des douanes compare les numéros des scellés et les cartons avec la feuille de chargement du conducteur du camion et notre propre déclaration de douanes. Tout cela est très sérieux, inspecteur. Le système a été mis au point au plus haut niveau.

Bosch ne dit rien pendant un moment. Il refusait de débattre de l'efficacité de ce système, mais il ne pouvait s'empêcher de se demander qui l'avait mis au point « au plus haut niveau » : les scientifiques ou les services des douanes ?

– Si je descendais à Mexicali, pourriez-vous me faire entrer dans les locaux d'EnviroGènes ?

– Impossible, lui répondit aussitôt Edson. N'oubliez pas que ce sont des adjudicataires privés. Toutes nos mouches proviennent d'élevages privés. Bien qu'il y ait un inspecteur du ministère de l'Agriculture dans chaque centre et que des entomologistes payés par l'Etat, tels que moi, fassent des visites de routine, nous ne pouvons pas les obliger à ouvrir leurs portes à un inspecteur de police, ou à n'importe qui d'ailleurs, sans qu'il y ait violation du contrat. En d'autres termes, inspecteur Bosch, dites-moi ce qu'ils ont fait et je vous dirai si vous pouvez y entrer.

Bosch ne répondit pas. Il voulait en révéler le moins possible à Edson. Il changea de sujet.

– Ces boîtes dans lesquelles sont rangés les tubes d'insectes sont-elles grandes ?

– Oui, assez. Généralement, nous utilisons un chariot élévateur pour les décharger des camions.

– Pouvez-vous m'en montrer une ?

Edson consulta sa montre.

– Oui, je pense que ça doit être possible. Mais je ne sais pas ce qui vient d'arriver, ni même s'il y a eu un arrivage.

Bosch se leva le premier pour lui forcer la main. Edson finit par se lever à son tour. Il précéda Harry hors de la pièce et dans un autre couloir, passant devant divers bureaux et laboratoires qui avaient servi autrefois de cellules pour les fous, les drogués et les gens abandonnés. Harry se souvint que jadis, quand il était encore simple agent, il avait accompagné dans ce même couloir une femme qu'il avait arrêtée sur le mont Fleming alors qu'elle escaladait le cadre en acier derrière le premier O du panneau HOLLYWOOD. Elle tenait une corde de nylon dont une extrémité formait déjà un nœud coulant. Quelques années plus tard, il avait lu dans le journal qu'après être sortie du Patton State Hospital elle était remontée au même endroit pour achever le travail qu'il avait interrompu.

– Ça ne doit pas être facile comme métier, dit Edson. La brigade criminelle…

Bosch répondit ce qu'il répondait toujours dans ce cas-là :

– Parfois, ce n'est pas si mal. Au moins, les victimes dont je m'occupe ont cessé de souffrir.

Edson ne releva pas. Le couloir s'achevait par une lourde porte en acier qu'il poussa. Ils débouchèrent alors sur un quai de chargement situé à l'intérieur d'un vaste bâtiment semblable à un hangar. A une dizaine de mètres de là, une demi-douzaine d'ouvriers, tous des Latinos, empilaient des boîtes blanches en plastique sur des chariots avec lesquels ils franchissaient ensuite une double porte située à l'autre extrémité de la zone de livraisons. Bosch constata que les boîtes avaient à peu près la taille d'un cercueil.

Elles étaient d'abord déchargées d'une camionnette blanche à l'aide d'un mini-chariot élévateur. Sur les flancs de la camionnette le mot ENVIROGÈNES était inscrit en bleu. La portière du côté conducteur était ouverte et un homme, un Blanc, surveillait l'opération. Un autre Blanc, muni d'une planchette porte-papier, était posté à l'arrière du camion ; plié en deux, il relevait le numéro sur les scellés de chaque boîte et le notait ensuite.

– Ah, nous avons de la chance ! dit Edson. Nous arrivons en plein déchargement. Vous voyez, on emporte les boîtes au laboratoire où va s'achever le processus M&M. C'est ainsi que nous appelons la « métamorphose ».

Edson désigna, à travers les portes ouvertes du hangar, une rangée de six camionnettes orange garées dans le parking.

– Les mouches arrivées à maturité sont ensuite placées dans des seaux fermés et nous utilisons notre flotte de véhicules pour les transporter sur les zones de combat. On les lâche à la main. Présentement, la zone de combat couvre environ cent cinquante kilomètres carrés. Nous larguons cinquante millions de mouches stériles par semaine. Plus, si nous pouvons nous les procurer. Tôt ou tard, les mouches stériles finiront par dominer et éteindre la population des mouches sauvages... (Une note de triomphe perçait dans la voix de l'entomologiste.) Voulez-vous interroger le chauffeur de la société EnviroGènes ? reprit Edson. Je suis sûr qu'il pourrait vous...

– Non, répondit Bosch. Je voulais juste voir comment

ça se passait. Je vous serais reconnaissant de ne parler à personne de ma visite, docteur.

En prononçant ces mots, Bosch remarqua que le chauffeur d'EnviroGènes l'observait fixement. Visage bronzé et creusé de rides profondes, cheveux blancs. Il était coiffé d'un chapeau de paille et fumait une cigarette brune. Bosch soutint son regard, conscient d'avoir été démasqué. Il crut discerner un petit sourire sur le visage du chauffeur, puis ce dernier finit par détourner la tête pour reporter son attention sur les opérations de déchargement.

– Puis-je faire autre chose pour vous, inspecteur ? demanda Edson.

– Non, docteur. Merci pour votre aide.

– Je suppose que vous retrouverez la sortie.

Edson pivota sur ses talons et franchit la porte en acier. Harry coinça une cigarette entre ses lèvres, mais ne l'alluma pas. D'un geste, il chassa un essaim de mouches qui bourdonnait autour de son visage, sans doute des drosophiles roses, songea- t-il, puis il descendit les marches du quai de chargement et sortit par la porte du hangar.

En retournant vers le centre ville, Bosch décida d'affronter Teresa afin de régler le problème. Il pénétra dans le parking d'USC et passa dix minutes à chercher un emplacement assez grand pour garer sa Caprice. Il en trouva finalement un tout au fond, là où le parking surplombait l'ancienne gare de triage. Il resta assis quelques instants dans sa voiture pour réfléchir, en fumant et en regardant les vieux wagons et les voies ferrées rouillés. Il vit un groupe de tagers vêtus de T-shirts blancs trop grands et de pantalons amples traverser les voies. Celui qui tenait la bombe de peinture demeura en arrière le temps de bomber une inscription sur un des vieux wagons. C'était de l'espagnol, mais Bosch comprit le sens du message. Il s'agissait de l'imprimatur du gang, sa philosophie :

RÍE AHORA
LLORE MAÑANA [1]

1. « Riez maintenant, pleurez plus tard. »

Il les suivit du regard jusqu'à ce qu'ils disparaissent derrière une autre rangée de wagons. Il descendit alors de voiture et pénétra dans la morgue par la porte de derrière, là où s'effectuaient les livraisons. Un garde de la sécurité lui adressa un hochement de tête après avoir vu son insigne.

A l'intérieur, c'était une belle journée : l'odeur de désinfectant l'emportait sur l'odeur de mort. Harry passa devant les portes des chambres froides numéros 1 et 2, puis franchit une autre porte donnant sur un escalier qui conduisait aux bureaux du premier étage.

Il demanda à la secrétaire du médecin légiste chef si le docteur Corazon pouvait le recevoir. La femme, dont le teint pâle et les cheveux aux reflets roses lui donnaient l'aspect de certains clients de l'endroit, échangea quelques mots à voix basse au téléphone, avant de lui dire d'entrer. Debout derrière son bureau, Teresa regardait par la fenêtre. Elle avait en face d'elle la même perspective que Bosch lorsqu'il observait la gare de triage et peut-être l'avait-elle vu arriver. Mais, du premier étage, le panorama allait des tours du centre ville jusqu'au mont Washington. Bosch remarqua combien les tours étaient nettes au loin. Dehors aussi, c'était une belle journée.

– Je ne te parle plus, lui lança Teresa sans se retourner.

– Allez…

– Non.

– Pourquoi m'as-tu laissé entrer, dans ce cas ?

– Pour te dire que je ne voulais plus te parler, que j'étais furieuse et que tu as certainement gâché mes chances d'être nommée légiste chef !

– Allons, Teresa ! J'ai appris que tu allais donner une conférence de presse tout à l'heure. Ça va s'arranger.

Il ne savait pas quoi dire d'autre. Elle se retourna et s'appuya contre le rebord de la fenêtre. Le regard qu'elle lui jeta aurait pu graver son nom sur une pierre tombale. Il sentit l'odeur de son parfum à l'autre bout de la pièce.

– Et, bien entendu, il faudrait que je t'en remercie…

– Non, pas moi. J'ai entendu dire qu'Irving avait convoqué la conf…

– Ne te fous pas de ma gueule, Harry ! Nous savons très bien de quelle manière tu as utilisé ce que je t'ai dit. Et nous savons très bien que ce connard d'Irving va tout de suite penser que ça vient de moi. Pour ce qui est de mon poste de chef, il va falloir que je fasse une croix dessus. Regarde bien ce bureau, Harry, car c'est la dernière fois que tu me vois ici.

Bosch avait souvent remarqué à quel point les femmes ambitieuses qu'il rencontrait, surtout les femmes flics et les avocates, devenaient grossières dans les disputes. Il se demanda si elles avaient ainsi l'impression de se hisser au niveau de leurs rivaux masculins.

– Ça va s'arranger, répéta-t-il.

– Qu'est-ce que tu me chantes ? Il lui suffira de dire à deux ou trois membres de la commission que j'ai livré à la presse des informations dans le cadre d'une enquête confidentielle en cours et adieu Berthe !

– Ecoute, rien ne lui prouve que ça vient de toi ; il croira certainement que c'est moi le coupable. Bremmer et moi, le type du *L. A. Times* qui a remué la merde, on se connaît depuis longtemps. Irving le sait forcément. Alors, cesse de t'inquiéter pour ça. Je suis venu voir si tu voulais qu'on déjeune ensemble ou…

Pas vraiment la chose à dire. Il vit son visage s'enflammer sous l'effet de la colère.

– Hein ? Tu voudrais qu'on déjeune ensemble ? Tu déjantes ou quoi ? Tu… tu viens de me dire que nous sommes les deux principaux suspects dans cette affaire de fuites et tu veux que je m'affiche au restaurant avec toi ? Tu sais ce qui pourrait…

– Bon, salut, Teresa, et bonne conférence de presse ! la coupa Bosch.

Il pivota sur ses talons et se dirigea vers la porte.

Alors qu'il roulait vers le centre, son bipper retentit. Bosch constata qu'il s'agissait du numéro de la ligne directe de Pounds. Il doit s'inquiéter pour ses statistiques, pensa-t-il. Il décida d'ignorer l'appel. Pour la même raison, il coupa la radio de bord.

Il s'arrêta devant une camionnette de *mariscos* stationnée dans Alvarado et commanda deux tacos aux crevettes. On les lui servit dans des tortillas de maïs, à la manière de Baja, et Bosch savoura la sauce épicée à base de *cilantro*.

A quelques mètres de la camionnette, un type récitait de mémoire des versets des Ecritures saintes. Sur sa tête trônait un gobelet rempli d'eau, confortablement niché au creux de sa coupe afro dans le plus pur style années 70. De temps en temps, il s'emparait du gobelet pour boire, sans jamais cesser de sauter d'un chapitre à l'autre du Nouveau Testament. Avant chaque citation, il indiquait à son auditoire la référence du chapitre du verset. A ses pieds était posé un bocal à poissons à demi rempli de pièces de monnaie.

Son repas terminé, Bosch commanda un Coca à emporter et lança la monnaie dans le bocal. En échange, il eut droit à un « Dieu vous garde » de la plus belle eau.

15

Le palais de justice occupait tout un pâté de maisons juste en face du bâtiment de la cour d'assises. Les cinq premiers étages abritaient les bureaux du shérif et les quatre derniers la prison du comté. Tout le monde pouvait le constater de l'extérieur. Pas uniquement à cause des barreaux aux fenêtres, mais parce que les quatre derniers étages ressemblaient à une coquille abandonnée et calcinée. Comme si toute la haine, toute la colère contenues dans ces cellules sans air conditionné s'étaient transformées en flammes et en fumée qui avaient noirci pour toujours les fenêtres et les appuis de béton.

Il s'agissait d'un immeuble du début du siècle fait de blocs de pierre massifs qui lui donnaient l'aspect sinistre et menaçant d'une forteresse. C'était un des rares immeubles du centre dont les ascenseurs fonctionnaient encore manuellement. Dans un coin de chacune des cabines lambrissées, assise sur un strapontin rembourré, une vieille femme noire ouvrait les portes et actionnait le volant qui immobilisait son ascenseur à chaque étage.

– Au 7000, lança Bosch en pénétrant dans la cabine.

Cela faisait un bout de temps qu'il n'était pas venu dans ces locaux, et il avait oublié le nom de sa liftière. Mais elle occupait déjà ce poste quand Harry avait commencé sa carrière de flic. Comme toutes ses collègues, d'ailleurs. Lorsque la cabine s'immobilisa au cinquième étage, elle ouvrit la porte et Bosch aperçut Rickard. Debout face à la vitre du bureau de contrôle, l'agent des stups déposait son insigne dans un panier coulissant.

– Tenez, dit Bosch en déposant rapidement à son tour son badge dans le panier.

– Il est avec moi, dit Rickard dans le micro.

L'agent assis derrière la vitre échangea leurs insignes contre deux badges « visiteurs » qu'il leur fit passer par l'intermédiaire du panier. Bosch et Rickard les fixèrent à leur chemise ; Bosch s'aperçut qu'ils avaient accès au quartier de haute sécurité situé au neuvième et dernier étage. C'était là qu'on enfermait les individus les plus dangereux en attente de jugement ou d'un transfert vers un pénitencier.

Ils empruntèrent le couloir conduisant à l'ascenseur de la prison.

– Vous avez mis le gamin en haute sécurité ? lui demanda Bosch.

– Ouais. Je connais un type ici. Juste un jour, lui ai-je dit, c'est tout ce qu'il nous faut. Le gosse n'aura plus envie de frimer ; il va vous dire tout ce qu'il sait sur Dance.

Ils empruntèrent l'ascenseur de sécurité, manœuvré, celui-ci, par un officier de police. Bosch se dit qu'il n'y avait certainement pas de plus mauvaise place. Quand la porte de l'appareil s'ouvrit au neuvième étage, ils furent accueillis par un autre policier qui vérifia leurs badges et leur fit signer le registre. Ils franchirent ensuite deux portes métalliques coulissantes donnant sur un parloir équipé d'une longue table avec des bancs disposés de chaque côté et une cloison d'une trentaine de centimètres de haut qui la séparait en deux sur toute sa longueur. Au fond de la pièce, une avocate était assise, penchée vers la cloison pour s'adresser à voix basse à son client qui mettait ses mains en cornet derrière ses oreilles pour mieux entendre. Les muscles du bras du détenu étaient énormes et roulaient en tendant les manches de sa chemise. Un monstre.

Sur le mur derrière eux, une pancarte précisait :

INTERDICTION DE SE TOUCHER,
DE S'EMBRASSER ET DE TENDRE LA MAIN
PAR-DESSUS LA CLOISON

Un autre policier se tenait tout au bout de la salle. Appuyé contre le mur, ses bras épais croisés sur la poitrine, il observait l'avocate et son client.

Tandis qu'ils attendaient qu'on leur amène Tyge, Bosch prit conscience du bruit qui les entourait. Derrière une ouverture munie de barreaux, une centaine de voix s'affrontaient et résonnaient dans un fracas métallique. Des portes en fer claquaient, et parfois on entendait un cri inintelligible.

Un homme du shérif s'approcha de la porte à barreaux.

– Quelques minutes de patience, les gars, dit-il. Faut qu'on aille le chercher à l'infirmerie.

L'homme disparut avant que Bosch ou Rickard n'ait le temps de lui demander ce qui s'était passé. Bosch ne connaissait pas ce gamin, mais il sentit son estomac se nouer. Se tournant vers Rickard, il constata que celui-ci souriait.

– On va voir le changement maintenant, dit le flic de la brigade anti-drogue.

Bosch ne comprenait pas le plaisir que Rickard semblait prendre à ce petit jeu. Pour lui, c'était l'aspect le plus sordide du métier : avoir affaire à des gens désespérés et utiliser des méthodes désespérées. Il se trouvait ici parce qu'il le fallait. C'était son enquête. Mais il n'était pas comme Rickard.

– Pourquoi est-ce que vous faites ça ? Qu'est-ce que vous voulez au juste ?

Rickard le regarda.

– Ce que je veux ? Je veux savoir ce qui se passe. Je pense que vous êtes le seul qui puisse y arriver. Si je peux vous aider, je vous aiderai. Et si ce gamin doit y laisser son trou du cul, tant pis. Mais ce que je veux que vous me disiez, c'est ce qui se passe. Je veux savoir ce qu'a fait Cal Moore et ce qui va arriver maintenant.

Bosch se laissa aller en arrière sur le banc et essaya de réfléchir à ce qu'il allait dire. A l'autre bout de la table, le monstre commença à élever le ton pour refuser la proposition qu'on lui faisait. Le policier s'avança vers lui, en laissant pendre ses bras le long de son corps. Le détenu se calma aussitôt. Les manches de chemise du policier étaient relevées pour laisser voir d'impressionnants biceps. Sur son avant-bras gauche, Bosch remarqua les deux lettres CL tatouées, comme marquées au fer rouge sur sa peau blanche. Harry savait que les policiers arborant ce tatouage disaient appartenir au Club Lynwood, surnom du poste de police situé dans la banlieue de Los Angeles la plus infestée de gangs. En réalité, ces deux lettres étaient les initiales de *chango luchador*, « celui qui se bat contre les métèques ». Ce policier faisait lui-même partie d'un gang, mais d'un gang autorisé à porter des armes et payé par le comté.

Bosch détourna la tête. Il aurait aimé allumer une cigarette, mais le comté avait interdit de fumer, même en prison. Cela avait failli déclencher une émeute chez les détenus.

– Ecoutez, dit-il à Rickard, je ne sais pas quoi vous dire au sujet de Moore. Je m'occupe de cette affaire sans vraiment m'en occuper, vous comprenez ? En fait, elle est liée à deux autres affaires. Donc, je ne peux pas faire autrement. Si ce gamin peut me livrer Dance, ça m'aidera. Je pourrai l'interroger sur mes deux affaires, peut-être même sur Moore. Mais je n'en sais trop rien. Ce que je sais, par contre, c'est qu'ils vont faire une déclaration publique aujourd'hui, pour dire que la mort de Moore a tout d'un meurtre. Ce qu'ils ne diront pas, c'est qu'il était passé de l'autre côté de la barrière. Voilà pourquoi Internal Affairs reniflait autour de lui. Il avait changé de camp.

– Impossible, répondit Rickard. Je l'aurais su.

Son ton manquait de conviction.

On ne connaît jamais vraiment les gens. Tout le monde a un jardin secret.

– Alors, qu'est-ce qu'ils vont faire à Parker Center ?

– Je ne sais pas. Je crois qu'ils ne le savent pas eux-mêmes. A mon avis, ils voulaient laisser croire à un suicide. Mais le légiste a fait des vagues, alors ils ont parlé d'homicide. Mais ça m'étonnerait qu'ils déposent le panier de linge sale en plein milieu de Spring Street pour que tous les journalistes viennent se servir.

– En tout cas, ils ont intérêt à se bouger le cul. Je ne resterai pas les bras croisés. Je me fous de savoir que Moore était passé de l'autre côté. Moi, je l'ai vu à l'œuvre. C'était un bon flic. Je l'ai vu entrer dans un squat et liquider quatre dealers sans aucun soutien. Je l'ai vu s'interposer entre un mac et une pute, recevoir le coup qui était destiné à la fille et cracher ses dents sur le trottoir. J'étais avec lui le jour où il a grillé neuf feux rouges pour essayer de conduire un pauvre vieux camé à l'hosto avant qu'il ne clamse d'une overdose... Ce ne sont pas des trucs de ripou. Ce que je veux dire, c'est que même s'il est passé de l'autre côté, je pense qu'il essayait de faire marche arrière, et que c'est pour cette raison qu'on l'a buté.

Ayant dit cela, il se tut et Bosch laissa s'éterniser le silence. L'un et l'autre savaient qu'une fois passé de l'autre côté il n'est plus possible de revenir.

Bosch entendit un bruit de pas derrière la porte à barreaux.

Rickard ajouta :

– Ces enfoirés de Parker Center ont intérêt à faire quelque chose et à ne pas laisser tomber. Sinon, moi, je vais leur montrer.

Bosch voulut dire quelque chose, mais le policier apparut à la porte avec Tyge. Ce dernier semblait avoir vieilli de dix ans. Il avait dans le regard une lueur lointaine qui rappela à Bosch certains hommes qu'il avait connus au Vietnam. Il avait également un hématome sur le haut de la pommette gauche.

Un dispositif électronique invisible commanda l'ouverture de la porte et l'adolescent gagna le banc après que le policier lui eut montré le chemin. Il s'assit timidement, en donnant l'impression de vouloir éviter le regard de Rickard.

– Alors, ça roule, Kerwin ? lui demanda Rickard.

Cette fois, le gamin se tourna et, en voyant ses yeux, Bosch sentit son estomac se nouer. Il repensa à la première nuit qu'il avait passée au centre aéré McLaren quand il était enfant. La peur absolue et la solitude assourdissante. Et pourtant, il n'était entouré que d'enfants, non violents pour la plupart. Kerwin, lui, avait vécu douze heures au milieu de bêtes sauvages. Bosch avait honte d'avoir participé à cela, mais il ne dit rien. C'était Rickard qui menait le jeu.

– Ecoute, mon gars, reprit ce dernier, je me doute que ce n'est pas une partie de plaisir pour toi ici. C'est pour cette raison que je suis venu, pour voir si tu avais changé d'avis au sujet de ce qu'on s'est dit hier soir.

Rickard parlait à voix basse afin que le monstre installé au bout de la table ne l'entende pas.

Comme le gamin ne répondait pas et donnait l'impression de n'avoir même pas entendu, Rickard se fit plus pressant :

– Tu veux sortir d'ici, Kerwin ? Voilà ton sauveur, M. Harry Bosch. Il peut me convaincre de tirer un trait sur toute cette histoire, même si j'ai parfaitement le droit de te coffrer ; accepte seulement de nous parler de cet enfoiré de Dance. Tiens, regarde.

Rickard sortit de sa poche de chemise une feuille de papier blanc qu'il déplia. C'était un formulaire de procès-verbal du bureau du procureur.

– J'ai quarante-huit heures pour enregistrer ton arrestation, reprit-il. Mais, à cause du week-end, ça nous mène à lundi. Ça, c'est ton procès-verbal. Je l'ai gardé parce que je voulais d'abord te demander encore une fois si tu avais envie qu'on te fasse sortir d'ici. Si tu ne veux pas, je vais l'enregistrer et ce charmant endroit sera ta maison pendant… oh, disons que tu peux te préparer à y passer une année de plaisir…

Rickard attendit ; rien ne se produisit.

– Un an ! s'exclama Rickard. A quoi tu ressembleras, à ton avis, après un an passé ici, Kerwin ?

Le gamin baissa les yeux, et des larmes coulèrent sur ses joues.

– Allez cramer en enfer ! parvint-il à dire d'une voix étranglée.

Bosch s'y trouvait déjà. Cette scène continuerait à le hanter pendant longtemps. Découvrant qu'il serrait les dents, il tenta de relâcher sa mâchoire. Rien à faire.

Rickard se pencha pour dire quelque chose au gamin, mais Bosch posa sa main sur son épaule pour l'arrêter.

– Ça suffit, dit-il. On le laisse sortir.

– Hein ?

– On laisse tomber.

– C'est quoi, cette histoire ?

L'adolescent leva les yeux sur Bosch ; il avait l'air sceptique. Mais Bosch ne jouait pas la comédie ; ce qu'ils avaient fait lui donnait envie de vomir.

– Ecoutez, Bosch, dit Rickard. On a trouvé cinquante grammes de PCP sur ce petit connard. Il est à moi. S'il refuse de nous aider, tant pis pour lui. Il retourne dans sa cage avec les fauves.

– Non. (Bosch se pencha vers Rickard afin que le policier posté derrière l'adolescent n'entende pas ce qu'il allait dire.) Pas question qu'il retourne là-dedans, Rickard. On va le faire sortir. Si vous refusez, je vous fous dans la merde.

– Hein ? Quoi ?

– Je descends raconter ma petite histoire au quatrième. Ce gamin n'aurait jamais dû se retrouver ici compte tenu des charges retenues. C'est vous le fautif, Rickard. Je porterai plainte, s'il le faut. Votre contact ici sera grillé lui aussi. C'est ce que vous voulez ? Uniquement parce que vous n'avez pas réussi à faire parler ce gamin ?

– Vous croyez qu'Internal Affairs s'intéresse à un petit connard de dealer ?

– Non. Mais ils se feront un plaisir de vous mettre le grappin dessus. Je suis sûr que vous leur plairez beaucoup.

Harry se recula. Les deux hommes restèrent silencieux pendant un instant ; Bosch voyait que Rickard réfléchissait, essayant de déterminer s'il s'agissait d'un coup de bluff.

– Un gars comme vous qui va balancer à Internal Affairs ? J'ai du mal à le croire.

– Libre à vous de courir le risque.

Rickard baissa les yeux sur le papier qu'il tenait en main et, lentement, le froissa dans son poing.

– OK, mec, mais je vous conseille de me mettre en bonne place sur votre liste.

– Quelle liste ?

– Celle de tous les types dont vous avez intérêt à vous méfier.

Bosch se leva, et Rickard l'imita.

– On le fait sortir, dit Rickard au gardien.
Bosch désigna l'adolescent.
– Je veux que quelqu'un reste avec lui jusqu'à ce qu'il soit sorti d'ici, compris ?
Le policier acquiesça. Kerwin ne disait rien.

Il fallut une heure pour le faire libérer. Après que Rickard eut signé les formulaires requis, ils récupérèrent leurs insignes et attendirent derrière la vitre sans échanger le moindre mot.
Bosch était écœuré. Il avait perdu de vue le b-a ba du métier. Pour résoudre une affaire, il suffisait d'inciter les gens à parler. Les contraindre était inutile. Il l'avait oublié.
– Vous pouvez partir, si vous voulez, dit-il à Rickard.
– Dès que le môme aura franchi cette porte et que vous l'aurez récupéré, je m'en irai. Je ne veux plus entendre parler de lui. Mais je veux vous voir partir ensemble, Bosch. Au cas où cette histoire me retomberait dessus.
– Oui, évidemment. Mais vous avez encore beaucoup de choses à apprendre, Rickard. Tout n'est pas blanc ou noir. Certains peuvent échapper à la rue. Vous prenez un gamin comme celui-ci et…
– Epargnez-moi vos leçons, Bosch. J'ai peut-être beaucoup à apprendre, mais pas de vous. Vous êtes un raté de première. La seule chose que je pourrais apprendre avec vous, c'est comment dégringoler au bas de l'échelle. Très peu pour moi.
– Oui, c'est sûr, répondit Bosch avant de se diriger vers l'autre bout de la pièce où se trouvait un banc.
Il s'y assit et, un quart d'heure plus tard, l'adolescent réapparut. Flanqué de Bosch et de Rickard, le gamin gagna l'ascenseur. Une fois dehors, Rickard gagna immédiatement sa voiture, après avoir simplement lancé à Bosch :
– Allez vous faire foutre.
– OK.
Immobile sur le trottoir, Bosch alluma une cigarette et en proposa une à l'adolescent. Celui-ci refusa.
– Je vous dirai rien, dit-il.

– Je sais. Pas de problème. Tu veux que je te conduise quelque part ? Chez un vrai médecin ? Tu veux rentrer à Hollywood ?

– Ouais, Hollywood, ça me va.

Ils marchèrent jusqu'à la voiture de Bosch garée à Parker Center, à deux blocs de là, et prirent la 3e Rue en direction de Hollywood. Ils avaient parcouru la moitié du chemin lorsque Harry brisa enfin le silence :

– Tu habites quelque part ? Où veux-tu que je te dépose ?

– N'importe où.

– Tu n'as pas d'appart ?

– Non.

– Pas de famille ?

– Non plus.

– Qu'est-ce que tu vas faire ?

– On verra bien.

Harry prit vers le nord, dans Western. Ils roulèrent en silence pendant encore un quart d'heure, jusqu'à ce que Bosch s'arrête devant l'entrée du Hideaway.

– Qu'est-ce qu'on fait ?

– Attends-moi ici. J'en ai pour une minute.

Le gérant du motel essaya de refiler à Bosch la chambre 7, mais celui-ci lui montra son insigne et lui demanda de trouver autre chose. Le gérant, toujours vêtu d'un T-shirt sans manches et bien crasseux, lui donna la clé de la chambre 13. Bosch regagna sa voiture, s'assit au volant et tendit la clé à l'adolescent. Il sortit également son portefeuille.

– Tiens, tu as une piaule pour une semaine, dit-il. Je parie que tu te contrefous de mon conseil, mais je te le donne quand même : réfléchis bien et fous le camp le plus loin possible. Il existe des endroits plus chouettes pour vivre.

Le gamin regarda la clé dans sa main. Bosch lui tendit ensuite tout l'argent qu'il avait sur lui, soit quarante-trois dollars.

– Hé, attendez. Vous me filez une piaule et du fric en espérant que je vais tout vous dire, hein ? J'ai déjà vu ça à la télé. Votre petit numéro avec l'autre type, c'était du bidon.

– Pas de méprise, mon gars. Je fais ça parce que j'ai

besoin de le faire. Ça ne veut pas dire que j'approuve la façon dont tu gagnes ta vie. Loin de là. Et si jamais je te retrouve un jour dans la rue, je t'embarque. Je ne t'offre pas une super chance, mais c'est une chance quand même. Fais-en ce que tu veux. Tu peux te barrer. Ce n'est pas une ruse.

Le garçon ouvrit la portière et descendit de voiture. Il se retourna vers Bosch.

– Pourquoi vous faites ça, alors ?

– Je ne sais pas. Peut-être parce que tu lui as dit d'aller se faire foutre. J'aurais dû le lui dire avant et je ne l'ai pas fait. Bon, faut que j'y aille.

L'adolescent l'observa encore un moment.

– Bon, je vais vous dire un truc : Dance a foutu le camp. Je ne comprends pas pourquoi vous vous inquiétez tous à cause de lui.

– Ecoute, je n'ai pas fait…

– Je sais. (Harry ne dit rien. Il attendait.) Il s'est tiré. Il a quitté la ville. Il a dit que notre fournisseur avait laissé tomber et il est descendu voir s'il pouvait faire repartir le truc. En fait, ce qu'il veut, c'est gravir les échelons et prendre la place du fournisseur.

– Descendu ?

– Il a parlé du Mexique, mais c'est tout ce que je sais. Il a foutu le camp. C'est pour ça que je vendais des sherms.

Sur ce, l'adolescent referma la portière et disparut dans la cour du motel. Bosch resta assis derrière son volant pour réfléchir, la question de Rickard lui revenant à l'esprit. Où serait ce gamin dans un an ? Puis il repensa à l'époque où il vivait dans des motels miteux, bien des années auparavant. Il s'en était tiré. Il avait survécu. Il y avait toujours une chance à saisir. Il redémarra et partit.

16

La discussion avec l'adolescent l'avait convaincu. Bosch savait désormais qu'il irait au Mexique. Tous les rayons de la roue pointaient vers le moyeu. Et ce moyeu était Mexicali. Et il le savait depuis le début.

Il roula jusqu'au poste de police de Wilcox, en essayant d'établir une stratégie. Il lui faudrait obligatoirement prendre contact avec Aguila, l'officier de police mexicain qui avait envoyé au consulat le document ayant permis d'identifier Juan Doe n° 67. Il devrait également contacter la brigade des stups qui avait fourni les renseignements à Moore. Et il devrait encore obtenir l'approbation de Pounds pour son voyage, mais là, il savait que ça risquait de coincer. A lui de jouer serré.

Dans la salle des inspecteurs, la table des homicides était déserte. Il était 16 heures passées, un vendredi, et une semaine de vacances par-dessus le marché. N'ayant pas de nouvelles affaires sur les bras, les inspecteurs étaient pressés de prendre la tangente et de rentrer chez eux retrouver leur famille et leur petite vie, loin du commissariat. Harry aperçut Pounds dans sa cage de verre ; la tête penchée, il écrivait sur une feuille de papier, en se servant de sa règle pour que les lignes soient bien droites.

Bosch s'assit à sa place et passa en revue la pile de messages notés sur des bouts de papier rose. Rien qui ne puisse attendre. Deux appels de Bremmer du *L. A. Times*, mais celui-ci avait donné le nom de John Marcus, un code qu'ils avaient mis au point il y a longtemps pour qu'on ne sache pas que Bosch était en rapport avec le journaliste. Il y avait aussi deux appels de procureurs chargés d'instruire des affaires dont s'était occupé Harry : on avait besoin de renseignements et de précisions. Un dernier message indiquait que Teresa avait elle aussi appelé, mais, en regardant l'heure, Harry constata que c'était avant qu'il ne passe la voir. Sans doute l'avait-elle appelé pour lui dire qu'elle ne voulait plus lui parler.

Aucun message de Porter et rien de Sylvia Moore. Il sortit la photocopie de l'avis de recherche émanant de Mexicali et que lui avait confiée l'inspecteur du bureau des personnes disparues, Capetillo, et composa le numéro fourni par Carlos Aguila. Il obtint le standard de la police judiciaire. Son espagnol étant hésitant, bien qu'il l'ait un peu dépoussiéré, il lui fallut cinq bonnes minutes d'explications pour entrer enfin en communication avec la brigade des inspecteurs, où il demanda à parler à Aguila. C'était malheureusement impossible. A la place, il put s'entretenir avec le capitaine qui, lui, parlait anglais et lui expliqua qu'Aguila était absent pour l'instant : mais il rentrerait un peu plus tard et serait également là demain. Bosch savait qu'au Mexique les flics travaillaient six jours sur sept.

– Je peux faire quelque chose pour vous ? enchaîna le capitaine.

Bosch lui expliqua qu'il enquêtait sur un meurtre et qu'il répondait à la demande de renseignements adressée par Aguila au consulat à Los Angeles. Le signalement correspondait à son cadavre. Le capitaine répondit qu'il était au courant de l'affaire ; c'était lui qui avait écopé de l'enquête avant de la transmettre à Aguila. Bosch lui demanda s'ils disposaient d'empreintes permettant de confirmer l'identité de la victime, mais le capitaine répondit par la négative. Un point pour Capetillo, se dit Bosch.

– Peut-être avez-vous une photo de la victime prise par la morgue ? reprit le capitaine. Nous pourrions demander à la famille de M. Gutierrez-Llosa de l'identifier.

– Oui. J'ai des photos. D'après les renseignements fournis, Gutierrez-Llosa était journalier, c'est bien ça ?

– Exact. Il allait chercher du travail au rond-point. C'est un endroit où viennent les employeurs qui ont besoin de main-d'œuvre. Sous la statue de Benito Juarez.

– Savez-vous s'il travaillait dans une usine ? Il s'agirait

d'EnviroGènes, qui sous-traite des contrats pour l'Etat de Californie…

Il y eut un long silence. Puis le Mexicain lui répondit enfin :

– Je regrette. J'ignore où il travaillait. Mais j'ai pris note de votre question et j'en parlerai avec l'inspecteur Aguila dès son retour. Si vous nous envoyez les photos, nous ferons de notre mieux pour identifier le corps ; je m'en occuperai personnellement et je vous contacterai.

A son tour, Bosch laissa le silence s'installer, puis :

– Je n'ai pas très bien saisi votre nom, capitaine.

– Gustavo Grena, inspecteur en chef de la police judiciaire de Mexicali.

– Capitaine Grena, soyez gentil de dire à Aguila qu'il aura les photos demain.

– Si vite ?

– Oui. Dites-lui que je les lui apporterai moi-même.

– Ce n'est pas nécessaire, inspecteur Bosch. Je pense que…

– Ne vous inquiétez pas, capitaine Grena. Dites-lui que je serai là en début d'après-midi au plus tard.

– Comme vous voulez.

Bosch le remercia et raccrocha. En levant les yeux, il vit que Pounds l'observait à travers les vitres de son bureau. Le lieutenant leva le pouce et les sourcils d'un air à la fois interrogateur et suppliant. Bosch détourna la tête.

Un journalier, songea-t-il. Fernal était un ouvrier agricole qui vivait de petits boulots temporaires ? Que venait faire un ouvrier agricole dans cette histoire ? N'aurait-il pas plutôt servi à passer la glace noire de l'autre côté de la frontière ? Cela dit, il n'avait peut-être rien à voir avec ces opérations de contrebande. Peut-être avait-il simplement signé son arrêt de mort en se trouvant au mauvais endroit au mauvais moment, en voyant quelque chose qu'il n'aurait pas dû voir.

Pour l'instant, Bosch ne possédait que des parties de l'ensemble. Ce qu'il lui fallait, c'était la colle qui permettrait de les assembler correctement et solidement. A l'époque où on lui avait donné son écusson de policier, son équipier à la brigade des vols de Van Nuys lui avait expliqué que l'élément le plus important d'une enquête n'était pas les faits en eux-mêmes, mais la colle pour les fixer ensemble. Et d'après lui, cette colle était faite d'instinct, d'imagination, parfois d'un peu de conjectures et, la plupart du temps, de chance pure et simple.

Deux soirs plus tôt, Bosch avait découvert les faits dans une chambre de motel minable et avait conclu au suicide d'un flic. Il savait maintenant qu'il avait eu tort. A la lumière de tout ce qu'il avait rassemblé, il était évident qu'il y avait eu meurtre et que ce meurtre était lié à plusieurs autres.

Il sortit son carnet et y chercha le nom de l'agent des stups figurant sur le rapport que Moore avait glissé dans le dossier Zorillo. Il releva ensuite le numéro local de la brigade des stups dans son Rolodex et décrocha son téléphone. Quand il chercha à parler à Corvo, l'homme qui avait répondu voulut savoir qui était au bout du fil.

– Dites-lui que c'est le fantôme de Calexico Moore.

Une minute plus tard, une voix lui demanda :

– Qui est à l'appareil ?

– Corvo ?

– Si vous voulez qu'on parle, donnez-moi votre nom. Sinon je raccroche.

Bosch donna son nom.

– C'est quoi ce manège ?

– Laissez tomber. Il faut que je vous rencontre.

– Vous ne m'avez toujours pas dit pourquoi.

– Il vous faut une raison ? OK. Demain matin, je pars pour Mexicali. Je cherche Zorillo. J'ai besoin de l'aide de quelqu'un qui soit au courant de ses combines. J'ai pensé que vous voudriez peut-être en parler d'abord. Etant donné que vous étiez l'informateur de Cal Moore.

– Qui vous dit que je connaissais ce type ?

– Vous avez pris mon appel, non ? Vous lui transmettiez des renseignements de la brigade des stups. Il me l'a dit.

– Ecoutez, Bosch, j'ai bossé en sous-marin pendant sept ans. Vous essayez de me bluffer ou quoi ? Essayez plutôt avec les petits dealers de Hollywood Boulevard ; peut-être que ça marchera mieux avec eux.

– Je serai au Code 7 à 19 heures, dans la salle du fond.

Ensuite, je prends la route du sud. A vous de choisir. Si je vous vois, tant mieux, sinon tant pis.

– Admettons que je décide de venir, comment est-ce que je vous reconnaîtrai ?

– Ne vous inquiétez pas, je vous reconnaîtrai, moi. Vous serez le type qui se prend pour un flic en civil.

En raccrochant, Harry leva les yeux et découvrit Pounds qui rôdait autour de la table des homicides en lisant le dernier rapport sur les « crimes contre les personnes », autre sujet douloureux pour les statisticiens du département. Cette catégorie de délits qui englobait tous les crimes violents augmentait plus vite que l'ensemble des crimes en général. Cela ne signifiait pas seulement que le nombre de crimes s'accroissait, mais aussi que les criminels devenaient de plus en plus agressifs et enclins à la violence. Bosch remarqua les traces de poudre blanche sur le devant du pantalon du lieutenant. Fréquentes, elles étaient à l'origine de plaisanteries sans fin parmi les inspecteurs. Certains affirmaient que Pounds sniffait de la coke, et par tous les trous. Ce qui était particulièrement amusant si l'on considérait que le lieutenant était un des plus grands intégristes du département. Pour d'autres, cette poudre mystérieuse provenait des beignets au sucre qu'il s'enfilait en douce dans sa cage de verre après avoir baissé les rideaux pour que personne ne le voie. Bosch, lui, avait tout compris le jour où il avait reconnu l'odeur qui flottait en permanence autour de son supérieur. D'après Harry, le lieutenant avait l'habitude de se saupoudrer le corps de talc avant d'enfiler sa chemise et sa cravate, mais après avoir mis son pantalon.

Pounds leva les yeux de dessus son rapport et déclara d'un ton qui se voulait détaché :

– Alors, quoi de neuf? Vous avancez dans vos enquêtes ?

Bosch lui adressa un sourire rassurant et hocha la tête, sans rien dire. Il voulait voir Pounds tirer la langue.

– Alors, du nouveau ? insista le lieutenant.

– Un peu. Vous avez eu des nouvelles de Porter aujourd'hui ?

– Porter ? Non, pourquoi ? Ne pensez plus à ce type,

Bosch. C'est un connard. Il ne peut pas vous aider. Alors, qu'avez-vous trouvé ? Vous n'avez pas encore rédigé de rapport ; je viens de jeter un œil à la corbeille.

– J'étais très occupé, lieutenant. J'ai une piste dans l'affaire Jimmy Kapps. J'ai aussi un nom, et peut-être même le lieu du décès dans la dernière enquête de Porter. Vous savez ? Le cadavre qu'on a retrouvé dans la ruelle près de Sunset la semaine dernière ? Je suis sur le point de découvrir qui c'est et pourquoi on l'a tué. J'aurai peut-être les deux réponses demain. Je vais travailler pendant tout le week-end, si vous êtes d'accord…

– Mais certainement ! Prenez toutes les heures sup' dont vous avez besoin. Je remplirai l'autorisation aujourd'hui même.

– Merci.

– Mais, dites-moi, pourquoi est-ce que vous jonglez avec plusieurs affaires ? Pourquoi ne pas choisir celle qui vous semble la plus simple ? Il faut absolument qu'on boucle au moins une affaire, vous le savez.

– Je pense que toutes ces affaires sont liées, voilà pourquoi.

– Vous voulez dire que… (Pounds s'interrompit brusquement et leva la main pour faire signe à Bosch de ne pas ouvrir la bouche.) Mieux vaut parler de tout ça dans mon bureau. Venez.

Une fois assis derrière son bureau à plateau de verre, Pounds s'empara immédiatement de sa règle et se mit à jouer avec.

– OK, Harry, je vous écoute.

Bosch avait décidé d'improviser. Il décida de prendre un ton assuré, comme s'il disposait de preuves solides pour étayer tout ce qu'il disait. En vérité, beaucoup de spéculations et très peu de colle pour faire tenir le tout. Il s'assit dans le fauteuil placé devant le bureau de son supérieur. Ce dernier sentait le talc.

– Jimmy Kapps a été victime d'un règlement de comptes. J'ai découvert hier qu'il avait organisé l'arrestation d'un concurrent, un nommé Dance, qui fourguait de la glace noire dans les rues. Apparemment, Jimmy n'était pas content, car il essayait de développer l'industrie de la marchandise hawaiienne. Conclusion, il a balancé Dance aux types du BANG. Seulement, voilà : après l'arrestation de Dance, le procureur a jeté l'affaire aux oubliettes. Un coup pour rien. Dance a été relâché. Quatre jours plus tard, Kapps se fait descendre.

– OK, OK, dit Pounds. C'est clair. Dance est donc votre suspect ?

– En attendant de trouver mieux. Il a pris la clé des champs.

– Bon, mais quel rapport avec l'affaire Juan Doe ?

– D'après les stups, la glace noire que revendait Dance vient de Mexicali. J'ai obtenu un semblant d'identification de la police judiciaire de là-bas ; à première vue, notre Juan Doe était un certain Gutierrez-Llosa. Et il venait de Mexicali.

– Un passeur ?

– Possible.

– Et vous pensez qu'il s'est fait descendre en représailles à cause de Kapps ?

– Possible.

Pounds acquiesça. Jusqu'à présent, tout baigne, se dit Bosch. Les deux hommes demeurèrent silencieux pendant un instant. Finalement, Pounds se racla la gorge.

– Joli boulot en deux jours, Harry. Excellent. Qu'est-ce qu'on fait maintenant ?

– J'ai l'intention de retrouver Dance et d'obtenir la confirmation de l'identité de Juan Doe…

Il s'arrêta. Il ne savait jusqu'où pousser ses confidences à Pounds. En revanche, il savait qu'il ne lui parlerait pas de son petit voyage à Mexicali.

– Vous dites que Dance est dans la nature ?

– C'est ce qu'on m'a raconté ; je n'en suis pas sûr. Je pense le vérifier ce week-end.

– Très bien.

Bosch décida d'entrouvrir la porte un peu plus.

– Mais il y a autre chose, si ça vous intéresse. Ça concerne Cal Moore.

Pounds posa la règle sur le bureau, croisa les bras et se renversa dans son fauteuil. Sa posture indiquait la prudence. Ils pénétraient maintenant dans une zone où des carrières qui s'annonçaient brillantes pouvaient se trouver réduites à un petit tas de cendres en un rien de temps.

– Très glissant, tout ça... L'affaire Moore n'est pas de notre ressort.

– Et je n'en veux pas, lieutenant. J'ai déjà ces deux-là sur les bras. Mais elle ne cesse de réapparaître à chaque instant. Si vous ne voulez pas en entendre parler, très bien. Je me débrouillerai...

– Non, non, dites-moi tout. Simplement, je n'aime pas ce genre de... complication, voilà tout.

– Oui, c'est le mot qui convient. Bref, comme je vous l'ai dit, c'est l'équipe du BANG qui a procédé à l'arrestation de Dance. Moore n'est intervenu qu'après, mais c'étaient quand même ses hommes... Ensuite, c'est Moore qui découvre le corps dans l'affaire Juan Doe et...

– Hein ? C'est Cal Moore qui a trouvé le corps ? s'exclama Pounds. Je n'ai pas lu ça dans le rapport de Porter !

– Moore est cité sous son numéro de matricule. Quoi qu'il en soit, c'est bien lui qui a découvert le cadavre qu'on a balancé dans la ruelle. Conclusion, il apparaît dans les deux affaires. Et, le lendemain du jour où il découvre le corps de Juan Doe, il prend une chambre dans un motel et on retrouve sa cervelle éparpillée dans la baignoire. Vous savez certainement que la RHD affirme maintenant que ce n'était pas un suicide...

Pounds acquiesça. Mais son visage était comme paralysé. Il s'attendait à un résumé de deux enquêtes. Pas à ça.

– Quelqu'un l'a descendu lui aussi, reprit Bosch. Maintenant, vous avez donc trois affaires. Kapps, Juan Doe et Moore. Sans compter Dance, qui a disparu...

Bosch comprit qu'il en avait suffisamment dit. Il pouvait se rasseoir et regarder son chef faire fonctionner ses méninges. Pounds savait qu'il devait décrocher immédiatement son téléphone et appeler Irving pour solliciter son aide, ou du moins quelques conseils. Mais il savait aussi que cet appel aurait pour conséquence de placer les affaires Kapps et Juan Doe sous la juridiction de la brigade des vols et homicides. Et les enfoirés de la RHD prendraient tout leur temps pour enquêter et Pounds ne verrait aucun résultat avant plusieurs semaines.

– Et Porter ? demanda-t-il. Que pense-t-il de tout ça ?

Jusqu'à présent, Bosch avait tout fait pour maintenir Porter en dehors du coup. Sans savoir pourquoi. Ce dernier avait trahi, il avait menti et pourtant, quelque part au fond de lui, Bosch éprouvait toujours un sentiment de pitié. Peut-être à cause de la dernière phrase qu'il avait prononcée dans le bar : « Tu vas me protéger, Harry ? »

– Je n'ai pas réussi à localiser Porter, mentit Bosch. Son téléphone ne répond pas. Mais je suppose qu'il n'a pas eu le temps de réfléchir à la question.

– Non, évidemment. Il était certainement ivre.

Bosch garda le silence. La balle était maintenant dans le camp de Pounds.

– Dites-moi, Harry, vous n'essayez pas de… Vous jouez franc-jeu avec moi, n'est-ce pas ? Je ne peux pas me permettre de vous laisser la bride sur le cou. Vous m'avez tout dit, hein ?

– Vous en savez autant que moi. Il y a deux affaires qu'on peut élucider, sans doute trois avec celle de Moore. Si vous voulez qu'elles soient réglées en six ou huit semaines, je rédigerai les rapports et vous pourrez les envoyer au Parker Center. Si vous voulez que tout soit terminé avant la fin de l'année comme vous me l'avez demandé… accordez-moi ces quatre jours.

Pounds regardait fixement un point invisible quelque part au-dessus de la tête de Bosch, en se servant de la règle pour se gratter derrière l'oreille. Il prenait une décision.

– OK, dit-il enfin. Prenez la semaine et faites le maximum. Nous verrons bien où nous en sommes lundi. Nous serons peut-être obligés d'appeler la brigade des vols et homicides à ce moment-là. En attendant, je veux avoir de vos nouvelles demain et dimanche. Je veux connaître tous vos déplacements, savoir ce qui se passe, savoir si l'enquête progresse…

– Comptez sur moi.

Bosch se leva et pivota sur ses talons. Il remarqua alors le petit crucifix accroché au-dessus de la porte et se demanda si c'était cela que Pounds regardait fixement. Certains affirmaient que le lieutenant était un adepte du Christ ressuscité. Ils étaient un paquet dans le département. Ils se réunissaient dans une église de la Vallée où un des chefs adjoints était prédicateur laïque. Bosch les soupçonnait de se rendre là-bas le dimanche matin pour se rassembler autour de lui et le flatter.

– Vous me contactez dès demain, hein ? dit Pounds dans son dos.

– Entendu. Demain.

Peu de temps après, Pounds quitta son bureau, en ferma la porte à clé et partit. Bosch resta seul dans la salle, à boire du café et à fumer en attendant les informations de 18 heures. Il y avait un petit téléviseur noir et blanc posé sur un classeur. Il l'alluma et manipula les deux antennes flexibles jusqu'à ce qu'il obtienne enfin une image plus ou moins correcte. Deux policiers en tenue abandonnèrent la permanence pour venir regarder les nouvelles.

Cal Moore faisait enfin l'ouverture du journal. Channel 2 débuta son édition du soir par un reportage sur la conférence de presse organisée à Parker Center, au cours de laquelle le chef adjoint Irving avait révélé des éléments nouveaux. On apercevait Irving devant une forêt de micros. Teresa se tenait derrière lui. Irving la félicita publiquement d'avoir découvert de nouveaux indices qui laissaient penser à un meurtre. Irving précisa ensuite qu'une enquête de grande envergure se déroulait actuellement. Le reportage s'acheva par une photo de Moore, accompagnée d'un commentaire en voix off du journaliste :

« Les enquêteurs ont maintenant pour tâche, et pour devoir personnel, disent-ils, de creuser en profondeur dans la vie du sergent Calexico Moore afin de déterminer ce qui a conduit cet homme jusqu'à ce motel de seconde zone où quelqu'un l'a assassiné. Selon certaines de nos sources, les enquêteurs disposent de fort peu d'éléments comme point de départ, en revanche, ils doivent une fière chandelle au légiste chef par intérim qui a su découvrir un meurtre que l'on avait un peu trop vite considéré comme… le suicide d'un policier solitaire… »

A ce moment-là, la caméra se rapprocha du visage de Moore et le journaliste conclut en ces termes :

« Le mystère ne fait que commencer… »

Bosch éteignit la télé. Les deux policiers en tenue regagnèrent leur poste au bout du couloir et lui retourna à sa place à la table des homicides. La photo de Moore qu'on avait montrée aux infos remontait certainement à plusieurs années, se dit Harry. Son visage paraissait plus jeune, son regard plus limpide. Rien ne laissait deviner une double vie.

Cela l'amena à repenser aux autres photos, celles que, selon Sylvia Moore, son mari avait gardées durant sa vie et qu'il contemplait parfois. Avait-il conservé d'autres souvenirs ? Bosch, lui, n'avait aucune photo de sa mère. Il n'avait connu son père que sur son lit de mort. Quelles casseroles Cal Moore traînait-il derrière lui ?

C'était l'heure de se rendre au Code 7. Mais, avant de quitter le poste de police, Harry se rendit à la permanence au bout du couloir. Il décrocha l'écritoire à pince fixé au mur, à côté des avis de recherche, et auquel était accroché le tableau de service. Il doutait que celui-ci ait été mis à jour au cours de la semaine passée, et il avait raison. Il découvrit ainsi le nom et l'adresse de Moore à Los Feliz sur le planning des sergents. Il recopia l'adresse dans son carnet et sortit.

17

Bosch aspira une longue bouffée de sa cigarette, puis il lança le mégot dans le caniveau. Il hésita un instant avant de tirer sur la poignée en forme de matraque de la porte du Code 7. Il observa, de l'autre côté de First Street, le carré de pelouse qui flanquait l'hôtel de ville et qu'on avait baptisé Freedom Park. Les lampadaires éclairaient les corps de quelques sans-abri, des hommes et des femmes qui dormaient dans l'herbe tout autour du monument aux morts. Ils ressemblaient à des victimes sur un champ de bataille, les défunts qu'on n'avait pas enterrés.

Il entra, traversa la salle du restaurant, puis écarta les rideaux noirs qui, semblables à la robe d'un juge, masquaient l'entrée du bar. L'endroit était rempli d'avocats et de flics, envahi par la fumée bleue des cigarettes. Tous étaient venus ici pour laisser passer l'heure de pointe, puis ils s'étaient enfoncés dans le confort, ou dans l'ivresse. Harry se dirigea vers l'extrémité du bar où des tabourets étaient inoccupés et commanda une bière avec un whisky. A en croire la pendule publicitaire Miller fixée au-dessus des rangées de bouteilles, il était pile 19 heures. Il observa la salle dans le miroir derrière le bar, mais ne découvrit personne qui aurait pu ressembler à l'agent des stups Corvo. Il alluma une autre cigarette et décida de lui accorder jusqu'à 20 heures.

Juste au moment où il prenait cette décision, il regarda de nouveau dans la glace et vit un petit homme brun, avec une barbe noire, écarter les rideaux et hésiter un peu tandis que ses yeux s'habituaient à la lumière tamisée du bar. Il était vêtu d'un jean et d'une chemise qui sortait de sa ceinture. Bosch remarqua le bipper qui s'y trouvait accroché et la bosse de son arme sous sa chemise. L'homme regarda autour de lui jusqu'à ce que leurs regards se croisent dans le miroir ; Harry lui adressa alors un seul hochement de tête. Corvo vint s'asseoir sur le tabouret voisin.

– Vous m'avez reconnu, dit Corvo.

– Vous aussi. Nous aurions tous les deux besoin de retourner à l'école de police. Vous voulez une bière ?

– Ecoutez, Bosch, avant que vous m'offriez à boire, je dois vous avouer que je ne sais pas trop quoi vous dire. J'ignore ce que vous voulez. Je n'ai pas encore décidé si je devais vous parler ou pas.

Harry récupéra sa cigarette dans le cendrier et regarda Corvo dans la glace.

– Moi, je ne sais toujours pas si je préfère le Coca ou le Pepsi.

Corvo descendit de son tabouret.

– Allez, bonsoir…

– Voyons, Corvo ! Prenez une bière. Cool, mec.

– Je me suis renseigné à votre sujet avant de venir. Il paraît que vous êtes un sacré emmerdeur. Vous foncez dans les murs, et tête baissée. De la RHD à la Criminelle de Hollywood, et ensuite ?

– Ma prochaine étape, c'est Mexicali. Et je peux y aller à l'aveuglette, en prenant le risque de marcher sur vos plates-bandes nommées Zorillo ; ou bien vous pouvez m'aider, et vous aider vous aussi, en éclairant ma lanterne…

– Tout ce que je peux vous dire, c'est que vous ne ferez rien du tout. En sortant d'ici, je décroche mon téléphone et adieu le petit voyage au Mexique.

– En sortant d'ici, j'y vais tout droit, et tout seul. Trop tard pour m'arrêter. Asseyez-vous. Si je me suis comporté comme un connard, pardonnez-moi. Ça m'arrive. Mais j'ai besoin des stups et vous avez besoin de moi.

Corvo ne s'était pas rassis.

– Qu'est-ce que vous comptez faire au juste, Bosch ? Entrer dans le ranch, prendre le Pape sur vos épaules et le ramener ici ? C'est ça ?

– En quelque sorte.

– Putain !

– En fait, je ne sais pas trop. J'improviserai, le moment venu. Peut-être que je ne le verrai même pas, ce Pape, mais peut-être que si. Vous êtes prêt à prendre le risque ?

Corvo se rassit sur le tabouret et fit signe au barman. Il commanda la même chose que Bosch. Dans le miroir, ce dernier remarqua la longue cicatrice qui traversait le côté droit de la barbe de Corvo. S'il l'avait laissée pousser dans le but de masquer cette balafre rose-mauve sur sa joue, c'était loupé. Mais peut-être n'était-ce pas le but recherché. La plupart des agents des stups que Bosch connaissait ou avec lesquels il avait travaillé aimaient jouer les machos. Une cicatrice ne pouvait que renforcer leur image. C'était une vie de bluff et de frime, où les cicatrices s'exhibaient comme des médailles. Malgré tout, Bosch se demanda si ce type était encore capable de travailler en sous-marin avec une anomalie physique aussi visible.

Lorsque le barman lui apporta ses deux verres, Corvo vida d'abord son whisky d'un trait, comme un homme.

– Alors, demanda-t-il, pourquoi est-ce que vous allez là-bas, en réalité ? Et pourquoi est-ce que je devrais vous faire confiance ?

Bosch réfléchit quelques instants.

– Parce que je peux vous livrer Zorillo.

– Rien que ça !

Bosch garda le silence. Il devait donner à Corvo ce qui lui revenait, il devait le laisser jouer son rôle jusqu'au bout. Lorsqu'il aurait terminé son numéro, ils pourraient passer aux choses sérieuses. A cet instant, Bosch se dit que la seule chose que les films ou les séries télé rendaient avec exactitude était les rapports de jalousie et de méfiance qui existaient entre la police locale et les fédéraux. L'un des deux camps se croyait toujours meilleur, plus intelligent, plus qualifié. Et celui qui y croyait avait généralement tort.

– OK, dit Corvo, je vous écoute. Qu'est-ce que vous savez ?

– Avant d'aborder ce sujet, j'aimerais vous poser une question : qui êtes-vous, au juste ? Je veux dire, vous travaillez ici à L. A… Qu'est-ce que vous foutez dans les dossiers de Moore ? Comment se fait-il que vous soyez le grand spécialiste de Zorillo ?

– Hé, ça fait au moins dix questions ! Pour répondre à toutes de manière globale, disons que je coordonne l'enquête menée conjointement à Mexicali par les polices de Mexico et de L. A. Nous sommes équidistants, alors nous nous partageons le boulot. Mais je refuse de vous en dire plus avant de savoir si ça en vaut la peine. Je vous écoute.

Bosch lui parla de Jimmy Kapps, de Juan Doe, des liens entre la mort de ces deux hommes, de Dance, de Moore et du commerce de Zorillo. Pour finir, il lui indiqua que, selon ses renseignements, Dance était parti au Mexique, et très certainement à Mexicali, après le meurtre de Moore.

Corvo vida son verre de bière.

– Hé, attendez un peu ! Il y a un gros trou dans votre scénario. Qu'est-ce qui vous fait croire que ce Juan Doe a été descendu là-bas ? Et deuxièmement, pourquoi est-ce qu'on aurait ramené son corps jusqu'ici ? Ça ne tient pas debout…

– L'autopsie établit le décès entre six et huit heures avant que Moore ne le découvre, ou affirme l'avoir découvert dans la ruelle. Certains détails de l'autopsie permettent d'établir un rapprochement avec Mexicali, et l'endroit est très précis. Je pense qu'on a voulu se débarrasser du corps pour qu'on ne puisse pas faire le rapprochement avec cet endroit. On l'a expédié à L. A., car il y avait un camion qui prenait cette direction. C'était plus simple.

– Vous vous exprimez par énigmes, Bosch. De quel endroit parlons-nous exactement ?

– Nous ne parlons pas, c'est ça le problème. Je suis le seul à jacter. Je suis ici pour faire un échange, pas un discours. Je connais votre palmarès : vos collègues et vous n'avez pas intercepté un seul chargement de Zorillo. Moi, je peux vous expliquer par où transite la marchandise. Et vous, qu'avez-vous à m'offrir ?

Corvo éclata de rire et fit un V à l'adresse du barman. Celui-ci leur apporta deux autres bières.

– Vous voulez que je vous dise, Bosch ? Vous me plaisez. Croyez-le si vous voulez. Je me suis renseigné à votre sujet, et j'aime bien ce que j'ai appris. Pourtant, quelque chose me dit que vous n'avez rien de sérieux à me proposer.

– Etes-vous allé fourrer votre nez dans un endroit baptisé EnviroGènes ?

Corvo baissa les yeux sur le verre de bière posé devant lui ; il semblait ordonner ses pensées. Bosch allait devoir le bousculer :

– Alors, oui ou non ?

– EnviroGènes est une usine. On y élève des mouches stériles pour les lâcher ensuite dans la nature, ici en Californie. Ils ont passé un contrat avec le gouvernement. On est obligé d'élever ces saloperies là-bas parce que…

– Oui, je sais tout ça. Mais vous, comment se fait-il que vous soyez au courant ?

– Pour une simple et bonne raison : j'ai participé à l'élaboration de notre opération sur place. Nous cherchions un point d'observation pour pouvoir surveiller le ranch. Nous avons étudié toutes les installations industrielles qui bordent le ranch afin de trouver des candidats. Le choix d'EnviroGènes nous a semblé évident. C'est une société américaine, sous contrat avec le gouvernement. Nous sommes allés voir s'il était possible d'installer un poste d'observation, sur le toit par exemple, ou alors dans un bureau. La propriété de Zorillo commence juste de l'autre côté de la route.

– Mais ils ont refusé.

– Non, ils ont accepté. En fait, c'est nous qui avons refusé.

– Pour quelle raison ?

– A cause des radiations. Et des insectes. Ces saloperies volent dans tous les coins. Mais surtout, la vue était masquée. Nous sommes montés sur le toit ; on voyait bien le ranch, malheureusement l'étable et les écuries – toutes les installations d'élevage de taureaux – se trouvaient juste dans l'alignement entre EnviroGènes et les bâtiments principaux du ranch. Impossible de s'installer là. Alors, on a remercié le proprio et on est partis.

– Vous aviez une couverture ? Ou bien vous avez débarqué là-bas en montrant vos insignes de la brigade des stups ?

– Non, on avait inventé une histoire. On s'est fait passer pour des types de la météorologie nationale participant à un programme destiné à étudier les vents du désert et des montagnes. Une connerie dans ce genre-là. Le type a tout gobé.

– Je vois.

Corvo s'essuya les lèvres du revers de la main.

– Mais que vient faire EnviroGènes dans votre histoire ?

– Ça concerne Juan Doe. En faisant l'autopsie, on a retrouvé dans son corps ces insectes dont vous parliez. J'en déduis qu'il a certainement été tué là-bas.

Corvo se retourna pour regarder Bosch ; celui-ci continua à l'observer dans le miroir derrière le bar.

– OK, Bosch, j'avoue que vous avez éveillé ma curiosité. Allez-y, crachez le morceau.

Bosch lui expliqua que, selon lui, l'usine EnviroGènes, dont il ignorait qu'elle se trouvait juste en face du ranch de Zorillo avant que Corvo ne le lui apprenne, faisait partie des moyens d'acheminement de la glace noire. Après quoi, il lui exposa le reste de sa théorie : Fernal Gutierrez-Llosa était un ouvrier agricole qui servait de passeur et n'avait pas su se montrer à la hauteur ; ou bien alors, il travaillait dans l'usine d'élevage d'insectes et avait vu quelque chose qu'il n'aurait pas dû voir... ou fait quelque chose qu'il n'aurait pas dû faire. Dans un cas comme dans l'autre, on l'avait frappé à mort, on avait planqué son corps dans une boîte blanche en plastique et il était parti pour Los Angeles avec une cargaison de drosophiles. Son cadavre avait été balancé à Hollywood et « découvert » par un Moore qui était sans doute responsable de l'opération de ce côté-ci de la frontière.

– Vous comprenez, ils étaient obligés de se débarrasser du corps pour ne pas provoquer une enquête dans l'usine. Il y a quelque chose là-bas. Quelque chose, en tout cas, qui valait la peine qu'on assassine un vieil homme.

Corvo avait appuyé son coude sur le bar et se tenait le menton dans la paume de sa main.

– Qu'a-t-il vu, à votre avis ? demanda-t-il.

– Je l'ignore. Je sais seulement qu'EnviroGènes a conclu un arrangement avec les fédéraux pour qu'on ne touche pas

à leurs chargements à la frontière. En ouvrant les boîtes, on risquerait d'endommager leur contenu.
– A qui avez-vous raconté tout ça ?
– A personne.
– Personne ? Vous n'avez parlé d'EnviroGènes à personne ?
– J'ai simplement mené ma petite enquête. Vous êtes le premier à qui je raconte cette histoire.
– Qui avez-vous interrogé ? Vous avez appelé la police judiciaire mexicaine ?
– Oui. Ils ont envoyé au consulat un avis de recherche concernant l'ouvrier agricole. C'est comme ça que j'ai fait le lien. Il me reste encore à obtenir l'identification formelle du corps une fois sur place.
– Oui, mais leur avez-vous parlé d'EnviroGènes ?
– Je leur ai demandé si, à leur connaissance, la victime travaillait pour cette société…

Corvo se retourna vers le bar avec un soupir d'exaspération.
– A qui avez-vous parlé, là-bas ?
– Un certain capitaine Grena.
– Connais pas. Mais je suis prêt à parier que vous avez bousillé votre piste. On ne peut pas parler de certaines choses avec les flics du cru ; ils décrochent aussitôt leur téléphone pour appeler Zorillo et leur répéter ce qu'on vient de leur dire ; ça leur rapporte un petit bonus en fin de mois.
– Il se peut que la piste soit foutue, mais pas forcément. Grena m'a mis sur la touche ; il pense peut-être être débarrassé de moi. En tout cas, moi, je n'ai pas débarqué dans l'usine avec mes gros sabots en demandant la permission d'installer une station météo…

Après cet échange les deux hommes restèrent silencieux. Chacun réfléchissait à ce qu'avait dit l'autre.
– Je vais m'occuper de tout ça immédiatement, déclara finalement Corvo. Vous devez me promettre de ne pas foutre la merde en arrivant là-bas.
– Je ne vous promets rien. Jusqu'à présent, c'est moi qui ai tenu le crachoir. Vous ne m'avez toujours rien dit.
– Que voulez-vous savoir ?

– Parlez-moi de Zorillo.

– Sachez seulement qu'on cherche à l'épingler depuis un bon bout de temps…

Cette fois, ce fut Bosch qui fit signe qu'on leur apporte deux autres bières. Il alluma une cigarette et vit la fumée déformer son reflet dans le miroir.

– La seule chose que vous devez savoir de Zorillo, c'est que ce salopard est sacrément rusé et, comme je vous l'ai dit, je ne serais pas du tout surpris s'il attendait déjà votre visite. Enfoirés de flics ! Généralement, on ne traite qu'avec les *federales*. Même eux, on ne peut pas leur faire plus confiance qu'à son ancienne femme… (Bosch acquiesça d'un air entendu, dans l'espoir que Corvo continue.) S'il n'est pas encore prévenu, il sera au courant avant que vous arriviez. Je vous conseille donc de faire gaffe. Et la meilleure façon de faire gaffe, c'est de ne pas y aller. Mais avec un type comme vous, je sais que cette solution n'est pas envisageable. Dans ce cas, la seule chose à faire, c'est d'éviter au maximum les flics de là-bas. Pas question de leur faire confiance. Le Pape a des gens à lui partout. OK ?

Bosch hocha la tête, se regarda dans le miroir et décida d'arrêter de hocher la tête à tout bout de champ.

– Je sais que tout ce que je viens de vous dire vous est entré par une oreille et ressorti par l'autre, reprit Corvo. Alors… je suis prêt à vous mettre en contact avec un type de là-bas. Il s'appelle Ramos. En débarquant sur place, vous allez faire vos salutations aux flics du coin, vous faites comme si tout était parfait, et après, vous vous branchez avec Ramos, il…

– OK, mais si la piste d'EnviroGènes s'avère fructueuse, et si vous décidez de vous attaquer à Zorillo, je veux en être.

– Entendu, entendu. Pour l'instant, contentez-vous de suivre les conseils de Ramos, d'accord ?

Bosch réfléchit encore un instant.

– D'accord, répondit-il enfin. Maintenant, parlez-moi de Zorillo. Vous n'arrêtez pas de changer de sujet.

– Ça fait un bail qu'il est dans la partie. On a des informations sur lui qui remontent au moins aux années 70. Un dealer de carrière. Un champion du trampoline, pourrait-on dire… (Bosch avait déjà entendu cette expression, mais il savait que Corvo allait se faire un plaisir de s'expliquer.) La glace noire n'est que sa dernière activité en date. Quand il était gamin, Zorillo était un *marijuanito*. Un type ressemblant à celui qu'il est devenu aujourd'hui l'a sorti du barrio. A douze ans, il passait la frontière avec des sacs à dos remplis d'herbe ; plus tard, il a conduit des camions et continué à gravir les échelons. Dans les années80, alors que la plupart de nos efforts étaient concentrés sur la Floride, les Colombiens ont passé un accord avec les Mexicains. Ils expédiaient la cocaïne au Mexique et les Mexicains lui faisaient franchir la frontière en utilisant les bons vieux chemins de la marijuana. De Mexicali à Calexico, par exemple. Ils appelaient cette route le Trampoline : la came saute de Colombie au Mexique, puis du Mexique jusqu'aux States. Puis Zorillo est devenu riche. Il a quitté le barrio pour vivre dans un immense ranch avec sa *guardia* privée, et la moitié des flics de Baja à sa solde. Et le cycle a recommencé. Il choisit la plupart de ses hommes dans les bidonvilles. Il n'a jamais oublié le barrio, et le barrio ne l'a jamais oublié. C'est une histoire de fidélité. C'est à cette époque qu'on l'a surnommé El Papa. Quand on a changé notre fusil d'épaule pour nous adapter au trafic de la cocaïne au Mexique, le Pape est passé à l'héroïne. Il a installé des laboratoires dans les barrios du coin. Il n'a jamais manqué de volontaires pour transporter sa marchandise. Pour un seul voyage, il offrait à ces pauvres types plus de fric qu'ils ne pouvaient en gagner en travaillant cinq ans.

Bosch songea à la tentation que cela représentait ; tout cet argent pour si peu de risques ! Même ceux qui se faisaient prendre ne restaient pas longtemps en prison.

– Le passage de l'héroïne à la black s'est fait tout naturellement. Zorillo est un chef d'entreprise. De toute évidence, cette drogue n'en est encore qu'à ses débuts ; elle n'a pas atteint la célébrité. Mais nous pensons qu'il est le plus grand fournisseur du pays. La black commence à apparaître un peu partout chez nous : New York, Seattle, Chicago, dans toutes les grandes villes. Le trafic que vous avez découvert par hasard à L. A. n'est qu'une goutte d'eau dans l'océan. Une parmi tant d'autres. On pense qu'il continue à faire le trafic d'héroïne pure avec ses passeurs des barrios, mais il mise surtout sur la black. Cette saloperie représente l'avenir et il le sait. Il a décidé de s'y consacrer de plus en plus, et il va finir par chasser les Hawaiiens du marché. Ses frais sont si peu élevés que sa came se vend vingt dollars de moins que le prix courant d'une dose d'ice hawaiienne ou de « verre », appelez ça comme vous voulez. Et la came de Zorillo est de meilleure qualité. Il est en train de supplanter les Hawaiiens sur tout le territoire des Etats-Unis. Le jour où la demande commencera à monter en flèche, sans doute aussi vite que le crack dans les années 80, il fera flamber les prix et disposera d'un quasi-monopole, jusqu'à ce que les autres le rattrapent. Zorillo ressemble un peu à ces bateaux de pêche qui traînent d'immenses filets dans leur sillage. Il fait des grands cercles et il va finir par prendre tous les poissons au piège.

– Un chef d'entreprise, répéta Bosch, histoire de dire quelque chose.

– Oui, c'est comme ça que je le qualifierais. Vous vous rappelez quand la police frontalière a découvert le tunnel en Arizona, il y a deux ou trois ans de ça ? Il partait d'un entrepôt situé d'un côté de la frontière et allait jusqu'à un autre entrepôt, de l'autre côté. A Nogales. Eh bien, on pense que Zorillo faisait partie des actionnaires du projet. L'idée venait peut-être même de lui.

– Mais le résultat, c'est que vous n'avez jamais pu mettre la main sur lui…

– Oui. Chaque fois qu'on s'est approchés un peu trop, ça s'est soldé par un mort. On peut dire que c'est un chef d'entreprise du genre violent.

Bosch revit le corps de Moore dans la salle de bains du motel. Avait-il projeté de s'en prendre à Zorillo ?

– Zorillo est lié à l'eMe, reprit Corvo. On dit qu'il peut faire assassiner n'importe qui n'importe où. Dans les années 70, il y a eu un tas de massacres pour s'assurer le contrôle des routes d'acheminement de la marijuana. Zorillo a su se faire sa place. C'était comme une guerre entre gangs, barrio contre barrio. Depuis, il les a tous réunis, mais, à l'époque, son clan dominait tous les autres. Les Saints et les Pécheurs. Beaucoup de gars de l'eMe viennent de là.

L'eMe était la mafia mexicaine, un gang latino qui exerçait son influence sur les détenus dans la plupart des prisons du Mexique et de Californie. Bosch ne savait pas grand-chose sur eux ; il s'était rarement occupé d'affaires les concernant. Toutefois, il savait que l'allégeance au groupe ne pouvait être remise en cause. Toute infraction était punie de mort.

– Comment vous savez tout ça ? demanda-t-il.

– Par des informateurs, au fil des ans. Ceux qui ont survécu assez longtemps pour parler. On possède toute une biographie sur notre ami le Pape. Je sais même qu'il a un tableau d'Elvis en velours accroché au mur de son bureau.

– Est-ce que son barrio avait un signe ?

– Un signe ?

– Un symbole, si vous préférez.

– Oui, un diable. Avec une auréole.

Bosch vida son verre de bière et regarda autour de lui dans le bar. Il aperçut un adjoint du district attorney chargé d'entériner sans discussion toutes les enquêtes sur les fusillades policières. Il était assis seul à une table devant un martini. Bosch reconnut également quelques flics réunis à d'autres tables. Ils fumaient tous et ressemblaient à une bande de dinosaures. Harry avait envie de partir, d'aller dans un endroit où il pourrait réfléchir tranquillement à ce renseignement. Un diable avec une auréole. Moore avait ce dessin tatoué sur le bras. Il venait du même endroit que Zorillo. Harry sentit son taux d'adrénaline monter d'un cran.

– Comment ferai-je pour entrer en contact avec Ramos ?

– C'est lui qui vous contactera. Où logez-vous ?

– Je ne sais pas.

– Prenez une chambre au De Anza, à Calexico. C'est moins dangereux de ce côté-ci de la frontière. Et je vous conseille également de rester à l'eau.

– D'accord.

– Encore une chose : vous ne devez pas franchir la frontière avec une arme. Non pas que ce soit impossible : il suffit de montrer votre insigne au poste de contrôle et personne ne vous fera ouvrir vos bagages. Mais, si jamais il y a des problèmes, la première chose qu'ils feront sera de vérifier si vous avez laissé votre arme au poste de police de Calexico. (Il lui adressa un signe de tête entendu.) Ils ont un placard spécial au commissariat de Calexico où ils gardent les armes des flics qui passent la frontière. Vous signez le registre et ils vous filent un reçu. Simple courtoisie entre collègues. Alors, n'oubliez pas de laisser une arme. Ne franchissez pas la frontière avec un flingue en vous imaginant qu'après, vous pourrez raconter que vous l'avez laissé ici. Déposez-le là-bas. Faites-vous inscrire dans le registre. De cette façon, vous éviterez les ennuis. *Comprende ?* C'est comme si vous aviez un alibi pour votre arme en cas de problème.

Bosch acquiesça. Il comprenait ce que voulait dire Corvo.

Celui-ci sortit son portefeuille et lui tendit une carte de visite.

– Appelez-moi à n'importe quelle heure ; si je ne suis pas à mon bureau, on saura où me joindre. Annoncez votre nom à la standardiste. Je donnerai des instructions pour qu'on me passe la communication.

Corvo s'exprimait maintenant de manière différente. Son débit était plus rapide. Sans doute était-il excité par le tuyau concernant EnviroGènes. L'agent des stups avait hâte de passer à l'action. Harry l'observa dans la glace. La cicatrice de sa joue paraissait plus sombre tout à coup, comme si elle avait changé de couleur en même temps que l'humeur de son propriétaire. Corvo le regarda lui aussi dans la glace.

– Coup de couteau, dit-il en caressant sa cicatrice. A Zihuatenajo. J'étais sur une affaire, en sous-marin. J'avais mon flingue dans ma botte. Mais le type m'a eu avant que j'aie le temps de le sortir. Là-bas, tous les hôpitaux sont nuls ; ils ont salopé le boulot et je me suis retrouvé avec cette saloperie. Après ça, adieu les missions d'infiltration. Trop reconnaissable…

Bosch sentit que Corvo aimait raconter cette histoire. Il

débordait de fierté. C'était sans doute la seule fois où il avait frôlé la mort. Bosch savait que Corvo attendait qu'il lui pose la question. Il la posa donc :

– Et le type qui vous a fait ça ?

– Il a eu droit à un enterrement de première classe. Je l'ai descendu dans la foulée.

Corvo avait trouvé le moyen de teinter d'héroïsme le meurtre d'un type armé d'un couteau par un type armé d'un flingue. A ses yeux du moins. Sans doute racontait-il cette anecdote chaque fois qu'il surprenait quelqu'un en train d'observer sa cicatrice. Bosch acquiesça d'un air plein de respect, puis il descendit de son tabouret et déposa de l'argent sur le bar.

– N'oubliez pas notre marché, dit-il. Vous ne faites rien contre Zorillo sans moi. Prévenez Ramos.

– Vous avez ma parole, répondit Corvo. Par contre, je ne vous garantis pas que ça se passera pendant que vous serez là-bas. Il n'est pas question de brusquer les choses. De toute façon, nous avons perdu Zorillo. Temporairement, bien entendu.

– Comment ça, vous l'avez « perdu » ?

– Nous ne l'avons pas vu depuis une dizaine de jours. Mais nous pensons qu'il est toujours au ranch. Simplement, il se fait discret, contrairement à ses habitudes.

– Ses habitudes ?

– Le Pape est un homme qui aime se montrer. Il aime nous narguer. Généralement, il parcourt le ranch au volant de sa Jeep pour chasser les coyotes, faire des cartons avec son Uzi ou admirer ses taureaux. L'un d'eux en particulier, un champion qui a tué un matador. El Temblar, qu'il s'appelle. Zorillo va très souvent l'admirer. Cet animal lui ressemble. Aussi fier... Bref, on n'a pas vu Zorillo dans son ranch, ni à la plaza de los Toros comme chaque dimanche. On ne l'a pas vu se promener à travers les barrios pour se rappeler d'où il vient. C'est un personnage très célèbre dans ces quartiers. Ça lui plaît, ce titre de « Pape de Mexicali »...

Bosch essaya d'imaginer la vie de Zorillo. Monsieur était une célébrité dans une ville qui n'avait rien à célébrer. Il alluma une cigarette ; il avait envie de foutre le camp.

– Quand l'a-t-on vu réellement pour la dernière fois ?
– S'il est encore au ranch, il n'en est pas sorti depuis le 15décembre. C'était un dimanche. Il est allé admirer ses taureaux dans l'arène. Ensuite, on passe au 18, à en croire certains informateurs qui disent l'avoir entr'aperçu en train de glander sur sa propriété. Mais c'est tout. Soit il s'est barré en douce, soit il se fait discret, comme je le disais.
– Peut-être parce qu'il a ordonné le meurtre d'un flic…
Corvo hocha la tête.
Après cela, Bosch repartit seul. Corvo avait un coup de fil à passer. En sortant du bar, Harry fut saisi par l'air frais du soir. Il tira la dernière bouffée de sa cigarette. Il perçut un mouvement dans le square, de l'autre côté de la rue. Un des sans-abri pénétra dans le cône de lumière d'un lampadaire. C'était un Noir qui sautillait en faisant des gestes saccadés avec ses bras. Il pivota brusquement sur lui-même et retourna dans l'obscurité ; joueur de trombone dans une fanfare d'un autre monde.

18

L'immeuble où avait vécu Cal Moore était un bâtiment de deux étages qui faisait saillie dans Franklin, un peu à la manière des taxis sur le trottoir de l'aéroport. Il comptait parmi les nombreuses constructions en stuc de l'après-guerre qui bordaient les rues du quartier. L'endroit s'appelait Les Fontaines, mais celles-ci avaient été remplies de terre et transformées en bacs à fleurs. Non loin de là se dressait la grande maison ancienne qui servait de quartier général à l'Eglise de scientologie, néon blanc de l'enseigne projetant une étrange lueur sur le trottoir où se trouvait Bosch. Heureusement, il était presque 22 heures et personne ne risquait de venir lui proposer un test de personnalité. Il resta là une demi-heure, à fumer et observer l'immeuble de Moore avant de se décider à y entrer par effraction.

La résidence n'était pas surveillée. Bosch força la serrure du portail à l'aide du couteau à beurre qu'il conservait avec ses crochets dans la boîte à gants de la Caprice. La seconde porte, celle qui donnait dans le hall, ne lui posa aucun problème : elle avait besoin d'être huilée et ne fermait pas complètement. Bosch entra dans l'immeuble et parcourut la liste des locataires ; il découvrit le nom de Moore en face du chiffre 7, au deuxième étage.

L'appartement se trouvait au bout d'un couloir qui traversait tout l'étage. Arrivé devant la porte, Harry découvrit le scellé autocollant de la police fixé en travers du chambranle. Il le découpa avec le petit canif attaché à son porte-clefs et s'agenouilla pour examiner la serrure.

Il y avait deux autres appartements à l'étage. Aucun écho de téléviseur, aucun bruit de conversation ne lui parvenait. L'éclairage du couloir était suffisant, il n'eut pas besoin de sa lampe-torche. La porte de Moore était munie d'un simple verrou à gorges standard. A l'aide d'un crochet incurvé et d'un peigne en dents de scie, il le fit sauter en moins de deux minutes.

Sa main enveloppée d'un mouchoir posée sur la poignée, prêt à ouvrir la porte, il se demanda une fois de plus s'il était prudent de pénétrer dans cet appartement. Si jamais Irving ou Pounds venaient à l'apprendre, il se retrouverait à patrouiller dans les rues avant même le 1er janvier. Après avoir jeté un dernier coup d'œil dans le couloir, il tourna la poignée et poussa la porte. Il fallait qu'il entre. Apparemment, tout le monde se fichait de ce qui était arrivé à Cal Moore, et ce n'était pas plus mal. Mais Bosch, lui, ne s'en fichait pas. Pour une raison qu'il espérait trouver entre ces murs.

Une fois à l'intérieur, il referma et verrouilla la porte. Il resta immobile quelques instants, le temps que ses yeux s'habituent à l'obscurité. L'appartement sentait le moisi ; la seule lumière provenait du néon bleu et blanc de l'Eglise de scientologie et filtrait à travers les voilages de la fenêtre du salon. Bosch s'avança dans la pièce et alluma la lampe posée sur une table basse au bout d'un vieux canapé avachi. La lumière dévoila un décor qui n'avait sans doute pas changé depuis vingt ans. Le tapis bleu marine était usé jusqu'à la trame sur le chemin qui conduisait du canapé à la cuisine et au couloir qui partait sur la droite.

Poursuivant son exploration, il jeta un coup d'œil dans la cuisine, dans la chambre et la salle de bains. Il était frappé par l'aspect dénudé de cet appartement. Il ne s'y trouvait aucun objet personnel. Aucune photo sur les murs, pas de mot sur la porte du réfrigérateur, pas de veste suspendue au dossier d'une chaise. Même pas une assiette dans l'évier. Moore avait vécu ici et pourtant, c'était presque comme s'il n'avait pas existé.

Ne sachant pas ce qu'il cherchait, il commença par la cuisine. Il ouvrit des placards et des tiroirs. Il trouva une boîte de céréales, un pot de café et une bouteille d'Early Times aux trois quarts pleine. Dans un autre placard, il découvrit une bouteille de rhum non ouverte avec une étiquette mexicaine. La bouteille renfermait une tige de cane à sucre. Dans les tiroirs traînaient quelques couverts et ustensiles de cuisine, plusieurs pochettes d'allumettes provenant de bars situés dans les environs de Hollywood, comme le Ports et le Bullet.

Le congélateur était vide, à l'exception de deux bacs à glace. Sous l'étagère supérieure du frigo, il trouva un pot de moutarde, un paquet à demi entamé de saucisses rances et une unique boîte de Budweiser autour de laquelle était encore attaché le collier en plastique du pack de six. En bas de la porte traînait un sachet d'un kilo de sucre en poudre.

Harry examina le paquet. Il n'était pas ouvert. Et puis zut, se dit-il, maintenant que je suis venu jusqu'ici ! Il s'en empara, l'ouvrit et en versa lentement le contenu dans l'évier. Ça ressemblait à du sucre. Ça avait le goût du sucre. Il n'y avait rien d'autre dans le paquet. Il fit couler l'eau chaude et regarda le monticule blanc disparaître dans le trou d'évacuation.

Abandonnant le paquet vide sur le plan de travail, il se rendit à la salle de bains. Il y avait une brosse à dents dans le porte-brosses, et de quoi se raser dans l'armoire à glace. Rien d'autre.

Dans la chambre, Bosch examina d'abord la penderie. Différents vêtements étaient suspendus sur des cintres, d'autres entassés dans un panier à linge sale en plastique posé par terre. Sur l'étagère étaient rangées une valise en tissu écossais vert et une boîte à chaussures blanche avec le mot *Snakes* inscrit dessus. Bosch commença par renverser le panier pour fouiller dans les poches des chemises et des pantalons sales. Elles étaient vides. Il passa ensuite en revue tous les vêtements accrochés, jusqu'à ce qu'il atteigne le fond de la penderie et découvre l'uniforme de cérémonie de Moore enveloppé dans une housse en plastique. Dès qu'on passait inspecteur, on n'avait plus qu'une seule raison de conserver cet uniforme : pour se faire enterrer avec. Bosch y voyait un mauvais présage, un manque de confiance. Conformément au règlement, il conservait lui aussi son uniforme en cas de crise, disons un tremblement de terre ou une émeute. Mais il avait balancé son uniforme de cérémonie depuis dix ans.

Il descendit la valise ; elle était vide et sentait le moisi. Elle n'avait pas servi depuis longtemps. Il descendit ensuite la boîte à chaussures et devina qu'elle était vide avant même de l'ouvrir. A l'intérieur, il y avait juste du papier de soie.

Bosch la remit sur l'étagère en repensant à la botte de Moore posée droite sur le carrelage de la salle de bains du Hideaway et se demanda si le meurtrier avait eu du mal à la lui ôter pour parachever sa mise en scène. Avait-il ordonné à Moore de l'enlever lui-même ? Non, certainement pas. Le coup porté derrière la tête et repéré lors de l'autopsie indiquait que Moore n'avait pas vu son agresseur. Bosch s'imagina le meurtrier, le visage dissimulé dans l'obscurité, s'approchant par-derrière et abattant la crosse de son fusil sur la nuque de sa victime. Moore qui s'effondre. Le meurtrier retire la botte, traîne le malheureux dans la salle de bains, l'appuie contre la baignoire et appuie sur les deux détentes. Il les essuie, colle le pouce du mort sur la crosse et fait glisser ses mains sur les canons pour laisser des traînées convaincantes. Puis il pose la botte droite sur le sol. Il éparpille quelques éclats de bois de la crosse et le tour est joué. Suicide.

Le lit à une place était défait. Sur la table de nuit se trouvaient quelques dollars en menue monnaie et une petite photo encadrée représentant Moore avec son épouse. Bosch se pencha pour l'observer, sans y toucher. Sylvia souriait ; elle semblait être assise dans un restaurant, ou peut-être à une table de banquet lors d'un mariage. Elle était très belle et son mari la regardait comme s'il le savait.

– Tu as tout foiré, Cal, dit-il à voix haute.

Il s'approcha ensuite de la commode, si vieille et si balafrée par les brûlures de cigarettes et les initiales découpées au couteau que l'Armée du Salut elle-même n'en aurait peut-être pas voulu. Le tiroir du haut renfermait un peigne et un cadre de photo en merisier posé à l'envers. Bosch le retourna et constata qu'il était vide. Il réfléchit quelques instants. Un motif floral était sculpté dans le bois ; c'était un objet coûteux qui ne se trouvait certainement pas avec les meubles. Moore l'avait apporté avec lui. Mais pourquoi était-il vide ? Bosch aurait aimé pouvoir demander à Sheehan si lui ou quelqu'un d'autre avait pris une photo dans l'appartement pour les raisons de l'enquête. Mais impossible, bien évidemment, de poser cette question sans révéler qu'il était venu ici.

Le tiroir suivant contenait en tout et pour tout des sous-vêtements, des chaussettes et une pile de T-shirts pliés. Il y avait d'autres vêtements dans le troisième tiroir, tous soigneusement pliés par le pressing. Sous une pile de chemises était caché un magazine porno qui annonçait en couverture les photos nues d'une célèbre actrice de Hollywood. Bosch feuilleta la revue, plus par curiosité que dans l'espoir d'y découvrir un indice. Nul doute que le magazine était passé entre les mains de tous les inspecteurs et policiers qui étaient entrés dans l'appartement de Moore durant l'enquête qui avait suivi sa disparition.

Bosch referma le magazine après avoir constaté que les photos de l'actrice étaient en fait des clichés sombres et flous permettant tout juste de deviner qu'elle avait les seins nus. Sans doute provenaient-ils d'un vieux film tourné à l'époque où elle ne possédait pas encore assez d'influence pour contrôler l'exploitation de son corps. Il imagina la déception des hommes alléchés par la couverture, qui avaient acheté le magazine et découvert ces photos. Il imagina également la colère et la gêne de l'actrice. Et Cal Moore là-dedans ? La vision fugitive de Sylvia Moore traversa son esprit. Il remit le magazine sous la pile de chemises et referma le tiroir.

Le dernier tiroir de la commode contenait deux choses : un vieux blue-jean délavé et un sac en papier blanc froissé qui, ramolli par le temps, renfermait une épaisse liasse de photos. Voilà ce qu'il était venu chercher. Bosch le comprit instinctivement en soulevant le sac. Il l'emporta hors de la chambre, éteignant la lumière du plafonnier avant de sortir.

Assis sur le canapé près de la lampe, il alluma une cigarette et sortit la liasse de photos du sac. Immédiatement, il s'aperçut que la plupart étaient vieilles et jaunies. D'une certaine façon, ces clichés paraissaient plus intimes, plus indiscrets que ceux du magazine porno. Ils illustraient la triste histoire de Cal Moore.

Les photos semblaient vaguement classées par ordre chronologique, qui passaient du noir et blanc terne à la couleur. D'autres indices, tels que les vêtements et les voitures, confirmaient cette hypothèse.

La première, en noir et blanc, représentait une jeune femme de type hispanique vêtue d'une blouse blanche d'infirmière. Brune et jolie, elle affichait un sourire timide et semblait avoir été surprise au bord d'une piscine, les mains derrière le dos. Bosch remarqua l'extrémité d'un objet rond derrière elle et comprit alors qu'elle tenait un plateau. Elle n'avait pas voulu qu'on la photographie avec cet objet. Ce n'était pas une infirmière. C'était une employée de maison. Une domestique.

Il y avait d'autres photos de cette femme dans le paquet, et elles s'étendaient sur plusieurs années. Le temps avait été doux avec elle, même s'il avait imprimé ses marques. Elle avait conservé une beauté exotique, mais des rides d'inquiétude étaient apparues sur son visage et ses yeux avaient perdu un peu de leur éclat. Sur certains clichés, elle tenait un bébé dans les bras, puis elle posait avec un petit garçon. En regardant de près, bien que la photo fût en noir et blanc, Bosch devina que l'enfant aux cheveux noirs et au teint mat avait les yeux clairs. Des yeux verts, se dit-il. Calexico Moore et sa mère.

Sur une des photos, la femme et le petit garçon posaient devant une grande maison blanche avec un toit en tuiles. On aurait dit une villa méditerranéenne. Au second plan, mais floue à cause de la profondeur de champ, se dressait une sorte de tour, avec deux fenêtres obscures et indistinctes, comme des orbites vides, près du sommet. Bosch se souvint que Moore avait dit à sa femme qu'il avait grandi dans un château. C'était celui-là.

Sur une autre photo, le garçon se tenait droit comme un i à côté d'un homme, un Anglo aux cheveux blonds et au visage fortement hâlé. Tous les deux posaient près d'une Thunderbird de la fin des années 50 aux formes élancées. L'homme avait une main posée sur le capot de la voiture, l'autre sur la tête de l'enfant. Ces deux choses lui appartenaient, semblait dire la photo. L'homme regardait l'objectif en plissant les yeux.

Malgré tout, on parvenait à distinguer ses iris. Ils étaient du même vert que ceux de son fils. Son crâne était dégarni sur le dessus et, en faisant la comparaison avec les photos du garçon et de sa mère prises à peu près à la même époque, Bosch déduisit que le père de Moore avait au moins quinze ans de plus que sa mère. Cette photo du père et du fils était toute écornée à force d'avoir été manipulée.

Les clichés suivants avaient été pris dans un autre décor. A Mexicali, sans doute. Ces documents étaient moins nombreux, mais illustraient une période plus longue. D'une photo à l'autre, le garçon grandissait de manière brutale, le décor évoquant le tiers monde. Elles avaient été prises dans le barrio. Très souvent, des gens étaient massés au second plan, tous mexicains, avec sur le visage le discret mélange de désespoir et d'espoir que Bosch avait vu dans les ghettos de Los Angeles.

Un autre garçon avait fait son apparition. Il était du même âge que le premier, ou peut-être un peu plus vieux. Mais il paraissait plus robuste, plus costaud. Il était souvent aux côtés de Cal. Un frère peut-être, se dit Bosch.

Dans ce lot de clichés, la mère commençait à laisser paraître plus nettement son âge. La jeune fille qui cachait son plateau de serveuse avait disparu, remplacée par une mère usée par les rigueurs de la vie. Les photos avaient désormais quelque chose d'obsédant. Harry se sentit gêné de les regarder, et crut comprendre le pouvoir qu'elles exerçaient sur Moore.

La dernière photo en noir et blanc montrait les deux garçons, torse nu et assis dos à dos à une table de pique-nique, riant d'une plaisanterie figée à jamais dans le temps. Calexico était un adolescent au sourire innocent. L'autre garçon, d'un an ou deux son aîné peut-être, paraissait plus téméraire. Son regard était dur, sombre. Cal avait levé le bras droit pour montrer ses biceps au photographe. Bosch remarqua que le tatouage était déjà là. Le diable avec une auréole. Saints et Pécheurs.

Après, l'autre garçon n'apparaissait plus. Il s'agissait de photos en couleurs prises à Los Angeles. Sur l'une d'elles,

Bosch reconnut l'hôtel de ville au second plan et sur une autre la fontaine d'Echo Park. Moore et sa mère étaient allés vivre aux Etats-Unis. L'autre garçon était resté là-bas.

Vers la fin du paquet, la mère disparaissait à son tour. Cela voulait-il dire qu'elle était morte ? se demanda Bosch. Les deux dernières photos montraient Moore adulte. La première avait été prise le jour de la remise des diplômes à l'école de police. Une classe de jeunes officiers nouvellement assermentés posait sur une pelouse devant ce qui fut rebaptisé plus tard l'Auditorium Daryl F. Gates. Tous jetaient leurs casquettes en l'air. Bosch reconnut Moore au milieu du groupe. Il tenait par les épaules un autre jeune officier, et son visage indiquait une joie véritable.

La dernière photo était celle de Moore en uniforme de cérémonie ; il serrait une très jeune Sylvia dans ses bras et frottait sa joue contre la sienne en souriant. Elle avait la peau plus lisse, le regard plus pétillant, les cheveux plus longs et plus soyeux. Malgré tout, elle ressemblait énormément à ce qu'elle était encore aujourd'hui : une jolie femme.

Après avoir rangé les photos dans le sac en papier, Bosch déposa celui-ci sur le canapé à côté de lui. Les yeux fixés sur le sac, il se demanda pourquoi ces photos n'avaient jamais été classées dans un album ou encadrées. Ce n'étaient que des brefs moments d'une vie conservés dans un sac et prêts à être jetés.

Mais il en connaissait la raison. Lui aussi possédait dans des tiroirs des paquets de photos qu'il ne classerait jamais dans un album, car il éprouvait le besoin de les tenir entre ses doigts quand il les regardait. Ce n'étaient pas uniquement des souvenirs d'une époque révolue. C'étaient des fragments de sa vie et, pour aller de l'avant, il lui fallait se les remémorer de temps à autre, manière de se rassurer, de trouver un peu de réconfort dans les passes difficiles.

Bosch se pencha pour éteindre la lampe. Il alluma une autre cigarette, l'extrémité rougeoyante flottant dans l'obscurité. Il pensa au Mexique, à Calexico Moore.

– Tu as tout foiré, répéta-t-il.

Il s'était dit qu'il venait ici pour tenter de mieux cerner la personnalité de Moore. C'est ainsi qu'il s'était convaincu.

Mais assis là sur ce canapé, dans le noir, il comprit qu'il y avait autre chose. Il était venu ici pour tenter de comprendre la trajectoire d'une vie qui ne pouvait s'expliquer. Le seul à posséder les réponses à toutes les questions était Cal Moore. Et il n'était plus là.

Il regarda la lueur du néon sur les rideaux à l'autre bout de la pièce ; on aurait dit des fantômes. Et cela le fit penser à la photo usée du père et du fils qui s'effaçait peu à peu. Il songea à son propre père, un homme qu'il n'avait jamais connu et qu'il avait rencontré seulement sur son lit de mort. A ce moment-là, il était déjà trop tard pour que Bosch modifie la trajectoire de sa vie.

Soudain, il entendit une clé s'introduire dans la serrure de la porte d'entrée. Se levant d'un bond, il dégaina son arme, traversa rapidement le salon et gagna le couloir. Il entra dans la chambre, mais ressortit dans le couloir et courut se cacher dans la salle de bains, car il avait une meilleure vue sur le salon. Il jeta sa cigarette dans les toilettes et l'entendit s'éteindre en grésillant.

La porte d'entrée s'ouvrit, puis il y eut quelques secondes de silence. Une lumière s'alluma dans le salon ; il recula dans un coin sombre de la salle de bains. Dans la glace de l'armoire de toilette, il aperçut Sylvia Moore debout au milieu de la pièce : elle regardait autour d'elle comme si elle venait dans cet appartement pour la première fois. Ses yeux se posèrent sur le sac en papier resté sur le canapé et elle s'en empara. Bosch l'observa tandis qu'elle passait rapidement les photos en revue. Elle s'attarda sur la dernière. Celle où on la voyait avec Calexico. Elle porta sa main à sa joue, comme pour y constater les ravages du temps.

Finalement, elle rangea les photos dans le sac et reposa celui-ci sur le canapé. Puis elle se dirigea vers l'entrée. Bosch recula davantage et monta sans bruit dans la baignoire. Une lumière s'alluma dans la chambre et il entendit la porte de la penderie qui s'ouvrait. Les cintres tintèrent sur la barre. Il rengaina son arme, sortit de la salle de bains et apparut dans le couloir.

– Madame Moore ? Sylvia ? dit-il, ne sachant trop comment attirer son attention sans lui faire peur.

– Hein ? Qui est là ? demanda une voix aiguë et effrayée.

– C'est moi, l'inspecteur Bosch. N'ayez pas peur.

Elle ressortit de la penderie, les yeux écarquillés de terreur. Elle tenait le cintre auquel était suspendu l'uniforme de cérémonie de son mari décédé.

– Bon sang, vous m'avez fichu une sacrée frousse ! Que faites-vous ici ?

– J'allais vous poser la même question.

Elle plaquait l'uniforme contre elle, comme si Bosch l'avait surprise au moment où elle se déshabillait. Elle recula d'un pas vers la porte de la chambre.

– Vous me suiviez ? demanda-t-elle. Que se passe-t-il ?

– Non, je ne vous ai pas suivie. J'étais déjà là.

– Dans le noir ?

– Oui, je réfléchissais. Quand j'ai entendu qu'on ouvrait la porte, je me suis caché dans la salle de bains. En voyant que c'était vous, je ne savais plus comment sortir sans vous effrayer. Désolé. Vous m'avez fait peur. Et moi aussi.

Elle hocha la tête, semblant accepter cette explication. Elle portait une chemise bleu clair et un jean non délavé. Ses cheveux étaient noués sur sa nuque et elle arborait des pendants d'oreilles en verre rosé. Son oreille gauche s'ornait aussi d'un petit croissant de lune en argent avec une étoile accrochée à la pointe. Elle esquissa un sourire poli. Bosch se souvint alors qu'il ne s'était pas rasé.

– Vous pensiez que j'étais le meurtrier ? demanda-t-elle comme il ne disait rien. L'assassin qui revient sur les lieux de son crime, n'est-ce pas ?

– Peut-être. Quelque chose comme ça… En fait, non. Je ne sais pas ce que je pensais. De toute façon, nous ne sommes pas sur le lieu du crime.

D'un mouvement de tête, il montra l'uniforme qu'elle tenait à la main.

– Il faut que je l'apporte chez McEvoy Brothers demain, expliqua-t-elle. (Elle remarqua son air perplexe.) Le cercueil sera fermé, évidemment. Mais j'ai pensé qu'il aurait aimé porter son uniforme de cérémonie malgré tout. M. McEvoy m'a demandé si je l'avais conservé.

Harry acquiesça. Ils se tenaient toujours dans l'entrée. Il retourna dans le salon et elle le suivit.

– Alors, que dit le département ? Qu'ont-ils décidé ? Je parle de l'enterrement.

– Comment savoir ? Pour l'instant, ils disent qu'il est tombé au champ d'honneur.

– Donc, il aura droit au grand jeu.

– Oui, je pense.

L'adieu au héros, songea-t-il. Le département n'avait aucun goût pour l'autoflagellation. Pas question d'annoncer au monde entier qu'un flic pourri avait été descendu par les salopards pour qui il faisait des extras. A moins d'y être contraint. Et surtout pas quand l'occasion se présentait d'offrir aux médias l'enterrement d'un héros et de s'asseoir ensuite dans un fauteuil pour savourer des histoires édifiantes sur sept chaînes de télévision différentes le soir même. Le département ne crachait jamais sur un peu de publicité.

La mort d'un policier dans l'exercice de ses fonctions signifiait également que la veuve touchait la totalité de la pension. Si Sylvia Moore mettait une robe noire, si elle essuyait ses larmes avec un mouchoir aux moments opportuns et si elle se taisait, elle percevrait le salaire de son mari jusqu'à la fin de ses jours. Une bonne affaire. Pour tout le monde. Si c'était bien elle qui avait renseigné Internal Affairs, elle risquait de perdre la pension en faisant des vagues. Le département dirait alors que Cal avait été assassiné à cause de ses activités annexes. Plus de pension. Bosch était certain qu'elle n'avait pas besoin qu'on lui fasse un dessin.

– Quand a lieu la cérémonie ? lui demanda-t-il.

– Lundi à 13 heures. A la chapelle de la mission de San Fernando. Il sera enterré au cimetière d'Oakwood, en haut de Chatsworth.

Evidemment, se dit Bosch. S'ils voulaient en mettre plein la vue, ça devait se faire là-bas. Deux cents motards qui roulent au ralenti dans Valley Circle Boulevard, ça fait toujours une jolie photo en première page.

– Madame Moore, pourquoi venez-vous ici... (il consulta sa montre, il était 22 h 45)... si tard pour chercher l'uniforme de votre mari ?

– Appelez-moi Sylvia.
– D'accord.
– A dire vrai, je ne sais pas pourquoi. Je n'arrive plus à dormir – plus du tout – depuis que… depuis qu'on l'a découvert. Je ne sais pas. Je crois que j'avais envie de conduire. Et comme j'ai récupéré la clé de l'appartement aujourd'hui…
– Qui vous l'a donnée ?
– Le chef adjoint Irving. Il est passé me voir, il m'a dit qu'ils avaient fini d'inspecter l'appartement et que je pouvais y prendre tout ce que je voulais. Le problème, c'est que je ne veux rien. J'espérais bien ne jamais mettre les pieds ici. Mais le type des pompes funèbres m'a appelée pour me dire qu'il avait besoin de l'uniforme de cérémonie de Cal, si je l'avais. Alors, je suis venue.
Bosch prit le sac de photos sur le canapé et le lui tendit.
– Et ça ? Vous n'en voulez pas ?
– Non, je ne pense pas.
– Vous les aviez déjà vues ?
– Certaines, il me semble. Du moins, certaines me rappelaient quelque chose. Mais il y en a que je n'ai jamais vues.
– Pour quelle raison à votre avis ? Un homme qui conserve des photos toute sa vie sans jamais les montrer à sa femme ?
– Je ne sais pas.
– Bizarre.
Il ouvrit le sac, passa les photos en revue et lui demanda :
– Qu'est devenue sa mère ? Le savez-vous ?
– Elle est morte. Avant que je fasse la connaissance de Cal. Elle avait une tumeur au cerveau. Il avait vingt ans à l'époque, m'a-t-il dit.
– Et son père ?
– Il m'a raconté qu'il était mort lui aussi. Mais je vous l'ai déjà dit, je n'ai jamais su si c'était vrai ou pas. Parce qu'il ne m'a jamais dit comment il était mort, ni quand. Quand je lui posais la question, il répondait qu'il ne voulait pas parler de ça.
Bosch montra la photo des deux garçons assis à la table de pique-nique.

– Qui est-ce ?

Elle s'approcha pour regarder la photo. Il observa son visage. Elle avait des paillettes vertes dans ses yeux marron. Il sentit les effluves légers de son parfum.

– Je ne sais pas qui c'est. Un ami, je suppose…

– Calexico n'avait pas de frère ?

– En tout cas, il ne m'en a jamais parlé. Quand nous nous sommes mariés, il m'a dit que j'étais sa seule famille. Il disait… il disait qu'il n'avait que moi au monde.

Bosch regarda la photo à son tour.

– Je trouve qu'il lui ressemble, non ?

Elle garda le silence.

– Et le tatouage ?

– Quoi ?

– Vous a-t-il dit d'où il venait, ce qu'il signifiait ?

– Il m'a raconté qu'il se l'était fait faire dans le village où il a grandi. Il était enfant. En fait, il vivait dans une sorte de bidonville, un « barrio », comme on dit là-bas. Je crois. Saints et Pécheurs. Voilà ce que veut dire ce tatouage : Saints et Pécheurs. Les gens qui vivent là-bas, disait-il, ne savent pas ce qu'ils sont, ni de quel côté ils devraient être.

Bosch repensa au mot d'adieu retrouvé dans la poche de pantalon de Cal Moore. *J'ai découvert qui j'étais.* Il se demanda si Sylvia avait conscience de la signification de ces mots, là où son mari avait grandi : un endroit où chaque gamin devait découvrir qui il était. Un saint ou un pécheur.

Sylvia interrompit le cours de ses pensées :

– Vous ne m'avez pas vraiment dit ce que vous faisiez ici. Assis dans le noir. Vous étiez obligé de venir ici pour réfléchir ?

– Je crois que je suis surtout venu par curiosité. Pour essayer de trouver un déclic, de mieux comprendre votre mari d'une certaine façon. Ça vous paraît ridicule ?

– Non.

– Tant mieux.

– Et alors ? Le déclic a eu lieu ?

– Je ne sais pas encore. Parfois, ça demande un peu de temps.

– Vous savez, j'ai interrogé Irving à votre sujet. Il m'a dit que vous n'étiez pas chargé de cette affaire. Il paraît que vous êtes venu chez moi l'autre soir uniquement parce que vos collègues étaient occupés avec les journalistes et... le corps.

Comme un collégien, Bosch éprouva un pincement d'excitation. Elle s'était renseignée à son sujet. Peu importe qu'elle sache maintenant qu'il travaillait en indépendant, elle avait posé des questions sur lui.

– Euh oui, c'est exact, dans une certaine mesure. Techniquement parlant, je ne m'occupe pas de cette affaire. Mais j'enquête sur d'autres qui semblent liées à la mort de votre mari.

Elle ne le quittait pas des yeux. Il sentait qu'elle voulait savoir lesquelles, mais elle avait été mariée avec un flic. Elle connaissait les règles. A cet instant, il acquit la certitude qu'elle ne méritait pas toutes les accusations dont elle était l'objet. Aucune.

– Ce n'était pas vous, hein ? dit-il. Le tuyau refilé à Internal Affairs. La lettre. (Elle fit non de la tête.) Pourtant, ils le croient. Ils pensent que c'est vous qui avez tout déclenché...

– C'est faux.

– Qu'a dit Irving quand il vous a remis les clés de cet appartement ?

– Il m'a dit que si je voulais l'argent, la pension, je devais laisser tomber. Ne pas me faire d'illusions. Comme si je m'en faisais ! Comme si je me souciais encore de cette histoire ! Je m'en fous. Je savais que Cal avait mal tourné. Je ne savais pas ce qu'il faisait, je savais simplement qu'il le faisait. Une femme sent ce genre de choses. Et c'est sans doute ce qui a détruit notre couple, en plus de tout le reste. Mais je n'ai envoyé aucune lettre de dénonciation. Je suis restée une femme de flic jusqu'au bout. J'ai dit à Irving et au type qui est venu avant lui qu'ils se trompaient. Mais ils s'en fichaient. Ce qu'ils voulaient, c'était la peau de Cal.

– Vous m'avez dit l'autre jour que c'était Chastain qui était venu ?

– Oui, c'est bien lui.

– Que voulait-il au juste ? J'ai cru comprendre qu'il voulait fouiller la maison…

– Il a brandi la lettre en affirmant qu'il savait que je l'avais écrite. Autant tout lui avouer, disait-il. Je lui ai répondu que je n'avais jamais écrit cette lettre et je lui ai demandé de ficher le camp. Mais il a refusé de partir.

– Vous a-t-il dit ce qu'il cherchait, précisément ?

– Il… je ne m'en souviens pas exactement. Il voulait voir les relevés de comptes bancaires, il voulait la liste de nos biens. Il croyait que j'attendais tranquillement qu'il débarque pour lui dénoncer mon mari. Il m'a réclamé sa machine à écrire, je lui ai répondu que nous n'en avions pas. Finalement, je l'ai mis dehors et j'ai fermé la porte.

Bosch acquiesça et tenta d'incorporer ces données aux éléments qu'il possédait déjà. Tout se mélangeait.

– Vous ne vous souvenez pas du contenu de la lettre ?

– Je n'ai pas eu l'occasion de vraiment la lire. Il ne me l'a pas montrée, car il était persuadé – et il l'est toujours, comme tous les autres – qu'elle venait de moi. Je n'ai pu en lire qu'un passage avant qu'il la range dans son attaché-case. Elle disait que Cal servait de couverture à un Mexicain. Qu'il offrait des protections. Elle laissait entendre qu'il avait passé un pacte faustien, un truc dans ce genre. Vous comprenez ce que ça veut dire, hein ? Un marché avec le diable…

Bosch hocha la tête. Il se souvint qu'elle était enseignante. Il s'aperçut également qu'ils étaient debout dans le salon depuis au moins dix minutes. Pourtant, il ne chercha pas à s'asseoir. Il craignait que le moindre geste ne rompe le charme et ne la fasse partir, s'éloigner de lui.

– Si j'avais écrit cette lettre, reprit-elle, je ne sais pas si j'aurais été si allégorique, mais, fondamentalement, elle disait vrai. J'ignorais ce qu'avait fait Cal, mais je savais qu'il s'était passé quelque chose. Et je sentais que ça le rongeait… Un jour, c'était peu avant qu'il parte, je lui ai finalement demandé ce qui se passait. Il m'a juste répondu qu'il avait commis une erreur et qu'il allait essayer de la réparer tout seul. Il n'a pas voulu m'en dire plus, il m'a exclue.

Elle s'assit au bord d'un fauteuil rembourré et posa

l'uniforme sur ses genoux. Le fauteuil était d'un vert épouvantable, et il y avait des brûlures de cigarettes sur l'accoudoir de droite. Bosch s'assit sur le canapé, à côté du sac de photos.

– Irving et Chastain, dit-elle. Ils ne me croient pas. Quand j'essaye de leur expliquer, ils se contentent de hocher la tête. Ils disent que la lettre contient trop de détails intimes. Elle ne peut venir que de moi. En attendant, j'imagine que quelqu'un se frotte les mains dans son coin. Sa petite lettre a tué Cal.

Bosch songea à Kapps et se demanda si celui-ci connaissait suffisamment la vie privée de Moore pour pouvoir écrire cette lettre. Il avait piégé Dance. Peut-être avait-il d'abord essayé de piéger Moore. Mais ça semblait peu probable. La lettre venait peut-être de Dance ; il voulait gravir les barreaux de l'échelle, mais Moore se dressait sur son chemin.

Harry repensa au paquet de café qu'il avait aperçu dans la cuisine et se demanda s'il devait en proposer à Sylvia. Il voulait prolonger l'instant. Il avait envie de fumer, mais il ne voulait pas prendre le risque qu'elle lui demande d'éteindre sa cigarette.

– Voulez-vous du café ? lui proposa-t-il. Je peux en faire, il y en a dans la cuisine.

Elle tourna la tête vers la cuisine, comme si son emplacement ou son état de propreté pouvaient influencer sa réponse. Finalement, elle déclina l'offre : elle n'avait pas l'intention de s'éterniser.

– Je pars pour le Mexique demain, dit Bosch.

– Mexicali ?

– Oui.

– Pour les autres affaires ?

– Oui.

Et il lui parla de tout. De la glace noire et de Jimmy Kapps, de Juan Doe n° 67. Il lui parla des liens avec son mari et Mexicali. Une fois là-bas, ajouta-t-il, il espérait démêler l'écheveau.

Pour conclure, il déclara :

– Comme vous avez pu le constater, les types comme Irving veulent simplement calmer le jeu au maximum. En fait, ils se fichent de savoir qui a tué Cal parce qu'il est passé de l'autre côté de la barrière. Ils l'ont rayé de leur mémoire comme on annule une créance irrécouvrable. Ils ne chercheront pas à en savoir plus, car ils ont peur que ça leur pète à la gueule. Vous me comprenez ?

– J'ai été mariée à un flic, ne l'oubliez pas.

– Oui. Donc, vous comprenez. Le problème, c'est que moi, je ne m'en fous pas. Votre mari était en train de constituer un dossier pour moi. Un dossier sur la black. Et j'en déduis qu'il essayait de faire quelque chose de bien pour se racheter. Peut-être même tentait-il de réaliser l'impossible. Faire marche arrière. C'est peut-être pour cette raison qu'il est mort. Et, dans ce cas, il n'est pas question que moi, je laisse tomber.

Après cela, ils gardèrent le silence un long moment l'un et l'autre. Le visage de Sylvia était empreint de souffrance, mais ses yeux restaient vifs et secs. Elle remonta l'uniforme sur ses genoux. Bosch entendit un hélicoptère de la police qui décrivait des cercles quelque part dans le ciel. Sans les hélicos de la police et les projecteurs qui tournoient dans la nuit, Los Angeles n'aurait pas été L. A.

– La glace noire, dit-elle au bout d'un moment dans un murmure.

– Oui, et alors ?

– C'est drôle, voilà tout.

Elle se tut de nouveau et sembla regarder autour d'elle comme si elle prenait conscience que cet endroit était l'appartement où son mari était venu s'installer après l'avoir quittée.

– La glace noire, répéta-t-elle. J'ai grandi dans la Baie, à San Francisco surtout, et on nous recommandait toujours de nous en méfier. Mais il ne s'agissait pas de la même, à cette époque.

Elle le regarda et dut remarquer son air perplexe.

– En hiver, expliqua-t-elle, quand il fait vraiment très froid. Après la pluie, quand l'eau gèle sur la chaussée. Le verglas, quoi. Mais nous on appelait ça la « black ice », la glace noire. Quand mon père m'apprenait à conduire, je me souviens qu'il me disait toujours : « Surtout, méfie-toi de la glace noire, ma fille. Quand on aperçoit le danger, c'est déjà trop tard. On perd le contrôle de la voiture. » (Elle sourit à l'évocation de ce souvenir.) Pour moi, c'était ça, la glace noire. A l'époque où j'étais adolescente. De même que le mot « coke » désignait uniquement le Coca-Cola. C'est curieux comme la signification de certaines choses peut parfois se modifier…

Bosch la regarda sans rien dire. Il avait envie de la prendre dans ses bras, de sentir la douceur de sa joue contre la sienne.

– Votre père ne vous a jamais dit de faire attention à la glace noire ? demanda-t-elle.

– Je n'ai pas connu mon père. Disons que j'ai appris à conduire tout seul… (Elle hocha la tête, puis détourna le regard, gênée.) Il m'a fallu trois voitures pour apprendre. Lorsque j'ai enfin su conduire, plus personne ne voulait me prêter la sienne. Mais on ne m'a jamais parlé de la glace noire.

– Eh bien, voilà, c'est fait.

– Et je vous en remercie.

– Etes-vous prisonnier du passé, vous aussi, Harry ? (Il ne répondit pas.) Je crois que nous le sommes tous. Quel est le dicton déjà ? « C'est en étudiant le passé que l'on connaît son avenir » ? Un truc comme ça. J'ai l'impression que vous êtes quelqu'un qui continue à étudier, peut-être.

Son regard semblait le pénétrer. C'était un regard qui savait beaucoup de choses, et il comprit qu'en dépit de tout ce qu'il pouvait désirer elle n'avait pas besoin qu'on la prenne dans ses bras ou qu'on soulage sa douleur. A vrai dire, c'était elle qui apportait le réconfort. Comment Cal Moore avait-il pu renoncer à cela ?

Bosch préféra changer de sujet, sans trop savoir pourquoi, si ce n'est qu'il devait écarter le projecteur braqué sur lui.

– J'ai trouvé un cadre de photo dans la chambre. En merisier gravé. Mais il n'y a pas de photo à l'intérieur. Ça vous dit quelque chose ?

– Il faut que j'aille voir.

Elle se leva, laissant l'uniforme de son mari sur le fauteuil, et se rendit dans la chambre. Il la suivit. Elle observa longuement le cadre rangé dans le tiroir du haut de la commode, avant de déclarer finalement qu'elle ne l'avait jamais vu.

Ils restèrent debout près du lit, à se regarder sans rien dire. Finalement, Bosch leva la main, puis hésita. Elle fit un pas vers lui, comme pour lui faire comprendre qu'elle avait envie qu'il la touche. Il lui caressa la joue, comme elle l'avait fait elle-même en observant la photo tout à l'heure, alors qu'elle se croyait seule. Puis il fit redescendre sa main dans son cou et sur sa nuque.

Ils se regardèrent au fond des yeux. Elle se rapprocha encore, tendit la bouche vers celle de Harry, glissa sa main dans son cou pour l'attirer contre elle, et ils s'embrassèrent. Elle le serra fort et se plaqua contre lui d'une manière qui trahissait son besoin d'affection. Elle avait fermé les yeux ; à cet instant, Bosch comprit qu'elle était son propre reflet dans un miroir où tout n'était que désir et solitude.

Ils firent l'amour sur le lit défait. Ni l'un ni l'autre ils ne songèrent à l'endroit où ils se trouvaient, ni aux conséquences pour le lendemain, la semaine ou l'année à venir. Bosch garda les yeux fermés afin de se concentrer sur d'autres sens : l'odeur de cette femme, le goût de sa peau, le contact de ses mains.

Après, il roula sur le côté, sa tête posée sur la poitrine de Sylvia, entre ses seins constellés de taches de rousseur. Elle avait glissé la main dans ses cheveux et ses doigts jouaient avec ses boucles. Il entendait son cœur battre au même rythme que le sien.

19

Il était plus de 1 heure du matin lorsqu'il engagea la Caprice dans Woodrow Wilson Drive pour entreprendre la longue ascension sinueuse jusque chez lui. Les phares de la voiture traçaient des huit sur les nuages bas qui flottaient au-dessus d'Universal City. Il devait faire des écarts pour éviter les véhicules garés en double file devant les villas où se déroulaient des fêtes hollywoodiennes, et même un sapin de Noël jeté au rebut, dont les branches s'ornaient encore de quelques guirlandes solitaires, et que le vent avait poussé au milieu de la chaussée. Sur le siège à côté de lui étaient posées la boîte de Budweiser retrouvée dans le réfrigérateur de Cal Moore et l'arme de Lucius Porter.

Toute sa vie, Bosch avait eu le sentiment d'avancer péniblement vers quelque chose de bien. La vie avait un sens et il en était convaincu. D'abord dans son foyer pour enfants, puis dans ses familles adoptives, au Vietnam ensuite, et maintenant dans la police, il avait toujours eu l'impression de se battre pour parvenir à une sorte de résolution, à la découverte d'un objectif. Il savait qu'il y avait quelque chose de bon en lui. C'était l'attente qui lui semblait pénible. Souvent elle lui laissait une sensation de vide et il pensait que les gens s'en apercevaient, qu'en le regardant ils devinaient ce vide. Il avait appris à le remplir par l'isolement et le travail. Parfois avec l'alcool et le son du saxophone. Mais jamais avec les gens. Il n'avait jamais laissé personne pénétrer entièrement en lui.

Et aujourd'hui, il croyait avoir vu, au plus profond des yeux de Sylvia Moore, qu'elle pouvait être celle qui saurait combler le vide.

« J'ai envie qu'on se revoie », lui avait-il dit au moment où ils s'étaient séparés devant les Fontaines.

« Oui », c'est tout ce qu'elle avait répondu. Elle lui avait caressé la joue et était remontée en voiture.

Bosch s'interrogeait maintenant sur la signification réelle de ce mot et du geste qui l'avait accompagné. Il était heureux. Et c'était pour lui un sentiment nouveau.

En négociant le dernier virage de la route, il ralentit pour laisser passer une voiture qui roulait pleins phares, et repensa à la façon dont elle avait longuement regardé le cadre de photo vide avant de déclarer finalement qu'elle ne l'avait jamais vu. Avait-elle menti ? Se pouvait-il que Cal Moore ait acheté un cadre si coûteux après avoir emménagé dans un appartement si miteux ? C'était peu probable.

Il gara la voiture sous l'auvent et se sentit très perplexe. Qu'y avait-il dans ce cadre ? Son mensonge, si mensonge il y avait, était-il dangereux ? Sans descendre de voiture, il ouvrit la boîte de bière et la vida rapidement, en s'en renversant quelques gouttes dans le cou. Cette nuit, il dormirait, il le savait.

Il se rendit d'abord à la cuisine, rangea l'arme de Porter dans un placard, puis alla interroger son répondeur. Aucun message. Pas d'appel de Porter pour expliquer les raisons de sa fuite. Pas d'appel de Pounds pour demander où il en était de ses enquêtes. Pas d'appel d'Irving pour dire qu'il savait ce que Bosch manigançait.

Après deux nuits presque sans sommeil, il avait hâte de retrouver son lit, comme cela lui arrivait parfois. Ça se passait très souvent de cette façon, c'était devenu une sorte de routine. Plusieurs nuits de sommeil intermittent ou de cauchemars suivies d'une seule nuit où l'épuisement finissait par l'entraîner dans une profonde léthargie.

En s'enveloppant dans les draps, il s'aperçut qu'ils portaient encore l'odeur de Teresa Corazon. Les yeux fermés, il pensa à elle quelques instants. Mais l'image de la légiste fut rapidement chassée par le visage de Sylvia Moore. Pas celui de la photo qui se trouvait dans le sac en papier avec les autres, ou de celle de la table de chevet, non, son vrai visage. Fatiguée mais forte, les yeux plongés dans ceux de Bosch.

Son rêve ressembla aux autres. Il se trouvait dans un endroit sombre, une obscurité caverneuse l'enveloppait, sa respiration se répercutait dans le noir. Il sentait, ou plutôt il savait, car il avait appris à connaître cet endroit dans tous ses rêves, que l'obscurité prenait fin un peu plus loin devant lui, et il devait avancer. Mais cette fois, il n'était pas seul et ça changeait tout. Il était avec Sylvia, et ils se pelotonnaient dans le noir, la sueur leur brûlait les yeux. Harry la serrait dans ses bras, elle le serrait dans les siens. Mais ils ne parlaient pas.

S'arrachant finalement l'un à l'autre, ils commencèrent d'avancer dans l'obscurité. Une faible lumière brillait droit devant et Harry marchait dans cette direction. Sa main gauche était tendue devant lui, le Smith & Wesson serré dans son poing. De la main droite, il tenait celle de Sylvia et la tirait derrière lui. Lorsqu'ils débouchèrent à la lumière, Calexico Moore était là qui les attendait avec le fusil à pompe. Il n'était pas caché, mais à moitié dissimulé par l'ombre qui s'étendait dans la galerie. Ses yeux verts étaient masqués par l'obscurité. Il sourit. Et leva son arme.

« Alors, qui a tout foiré, hein ? » lui demanda-t-il.

Dans le noir, la détonation fut assourdissante. Bosch vit les mains de Moore lâcher rapidement le fusil et se séparer de son corps tels deux oiseaux attachés qui tentent de prendre leur envol. Il recula à l'aveuglette dans les ténèbres et s'évanouit. Il n'était pas tombé, il avait disparu. Volatilisé. Seule la lumière au bout du tunnel demeurait dans son sillage. Dans sa main, Harry tenait toujours celle de Sylvia. Dans l'autre, l'arme fumante.

A cet instant, il rouvrit les yeux.

Il se redressa dans son lit. Une lueur pâle se faufilait autour des rideaux masquant les fenêtres orientées à l'est. Le cauchemar lui avait semblé très court et pourtant, à en juger par la clarté du dehors, il avait dormi jusqu'au petit matin. Il leva le poignet dans la lumière pour consulter sa montre. Il n'avait pas de réveil, il n'en avait pas besoin. 6 heures. Se massant le visage à deux mains, il tenta de reconstruire son rêve. Un jour, une femme médecin du Centre d'études sur les troubles du sommeil de l'hôpital des anciens combattants lui avait conseillé de noter les détails de ses rêves dont il se souvenait. Cet exercice, lui avait-elle expliqué, permettait d'amener à la conscience ce que voulait lui dire l'inconscient. Pendant des mois, il y avait eu un carnet et un stylo près de son lit, grâce auxquels il notait soigneusement les souvenirs de ses rêves. Pour finalement s'apercevoir que cela ne servait à rien. Il avait beau comprendre l'origine de ses cauchemars, il ne parvenait pas à les chasser de son sommeil. Cela faisait des années qu'il ne participait plus au programme thérapeutique sur les troubles du sommeil.

Aujourd'hui, il était incapable de se remémorer les détails de son rêve. Le visage de Sylvia disparaissait dans la brume. Harry constata qu'il avait transpiré abondamment. Il se leva, défit le lit et alla jeter les draps dans un panier. Après quoi il se rendit à la cuisine pour faire du café. Il prit sa douche, se rasa et enfila un jean avec une chemise en velours verte et un veston noir. Une tenue idéale pour faire de la route. Retournant dans la cuisine, il emplit sa bouteille thermos de café noir.

La première chose qu'il transporta jusqu'à la voiture fut son arme. Il ôta le tapis qui couvrait le fond du coffre, puis sortit la roue de secours et le cric rangés dessous. Dans le creux, il déposa le Smith & Wesson qu'il avait au préalable retiré de son holster et enveloppé d'un torchon, puis il remit la roue de secours par-dessus. Il retendit le tapis et coinça le cric sur un côté du coffre. Il chargea ensuite son porte-documents et un sac de marin contenant des affaires de rechange pour plusieurs jours. Le résultat lui parut satisfaisant, mais il doutait de toute façon que quelqu'un prît la peine d'y jeter un coup d'œil.

De retour chez lui, il sortit sa deuxième arme du placard de l'entrée. C'était un 44 avec une crosse et une sécurité adaptées spécialement à un tireur droitier. De même, le barillet s'ouvrait du côté gauche. Gaucher, Bosch ne pouvait s'en servir. Malgré tout, il avait conservé ce revolver pendant six ans : l'arme lui avait été offerte par un homme dont la fille avait été violée puis assassinée. Bosch avait blessé le meurtrier lors d'une brève fusillade au moment de son arrestation près du barrage de Sepulveda à Van Nuys. Le type avait survécu, il purgeait maintenant une peine de prison à vie sans possibilité de liberté conditionnelle. Mais pour le père, ce n'était pas suffisant. Après le procès, il avait donné le revolver à Bosch, et celui-ci l'avait accepté. Ne pas le prendre eût été nier la douleur de cet homme. Le message était clair : la prochaine fois, faites correctement votre boulot. Visez un endroit vital. Harry avait pris l'arme. Il aurait pu la porter chez un armurier et la faire modifier, mais ç'aurait été reconnaître que le père avait raison. Et Harry n'était pas sûr d'être prêt à l'admettre.

L'arme était restée rangée dans ce placard pendant six ans. Il s'en empara, vérifia le bon fonctionnement du mécanisme et le chargea. Puis il le glissa dans son holster ; il était prêt à partir.

Avant de sortir, il prit son thermos dans la cuisine et se pencha ensuite au-dessus du répondeur téléphonique pour enregistrer un nouveau message :

« Ici Bosch. Je suis au Mexique pour le week-end. Si vous le souhaitez, vous pouvez laisser un message. En cas d'urgence, vous pouvez essayer de me joindre à l'hôtel De Anza de Calexico. »

Il n'était pas encore 7 heures lorsqu'il descendit des collines. Il emprunta le Hollywood Freeway jusqu'au centre ville ; les tours des bureaux étaient opaques derrière le mélange matinal de brouillard et de smog. Il prit la route d'accès au San Bernardino Freeway et suivit la direction de l'est pour sortir de la ville. Il y avait quatre cents kilomètres jusqu'à Calexico et sa sœur jumelle Mexicali, juste de l'autre côté de la frontière. Il y serait avant midi. Il se versa une tasse de café sans en renverser une goutte et commença à apprécier le voyage.

Le smog de Los Angeles se dissipa seulement lorsque Bosch eut dépassé l'embranchement de Yucaipa dans le comté de Riverside. A partir de cet instant, le ciel devint aussi bleu que les océans des cartes étalées à côté de lui sur le siège du passager. C'était une journée sans vent. Il passa devant le champ d'éoliennes de Palm Springs ; les pales des centaines de générateurs électriques étaient immobiles dans la brume matinale. C'était une vision étrange, comme un cimetière, et Harry préféra détourner le regard.

Il traversa sans s'arrêter les villes chics de Palm Springs et de Rancho Mirage situées en plein désert, les rues aux noms de présidents et de vedettes du golf. En roulant dans Bob Hope Drive, il se souvint de la fois où il avait vu le comique au Vietnam. Il venait de passer treize jours à nettoyer des galeries vietcongs dans la province de Cu Chi et, ce soir-là, le spectacle de Bob Hope lui avait semblé hilarant. Quelques années plus tard, il avait vu un extrait de ce même spectacle à la télévision lors d'une rétrospective consacrée au comédien. Le numéro l'avait déprimé. A la sortie de Rancho Mirage, il prit la Route 86, vers le sud.

Rouler sur une route déserte déclenchait toujours chez lui une sorte d'excitation tranquille : le sentiment d'aller dans un endroit nouveau auquel s'ajoutait l'attrait de l'inconnu. Bosch avait l'impression que ses méninges tournaient à plein rendement lorsqu'il roulait ainsi. Il se revit en train de fouiller l'appartement de Moore, essayant d'y trouver des messages ou des sens cachés. Les vieux meubles, la valise vide, la revue porno, le cadre sans photo. Moore avait laissé derrière lui une présence incompréhensible. Il repensa au paquet de photos dans le sac en papier. Pour finir, Sylvia avait changé d'avis et l'avait emporté. Il regrettait de ne pas avoir emprunté la photo des deux garçons, et celle du père avec son fils.

Il ne possédait, lui, aucune photo de son père. Il avait dit à Sylvia qu'il ne l'avait pas connu, mais ce n'était pas tout à fait exact. Il avait grandi sans savoir qui il était et sans s'en soucier, en apparence du moins. Mais il était revenu de la guerre avec le besoin irrésistible de connaître ses origines. Et cela l'avait conduit à rechercher son père après vingt ans passés sans même connaître son nom.

Après que les autorités l'avaient arraché à la garde de sa mère, il avait grandi dans une succession de foyers pour enfants et de familles adoptives. Dans les dortoirs de McClaren, San Fernando et des autres centres, il était réconforté par les visites régulières que sa mère lui rendait, sauf lorsqu'elle était en prison. Elle lui avait expliqué qu'ils ne pouvaient pas l'envoyer dans une famille adoptive sans qu'elle donne son accord. Elle avait pris un bon avocat, disait-elle, pour essayer de le récupérer.

Le jour où la directrice du centre McClaren était venue lui annoncer qu'il n'y aurait plus de visites car sa mère était morte, il n'avait pas réagi comme la plupart des garçons de son âge. Extérieurement, il ne laissa rien paraître. Mais, lors de la séance de piscine, il plongea jusqu'au fond du grand bassin et là, il hurla si fort et si longtemps qu'il crut bien que son cri allait crever la surface de l'eau et attirer l'attention du maître-nageur. Il remontait prendre sa respiration, et replongeait. Il hurla et pleura ainsi jusqu'à ce que l'épuisement l'oblige à s'accrocher à l'échelle de la piscine; les barreaux en acier furent les bras qui le réconfortèrent. Sans trop savoir pourquoi, il aurait voulu être présent au moment du drame. Voilà tout. Il aurait voulu pouvoir la défendre.

Après le décès de sa mère, il fut catalogué « candidat à l'adoption ». Débuta alors une succession de familles adoptives où tout était fait pour lui donner l'impression qu'il était à l'essai. Quand il ne convenait pas, il passait à la maison suivante; il changeait d'examinateurs. On le renvoya même une fois à McClaren : il avait la mauvaise habitude de manger sans fermer la bouche. Une autre fois, avant d'être envoyé dans une maison de la Vallée, les « Choisisseurs », comme les surnommaient les « candidats à l'adoption », conduisirent Harry et d'autres enfants de treize ans sur le terrain de sport pour y disputer un match de base-ball. Harry fut l'heureux élu. Il s'aperçut rapidement que ce n'était pas parce qu'il possédait les solides vertus de l'enfance. En réalité, le type cherchait un gaucher. Son but était de former un lanceur et les gauchers étaient très recherchés. Après deux mois d'entraînement quotidien, de pratique du lancer de balle et d'enseignement stratégique, Harry s'était enfui de son nouveau foyer. La police ne l'avait retrouvé que six semaines plus tard, dans Hollywood Boulevard. On l'avait renvoyé à McClaren pour attendre la prochaine fournée de Choisisseurs. Il fallait se tenir bien droit et sourire quand les Choisisseurs passaient dans le dortoir.

Il commença les recherches pour retrouver son père au bureau des archives du comté. Au Queens of Angels Hospital, le registre des naissances de l'année 1950 indiquait que sa mère s'appelait Margerie Philips Lowe et que c'était son père qui lui avait donné son nom : Hyeronymus Bosch. Evidemment, Harry savait que ce n'était pas la vérité. Sa mère lui avait expliqué un jour qu'elle lui avait donné le nom d'un peintre dont elle adorait les œuvres. Elle disait que ses tableaux, pourtant peints cinq siècles plus tôt, représentaient parfaitement L. A. aujourd'hui, paysage cauchemardesque peuplé de prédateurs et de victimes. Elle lui avait promis de lui révéler le véritable nom de son père au moment opportun. On l'avait retrouvée assassinée dans une ruelle près de Hollywood Boulevard avant que vienne ce jour.

Harry engagea alors un avocat pour solliciter auprès du président du tribunal pour enfants l'autorisation d'examiner son propre dossier de mise sous tutelle. Cette permission lui ayant été accordée, Harry passa plusieurs jours dans les locaux des archives du comté. Les épais dossiers qu'on lui transmit retraçaient toutes les démarches qu'avait accomplies sa mère pour conserver la garde de son enfant. Bosch trouva cela réconfortant sur un plan moral, mais nulle part dans ces documents n'apparaissait le nom de son père. Arrivé dans une impasse, Bosch nota le nom de l'avocat qui s'était chargé de toutes les démarches pour le compte de sa mère. J. Michael Haller. En écrivant ce nom, Bosch s'aperçut qu'il ne lui était pas inconnu. Mickey Haller avait été l'un des plus célèbres avocats de la défense de Los Angeles. Il s'était occupé d'une des filles du clan Manson. A la fin des années 50, il avait obtenu l'acquittement de celui qu'on surnommait « le bandit des grands chemins », un motard de la police accusé d'avoir violé sept femmes qu'il avait arrêtées pour excès de vitesse sur des tronçons déserts de l'autoroute du Golden State. Mais pourquoi un homme tel que J. Michael Haller s'était-il occupé d'une vulgaire affaire de garde d'enfant ?

Suivant une simple intuition, Bosch se rendit au palais de justice et demanda à consulter les dossiers de toutes les condamnations de sa mère. En les parcourant, il découvrit qu'outre la bataille pour la garde de l'enfant Haller avait également défendu Margerie P. Lowe lors de six arrestations pour racolage sur la voie publique entre 1948 et 1961, époque à laquelle Haller était déjà un célèbre avocat.

Au fond de lui-même, Bosch avait alors compris.

La réceptionniste du cabinet d'avocats installé au dernier étage d'une tour de Pershing Square informa Bosch que Haller avait récemment pris sa retraite pour raisons de santé. Son adresse ne figurait pas dans l'annuaire du téléphone, mais elle était sur les listes électorales. Haller appartenait au parti démocrate et vivait dans Canon Drive, à Beverly Hills. Bosch ne devait jamais oublier les rosiers qui bordaient l'allée menant à la villa de son père. Les fleurs étaient magnifiques.

La domestique qui vint lui ouvrir déclara que M. Haller ne recevait aucun visiteur. Bosch la chargea de dire à M. Haller que le fils de Margerie Lowe venait lui présenter ses respects. Dix minutes plus tard, on le fit passer devant les membres de la famille de l'avocat regroupés dans le couloir, avec d'étranges expressions sur le visage. Le vieil homme leur avait ordonné de quitter sa chambre afin de recevoir Bosch dans l'intimité. Debout près du lit, ce dernier fut aussitôt frappé par la maigreur du vieillard et n'eut pas besoin de demander ce qui n'allait pas : son père était rongé par le cancer.

« Je crois savoir pourquoi tu es venu, lui dit-il.

– Je voulais juste… je ne sais pas. »

Il demeura immobile et silencieux pendant un certain temps, constatant combien le simple fait de garder les yeux ouverts épuisait le vieil homme. Un tuyau partait d'une boîte posée sur la table de chevet et disparaissait sous les couvertures. De temps à autre, la boîte émettait un bip lorsque, afin de calmer la douleur, une dose de morphine était injectée dans le sang du moribond. Le vieil homme observait son visiteur sans rien dire.

« Je ne veux rien de vous, déclara finalement Bosch. En fait, je crois que je voulais juste vous faire savoir que je m'en étais sorti. Je vais bien. Au cas où vous vous seriez inquiété.

– Tu es allé à la guerre ?
– Oui. J'en ai fini.
– Mon fils… mon autre fils, je veux dire, il… j'ai pu lui éviter d'y aller… Que vas-tu faire maintenant ?
– Je ne sais pas. »
Après un nouveau silence, le vieil homme donna l'impression de hocher la tête.
« Tu t'appelles Harry. C'est ta mère qui me l'a dit. Elle me parlait souvent de toi… Mais je n'ai jamais pu… Tu comprends ? C'était une autre époque. Et après tout ce temps, je ne pouvais plus… je ne pouvais plus revenir en arrière. »
Bosch se contenta d'acquiescer. Il n'était pas venu pour lui infliger d'autres souffrances. Un nouveau silence s'installa. Bosch écoutait le vieil homme respirer avec difficulté.
« Harry Haller, murmura celui-ci, et un sourire timide apparut sur ses lèvres fines et gercées, brûlées par la chimiothérapie. Ça aurait pu être toi. As-tu lu Hesse ? »
Bosch ne comprenait pas, il hocha la tête malgré tout. Un nouveau bip se fit entendre. Il attendit une minute, jusqu'à ce que la drogue semble faire effet. Le vieil homme ferma les yeux et poussa un soupir.
« Je ferais mieux de vous laisser, dit Harry. Prenez soin de vous. »
Il caressa la main frêle, bleutée, de l'homme. Celle-ci se referma fortement sur ses doigts, dans un geste presque désespéré, puis elle les relâcha. En se dirigeant vers la porte, Harry entendit la voix rauque du vieil homme dans son dos.
« Pardon ? Qu'avez-vous dit ?
– J'ai dit que oui. Je me faisais du souci pour toi. »
Une larme coula sur le visage du vieil homme, jusque dans ses cheveux blancs. Bosch répondit par un autre hochement de tête. Quinze jours plus tard, sur une colline surplombant le quartier du Bon-Pasteur de Forest Lawn, il assistait à la mise en terre du père qu'il n'avait jamais connu. Au cours de la cérémonie, il remarqua un groupe de quatre personnes qu'il devina être son demi-frère et ses

trois demi-sœurs. Le demi-frère, sans doute né quelques années avant lui, l'observait. Au bout d'un moment, Bosch fit demi-tour et s'en alla.

Vers les 10 heures, Bosch s'arrêta dans un restaurant de routiers au bord de la route, l'El Oasis Verde, et y mangea des *huevos rancheros*. Sa table était située près de la fenêtre qui donnait sur l'étendue bleu et blanc qu'on appelle la Mer Salton et, plus loin à l'est, sur les Chocolate Mountains. Bosch goûta en silence la beauté et l'immensité du paysage. Lorsqu'il eut fini de manger, après que la serveuse eut rempli son thermos de café, il gagna le parking en terre battue et s'appuya contre le capot de la Caprice pour respirer l'air frais et pur en continuant à contempler le paysage.

Son demi-frère était maintenant un avocat réputé et lui était devenu flic. Il y avait là une étrange logique qui ne lui déplaisait pas. Ils ne s'étaient jamais parlé, et cela ne se produirait sans doute jamais.

Il continua à rouler vers le sud, la 86 suivant les plaines entre la Mer Salton et les Santa Rosa Mountains. Les terres cultivées descendaient en pente régulière sous le niveau de la mer. Imperial Valley. La majeure partie en étant découpée en immenses carrés par des fossés d'irrigation, il roula dans l'odeur de l'engrais et des légumes frais. Des camions chargés de cageots de salades, d'épinards ou de *cilantro* débouchaient parfois des fermes situées sur le bord de la route, juste devant lui, l'obligeant à ralentir. Mais Harry s'en fichait et attendait patiemment le moment opportun pour doubler.

Non loin d'une ville nommée Vallecito, il s'arrêta sur le bas-côté pour regarder un escadron d'avions volant à basse altitude passer en rugissant au-dessus d'une montagne qui se dressait au sud-ouest. Bosch n'était pas capable d'identifier les avions de guerre modernes. Les jets d'hier étaient devenus des appareils ultra-rapides aux formes élancées, sans aucun rapport avec ceux qu'il avait connus au Vietnam. Malgré tout, il eut le temps d'apercevoir le matériel de guerre fixé sous les ailes. Il regarda les trois jets virer sur le côté et se regrouper en un triangle serré avant de survoler à nouveau la montagne. Après qu'ils furent passés au-dessus de sa tête, Harry consulta ses cartes et repéra une zone interdite d'accès un peu plus loin au sud-ouest. Il s'agissait du champ de tir de l'US Navy à Superstition Mountain. D'après la carte, c'était une zone de bombardement. A éviter.

Bosch sentit une vibration sourde ébranler la voiture, suivie d'un grondement. Levant les yeux de dessus la carte, il crut distinguer un panache de fumée qui s'élevait de la base. Puis il sentit et entendit une seconde explosion. Et encore une autre.

Tandis que les jets, dont l'enveloppe argentée reflétait un éclat de soleil, repassaient au-dessus de lui, il reprit la route derrière un camion à l'arrière duquel étaient assis deux jeunes ouvriers agricoles mexicains. Le regard las, ils semblaient avoir déjà conscience de la longue vie de labeur qui les attendait. Ils avaient à peu près le même âge que les deux garçons assis à la table de pique-nique sur la photo rangée parmi les autres dans le sac en papier blanc. Ils le regardèrent d'un air indifférent.

Bientôt, il put doubler le camion paresseux. Il entendit d'autres explosions sur le site de Superstition Mountain au moment où il accélérait. Sur le côté de la route continuaient à défiler des fermes et des petits restaurants familiaux. Il passa devant une raffinerie de sucre ; une ligne tracée au sommet d'un énorme silo indiquait le niveau de la mer.

L'été qui avait suivi sa rencontre avec son père, Harry s'était procuré les livres de Hesse. Il était curieux de savoir ce que le vieil homme avait voulu dire. Il trouva la réponse en lisant le second roman. Harry Haller était le nom d'un personnage solitaire et désabusé, un homme sans véritable identité.

Au mois d'août de cette année-là, Bosch s'engagea dans la police.

Il crut sentir le sol s'élever. Les terres cultivées cédèrent la place à des taillis bruns, une zone désertique traversée de nuages de poussière. Ses oreilles se débouchèrent à mesure qu'il montait. Il comprit que la frontière approchait bien avant qu'il ne dépasse le panneau vert annonçant que Calexico n'était plus qu'à trente kilomètres.

20

Calexico ressemblait à la plupart des villes-frontières : poussiéreuse et plate, avec une rue principale, collision tapageuse de néons et d'enseignes en plastique, sans oublier les inévitables arches dorées, icônes reconnaissables, à défaut d'être réconfortantes, au milieu d'innombrables cabinets d'assurances auto et de boutiques de souvenirs.

Au centre-ville, la 86 rejoignait la 111 et filait tout droit vers le poste-frontière. La circulation était bloquée à environ cinq rues du bâtiment en béton noirci par les gaz d'échappement que surveillaient les *federales* mexicains. On se serait cru à l'entrée de la 101 dans Broadway à 5 heures du soir. Avant d'être pris dans le bouchon, Bosch tourna vers l'est dans la 5e Rue. Il passa devant l'hôtel De Anza et roula encore jusqu'au poste de police, construction à un seul étage en béton peint d'une couleur jaunâtre. Les panneaux apposés à l'entrée lui apprirent que l'endroit servait également de mairie. Et aussi de caserne de pompiers. Et de centre d'archives. Il trouva à se garer juste devant.

En ouvrant la portière de la Caprice poussiéreuse, il entendit quelqu'un chanter dans le square, de l'autre côté de la rue. Cinq Mexicains assis sur un banc en bois devant une table buvaient des Budweiser. Un sixième, vêtu d'une chemise de cow-boy noire brodée de blanc et coiffé d'un Stetson, se tenait devant eux et jouait de la guitare en chantant en espagnol. C'était une chanson lente et Harry n'eut aucun mal à en traduire les paroles :

Je ne sais pas comment t'aimer,
Je ne sais même pas comment t'enlacer,
Car ce qui ne me quitte jamais
C'est cette douleur qui me fait tant souffrir.

La voix plaintive du chanteur portait sans peine à travers le square, et Bosch trouva cette chanson très belle. Appuyé contre sa voiture, il fuma une cigarette jusqu'à ce que le chanteur s'arrête.

Les baisers que tu m'as donnés, mon amour,
Ce sont eux qui me tuent,
Mais mes larmes commencent maintenant à sécher.
Avec mon pistolet et mon cœur
Comme toujours je passe ma vie,
Avec mon pistolet et mon cœur.

Une fois la chanson terminée, les hommes assis sur le banc acclamèrent le chanteur en levant leurs boîtes de bière à sa santé.

De l'autre côté de la porte vitrée portant l'inscription POLICE se trouvait une pièce pas plus grande que l'arrière d'un pick-up, où flottait une odeur âpre. Sur la gauche était installé un distributeur de Coca, juste en face il y avait une porte munie d'une serrure électronique et, sur la droite, une vitre épaisse au-dessus d'un plateau coulissant. Un policier en uniforme était assis derrière le guichet. Dans son dos, une femme surveillait un standard radio. A côté s'étendait tout un mur de petits casiers.

– C'est interdit de fumer ici, dit l'agent en uniforme.

Il portait des lunettes réfléchissantes et était obèse. D'après la plaque fixée sur la poche de sa chemise, il se nommait Gruber. Bosch recula jusqu'à la porte pour lancer son mégot sur le parking.

– Vous savez, ça coûte cent dollars d'amende quand on jette des détritus dans la rue.

Harry ouvrit son porte-cartes et montra son insigne.

– Allez-y, collez-moi un PV, dit-il. Je viens déposer mon arme.

Gruber grimaça un sourire qui laissa voir des gencives boursouflées et violacées.

– Moi, personnellement, je chique. Comme ça, y a pas de problème.

– Oui, je vois ça…

Gruber fronça les sourcils et sembla réfléchir un moment à cette réponse avant de dire :

– Bon, allons-y. Quand on veut déposer son arme, faut d'abord donner l'arme qu'on veut déposer.

Sur ce, il se tourna vers l'opératrice radio pour savoir si elle estimait qu'il avait pris le dessus. Elle n'eut aucune réaction. Bosch constata que le ventre de Gruber menaçait de faire sauter les boutons de son uniforme. Il sortit le 44 de son holster et le déposa dans le plateau coulissant.

Gruber prit l'arme dans sa main pour l'examiner.

– Vous voulez pas le laisser dans l'étui ?

Bosch n'avait pas pensé à cela. Il avait besoin du holster. Autrement, il serait obligé de coincer le Smith & Wesson dans sa ceinture et il risquait de le perdre s'il devait courir.

– Non, répondit-il, juste le flingue.

Gruber lui fit un clin d'œil, emporta l'arme vers les casiers, ouvrit l'un d'eux et déposa l'arme à l'intérieur. Il referma la porte, la verrouilla, prit la clé et revint vers le guichet.

– Refaites-moi voir votre plaque. Faut que je vous fasse un reçu.

Bosch jeta son porte-cartes dans le plateau et observa Gruber qui remplissait lentement un reçu en duplicata. Apparemment, l'agent était obligé de relever la tête toutes les deux lettres pour vérifier qu'il ne se trompait pas dans l'orthographe.

– Hé, où vous avez déniché un nom pareil ?

– Vous n'avez qu'à écrire Harry, c'est plus court.

– Non, non, pas de problème. Je peux y arriver. Mais me demandez pas de le prononcer.

Ayant enfin terminé, il glissa les deux reçus dans le plateau et demanda à Harry de les signer. Harry se servit de son propre stylo.

– Voyez-moi ça ! Un gaucher qui vient déposer un flingue pour droitier ! s'écria Gruber. Ça, c'est un truc qu'on voit pas tous les jours…

Il adressa un nouveau clin d'œil à Bosch. Ce dernier le regarda sans rien dire.

– Je disais ça pour causer, c'est tout, fit Gruber.

Harry remit un des reçus dans le plateau, Gruber lui donnant la clé du casier en échange. Elle portait un numéro.

– La perdez surtout pas.

En regagnant sa Caprice, Harry constata que les Mexicains étaient toujours assis autour de la table de pique-nique dans le square, mais ils ne chantaient plus. Il monta à bord et déposa la clé du casier dans le cendrier. Il ne s'en servait jamais quand il fumait. Un vieil homme aux cheveux blancs était en train d'ouvrir la porte du centre d'archives. Bosch fit demi-tour et prit la direction de l'hôtel De Anza.

C'était une construction à deux étages, dans le style espagnol, avec une grande antenne satellite sur le toit. Bosch se gara dans l'allée de briques qui passait devant. Son intention était de laisser ses bagages dans sa chambre, faire un brin de toilette et passer la frontière pour se rendre à Mexicali. L'homme qui se tenait derrière le comptoir de la réception portait une chemise blanche avec un nœud papillon marron assorti à son gilet. Il ne devait pas avoir plus de vingt ans. Epinglé sur son gilet, un badge plastifié indiquait qu'il se prénommait Miguel et était réceptionniste adjoint.

Bosch demanda une chambre, remplit une fiche de renseignements et la lui tendit.

– Oh, monsieur Bosch, dit Miguel, nous avons des messages pour vous.

Il se tourna vers une corbeille en plastique à l'intérieur de laquelle il piocha trois petites feuilles roses. Deux messages venaient de Pounds, l'autre d'Irving. En regardant les heures d'appel, Bosch constata que tous les trois remontaient à moins de deux heures. D'abord Pounds, puis Irving, et de nouveau Pounds.

– Attendez une minute, dit-il à Miguel. Avez-vous un téléphone ?

– Oui, juste au coin, sur votre droite, monsieur.

Bosch demeura un instant devant l'appareil, le combiné

à la main, à se demander ce qu'il devait faire. Assurément, il se passait quelque chose, sinon ils n'auraient pas tenté de le joindre. Une raison quelconque avait poussé Pounds ou Irving, ou même les deux, à l'appeler chez lui et ils étaient tombés sur le message du répondeur. Qu'avait-il bien pu se passer ? Avec sa carte de téléphone, il appela le bureau de la Criminelle au commissariat de Hollywood, en espérant que quelqu'un serait là pour le mettre au courant. Jerry Edgar décrocha après la première sonnerie.

– Hé, Jed, qu'est-ce qui se passe ? Il paraît que les huiles cherchent à me joindre…

Il y eut un long silence. Trop long.

– Jed ?

– Où es-tu, Harry ?

– Dans le sud.

– Où ça, dans le sud ?

– Qu'est-ce qui se passe, Jed ?

– Où que tu sois, Pounds veut que tu te ramènes. Il nous a dit que si quelqu'un t'avait au téléphone, il fallait te demander de rappliquer en vitesse. Il a dit…

– Pourquoi ? Pour quelle raison ?

– C'est à cause de Porter, mec. Ils l'ont retrouvé ce matin à Sunshine Canyon. Quelqu'un lui a serré le cou si fort avec un fil de fer qu'il était pas plus gros qu'un bracelet de montre.

– Bon Dieu ! dit Bosch en sortant ses cigarettes. Bon Dieu…

– Ouais.

– Qu'est-ce qu'il foutait là-bas ? Sunshine, c'est bien le dépotoir qui se trouve dans le secteur de la brigade de Foothill, non ?

– Putain, Harry ! On l'y a balancé, c'est tout.

Oui, évidemment. Il aurait dû le deviner. Evidemment. Il n'avait pas réfléchi.

– D'accord, d'accord. Qu'est-ce qui s'est passé ?

– Ce qui s'est passé, c'est qu'ils ont découvert son corps ce matin. C'est un chiffonnier qui l'a trouvé. Paraît qu'il était couvert de détritus et de merde. Mais la brigade des vols et homicides a quand même réussi à relever des indices. Des notes de plusieurs restos. Ils ont obtenu le nom de l'entreprise de transport de déchets qu'utilisent les restos et ça leur a permis de remonter jusqu'à une benne et un itinéraire précis. C'est une tournée qui fait le centre. Elle a été effectuée hier matin. La brigade de Hollywood leur file un coup de main. Je me prépare à me taper une grande virée. Dès qu'on aura découvert la poubelle où on l'a balancé, ça fera un bon point de départ…

Bosch repensa au container derrière le Poe. Porter n'avait pas fichu le camp. Il avait sans doute été étranglé et emmené pendant que Bosch s'expliquait avec le barman. Soudain, il se souvint de l'homme avec les larmes tatouées sur le visage. Comment cela avait-il pu lui échapper ? Il s'était sans doute trouvé à quelques mètres seulement du meurtrier de Porter.

– Je ne suis pas allé voir sur place, mais j'ai entendu dire qu'on s'était occupé de lui sérieusement avant de le buter, reprit Edgar. Il avait le visage défoncé. Nez cassé et ainsi de suite, tu vois le genre. Avec du sang partout. Putain, tu parles d'une façon de crever…

Avant longtemps, les flics allaient débarquer au Poe avec des photos de Porter. Le barman se souviendrait de ce visage et se ferait un plaisir de décrire Bosch comme l'homme qui était entré l'autre matin, en disant qu'il était flic, pour s'en prendre à Porter. Bosch se demanda s'il devait en parler dès maintenant à Edgar et éviter ainsi du travail inutile. Mais l'instinct de survie reprenant le dessus, il décida finalement de ne pas lui rapporter sa visite au Poe.

– Pourquoi Pounds et Irving veulent-ils me voir ?

– J'en sais rien. Tout ce que je sais, c'est que Moore se fait buter en premier, et que maintenant c'est au tour de Porter. Peut-être qu'ils resserrent les rangs. Ils veulent mettre tout le monde à l'abri. On dit que ces deux affaires n'en feraient qu'une. On raconte même qu'ils avaient une combine. Irving a déjà décidé de mener une enquête conjointe sur eux. Moore et Porter.

Bosch garda le silence. Il essayait de réfléchir. Voilà qui donnait un éclairage nouveau à toute l'affaire.

– Ecoute-moi, Jed. Je ne t'ai pas appelé. On ne s'est pas parlé. Tu piges ?

Edgar hésita.
– Tu es sûr de vouloir jouer le coup de cette façon ?
– Ouais. Pour l'instant. Je te rappelle.
– Fais gaffe à toi.

Attention à la glace noire, songea-t-il en raccrochant et en restant planté devant le téléphone, appuyé contre le mur. Porter. Comment était-ce arrivé ? Instinctivement, il porta sa main à sa hanche, mais ne se sentit guère rassuré. Le holster était vide.

Il se trouvait devant un choix : continuer vers Mexicali ou rentrer à L. A... Il savait que s'il rentrait, il devrait renoncer à l'affaire. Irving se chargerait de lui couper tous les ponts.

Finalement, se dit-il, il n'avait pas réellement le choix. Il fallait continuer. Sortant un billet de vingt dollars de sa poche, il retourna à la réception et fit glisser le billet vers Miguel.

– Oui, monsieur ?
– Je voudrais annuler ma chambre, Miguel.
– Pas de problème. Vous n'avez rien à payer, vous ne l'avez pas utilisée.
– Non, ça, c'est pour vous, Miguel. J'ai un petit problème. Personne ne doit savoir que je suis venu ici. Vous comprenez ?

Miguel était jeune, mais malin. Il répondit à Bosch que cela ne posait aucun problème. Il ramassa le billet sur le comptoir et le fourra dans une poche à l'intérieur de son gilet. Harry fit glisser les messages téléphoniques vers le réceptionniste.

– Tenez. S'ils rappellent, je ne suis jamais passé les prendre, d'accord ?
– Entendu, monsieur.

Quelques minutes plus tard, Bosch faisait la queue pour franchir la frontière. Il constata que le bâtiment des services des douanes américaines servant à contrôler les véhicules qui entraient aux Etats-Unis était bien plus imposant que son équivalent mexicain. Le message était clair : quitter ce pays ne posait aucun problème, mais y pénétrer était une autre paire de manches. Arrivé devant la barrière, il tendit son insigne par la vitre ouverte. Quand l'officier mexicain le lui prit des mains, Harry lui tendit le reçu de la police de Calexico.

– Vous venez pour quoi ? lui demanda l'officier.

Il portait un uniforme délavé qui avait été vert kaki autrefois. Sa casquette était maculée de sueur tout autour du ruban.

– Visite officielle. J'ai rendez-vous à la plaza Justicia.

– Ah. Vous connaissez le chemin ?

Bosch souleva une des cartes étalées sur le siège du passager en hochant la tête. L'officier examina le reçu de couleur rose.

– Vous n'avez pas d'arme sur vous ? dit-il en lisant le document. Vous avez laissé votre 44 au poste de police, hein ?

– C'est ce qui est écrit.

L'officier sourit, et Bosch crut discerner du scepticisme dans son regard. Pour finir, l'homme hocha la tête et lui fit signe de passer. La Caprice se retrouva aussitôt engloutie dans un torrent de voitures qui roulaient dans une large avenue dépourvue de marquage au sol. Parfois, les véhicules formaient six files, parfois seulement quatre ou cinq. Mais les changements de voies s'effectuaient en douceur, sans coups de klaxon, et la circulation demeurait fluide. Il avait déjà parcouru un bon kilomètre lorsqu'il atteignit enfin un feu rouge qui lui permit de s'arrêter pour consulter sa carte.

A priori, il se trouvait dans Calzado Lopez Mateos, avenue qui conduisait au centre de police dans les quartiers sud de la ville. Le feu passa au vert, les voitures redémarrèrent. Bosch se détendit quelque peu et regarda autour de lui en roulant, attentif malgré tout aux changements du nombre de files. Le boulevard était bordé de vieilles boutiques en tous genres dont les façades peintes dans les tons pastel avaient été noircies par les gaz d'échappement de cette rivière de métal qui coulait juste devant, et Bosch trouvait cela déprimant. Il y avait bien de gros cars scolaires Chevrolet ornés de dessins multicolores, mais cela ne suffisait pas à égayer le décor. Soudain, le boulevard décrivit un virage brutal vers le sud et fit le tour d'une place circulaire au centre de laquelle se dressait une statue : un cavalier doré chevauchant un étalon dressé sur ses pattes arrière. Plusieurs hommes, coiffés pour la plupart de chapeaux de cow-boy en paille, se tenaient au centre de la place, debout ou appuyés contre le socle de la statue, et ils contemplaient le flot ininterrompu de voitures. Des ouvriers agricoles qui attendaient du travail. En consultant son plan, Bosch apprit que cet endroit se nommait la plaza Benito Juarez.

Quelques minutes plus tard, il arriva devant un complexe de trois grands bâtiments surmontés d'une forêt d'antennes et de paraboles. Une pancarte plantée au bord de la route indiquait AYUNTAMIENTO DE MEXICALI.

Il pénétra dans un parking. Il n'y avait ni horodateurs ni gardien. Avisant une place libre, il se gara. Assis dans la voiture et observant le complexe, il ne put s'empêcher d'avoir le sentiment de fuir quelque chose, ou quelqu'un. La mort de Porter l'avait ébranlé : il s'était trouvé sur place au moment même où elle s'était produite. Le constater l'amena à se demander par quel miracle il avait pu en réchapper, et pourquoi le tueur n'avait pas tenté de le liquider lui aussi. Il existait une raison évidente : on ne voulait pas prendre le risque de viser deux cibles en même temps. Mais il y avait une autre explication : le meurtrier obéissait à un ordre, c'était un tueur à gages payé pour tuer Porter. Si tel était le cas, Bosch avait le sentiment que l'ordre venait d'ici, de Mexicali.

Chacun des trois bâtiments du complexe faisait face à une plaza triangulaire. D'architecture moderne, ils offraient des façades de grès de couleur beige et rose. Toutes les fenêtres du deuxième étage d'une des bâtisses étaient couvertes de l'intérieur avec du papier journal. Sans doute pour se protéger du soleil couchant. Cela donnait à l'édifice un air particulièrement miteux. Au-dessus de l'entrée principale, des lettres chromées indiquaient POLICIA JUDICIAL DEL ESTADO DE BAJA CALIFORNIA. Bosch descendit de voiture avec son dossier sur Juan Doe n° 67, verrouilla la portière et gagna le siège de la police.

En traversant la plaza, il croisa plusieurs dizaines de personnes, dont un tas de vendeurs à la sauvette qui proposaient de la nourriture et divers produits d'artisanat, mais surtout de la nourriture. Sur les marches du perron, plusieurs jeunes filles s'avancèrent vers lui, les bras tendus, pour essayer de lui vendre du chewing-gum ou des bracelets faits de fils multicolores. Non merci. Au moment où il poussait la porte du hall, une femme de petite taille et portant sur son épaule un plateau chargé de gâteaux faillit le percuter.

Dans la salle d'attente, quatre rangées de chaises en plastique étaient disposées face à un guichet auquel était accoudé un policier en uniforme. Presque toutes les chaises étaient occupées, et chaque occupant avait les yeux fixés sur l'officier. Celui-ci, le regard masqué par des lunettes réfléchissantes, lisait le journal.

Bosch s'avança vers lui et l'informa en espagnol qu'il avait rendez-vous avec l'investigator Carlos Aguila. Il ouvrit l'étui renfermant son insigne et le posa sur le comptoir. L'homme ne sembla nullement impressionné. Malgré tout, il s'empara, sans se presser, d'un téléphone posé sous le comptoir. C'était un vieil appareil à cadran rotatif, beaucoup plus ancien que l'immeuble dans lequel ils se trouvaient, et l'homme parut mettre une heure à composer le numéro.

Au bout d'un moment, le planton se mit à débiter dans le combiné un flot crépitant de paroles en espagnol. Harry ne parvint à saisir que quelques mots au passage. Capitaine. Gringo. Oui. LAPD. Investigator. Il crut également l'entendre prononcer le nom Charlie Chan. L'homme écouta quelques instants, puis raccrocha. Sans lever les yeux vers Bosch, il désigna la porte derrière lui d'un geste du pouce et se replongea dans la lecture de son journal. Harry contourna le comptoir, poussa la porte donnant sur un couloir qui s'étendait à droite et à gauche, avec de nombreuses portes de chaque côté. Il retourna dans la salle d'attente, tapota sur l'épaule du policier en uniforme et lui demanda son chemin.

– Tout au bout, dernière porte, répondit le policier en anglais, en désignant le côté gauche du couloir.

Suivant ces indications, Bosch atteignit une vaste pièce où plusieurs types donnaient l'impression de tourner en rond, tandis que d'autres étaient assis sur des canapés. Des vélos étaient appuyés contre les murs qui n'étaient pas occupés par des canapés. Il n'y avait qu'un seul bureau, derrière lequel une jeune femme tapait à la machine, pendant qu'un homme semblait lui dicter. Harry remarqua que l'homme avait un Beretta 9 mm coincé dans la ceinture de son pantalon en laine. Il remarqua que d'autres portaient également une arme dans un holster ou dans leur ceinture. C'était la salle des inspecteurs. Le brouhaha qui régnait dans la pièce cessa brusquement quand Bosch entra. Il demanda à l'homme le plus proche où se trouvait Carlos Aguila. En entendant cette question, un autre homme lança quelque phrases en direction d'une autre pièce située au fond de la salle. Le débit était trop rapide une fois de plus, mais Bosch perçut à nouveau le mot Chan et essaya de deviner ce qu'il signifiait en espagnol. L'homme qui avait beuglé ainsi lui désigna la porte du pouce et Bosch se dirigea vers elle. Il entendit quelques gloussements dans son dos, mais ne se retourna pas.

La porte donnait sur une petite pièce avec un seul bureau. Un homme aux cheveux gris et aux yeux fatigués était assis derrière, fumant une cigarette. Un journal mexicain, un cendrier en verre et un téléphone étaient les seuls objets qui encombraient le dessus du bureau. Un autre homme, avec des lunettes de pilote à verres réfléchissants – évidemment –, était assis sur une chaise appuyée contre le mur du fond et il observait Bosch. A moins qu'il ne fît la sieste.

– *Buenos dias*, dit le plus âgé des deux. Je suis le capitaine Gustavo Grena, poursuivit-il en anglais, et vous, vous êtes l'inspecteur Harry Bosch. Nous nous sommes parlé hier au téléphone.

Bosch lui tendit la main par-dessus le bureau. Grena désigna ensuite l'homme aux lunettes argentées.

– Et voici l'investigator Aguila, que vous êtes venu voir. Alors, que nous avez-vous apporté de Los Angeles ?

Aguila, l'inspecteur qui avait transmis l'avis de recherche au consulat de Los Angeles, était un petit homme aux cheveux bruns et à la peau claire. Son front et son nez étaient rougis par le soleil, mais Bosch remarqua sa poitrine blanche par l'ouverture de son col de chemise. Il portait un jean et des bottes en cuir noir. Il salua Bosch d'un signe de tête, mais ne fit aucun effort pour lui serrer la main.

Comme il n'y avait pas d'autre chaise pour s'asseoir, Harry s'avança vers le bureau pour y déposer son dossier. Il l'ouvrit et en sortit les Polaroïd pris à la morgue qui montraient le visage de Juan Doe n° 67 et le tatouage sur son torse. Il les tendit à Grena qui les observa un instant, avant de les reposer.

– Vous cherchez aussi un homme, alors ? Le meurtrier, peut-être ? demanda Grena.

– Il est possible qu'il ait été tué ici et qu'on ait transporté son corps à Los Angeles. Dans ce cas, votre police devrait rechercher le meurtrier, peut-être.

Grena prit un air songeur.

– Je ne comprends pas, dit-il. Pourquoi ? Pourquoi faire une chose pareille ? Je suis certain que vous vous trompez, inspecteur Bosch.

Bosch haussa les épaules. Il ne voulait pas insister. Pas tout de suite.

– J'aimerais au moins obtenir la confirmation de l'identité, comme point de départ.

– Très bien, dit Grena. Je vous laisse voir ça avec l'investigator Aguila. Au fait, j'ai interrogé personnellement le directeur d'EnviroGènes et celui-ci m'a assuré que votre Juan Doe n'a jamais travaillé là-bas. Je vous ai fait gagner du temps.

Grena hocha la tête, comme pour dire que cela ne lui avait pas coûté. Genre « Ne me remerciez pas, c'est naturel ».

– Comment peuvent-ils en être sûrs alors que nous ne connaissons pas encore l'identité de la victime ?

Grena tira sur sa cigarette pour se donner le temps de réfléchir à la question.

– Je lui ai fourni le nom de Fernal Gutierrez-Llosa. Ils n'ont jamais eu d'employé qui s'appelait comme ça. Nous avons affaire à un adjudicataire américain, nous devons être très prudents... Voyez-vous, nous ne voulons pas marcher sur les plates-bandes du commerce international.

Grena se leva, écrasa sa cigarette dans le cendrier et adressa un hochement de tête à Aguila. Puis il sortit du bureau. Bosch regarda les lunettes réfléchissantes et se demanda si Aguila avait compris un seul mot de la conversation.

– Ne vous inquiétez pas pour votre espagnol, dit Aguila. Je parle votre langue.

21

Bosch insista pour prendre sa voiture. Il ne voulait pas laisser la Caprice au parking : elle ne lui appartenait pas. Ce qu'il ne dit pas à Aguila, c'est qu'il ne voulait surtout pas se séparer de son arme cachée dans le coffre. En traversant la plaza, ils durent repousser les enfants aux mains tendues.

Une fois dans la voiture, Bosch demanda :

– Comment va-t-on procéder à l'identification sans les empreintes ?

Aguila prit le dossier posé sur le siège.

– Ses amis et son épouse regarderont les photos.

– On va chez lui ? A sa maison ? Je pourrais relever les empreintes, les emporter avec moi à L. A. et les faire analyser. Nous aurions la confirmation.

– Ce n'est pas une maison. Plutôt une cabane.

Bosch hocha la tête sans rien dire et démarra. Aguila lui fit prendre la direction du sud jusqu'à Lazaro Cardenas où ils roulèrent vers l'ouest pendant un instant, avant de bifurquer à nouveau vers le sud dans l'avenido Canto Rodado.

– Nous allons dans le barrio, reprit Aguila. On surnomme cet endroit la ciudad de los Personas Perdidos. La ville des Ames perdues.

– C'est la signification du tatouage, n'est-ce pas ? Le fantôme ? Les âmes perdues ?

– Exact.

Bosch réfléchit un instant avant de demander :

– Le barrio des « Ames perdues » est-il très éloigné des « Saints et des Pécheurs » ?

– Non, il est situé au sud-ouest, lui aussi. Pas très loin

des « Ames perdues ». Je vous le montrerai si vous le souhaitez.

– Oui, on verra.

– Pourquoi me posez-vous cette question ?

Bosch repensa à la mise en garde de Corvo : ne pas faire confiance à la police locale.

– Simple curiosité, dit-il. C'est pour une autre affaire.

Il éprouva immédiatement un sentiment de culpabilité à l'idée de ne pas faire confiance à Aguila. C'était un flic lui aussi, et il avait droit au bénéfice du doute. Mais Corvo ne partageait pas cet avis. Après cet échange, ils roulèrent en silence pendant un instant. Ils s'éloignaient du centre, du confort rassurant des immeubles et de la circulation. Les boutiques, les magasins et les restaurants cédèrent la place à des bicoques faites de planches de bois et de cartons. Harry remarqua sur le bas-côté un emballage de réfrigérateur qui servait de logement à un sans-abri. Les gens, assis sur des moteurs rouillés ou des bidons d'essence, regardaient passer la voiture d'un œil hagard. Bosch s'efforçait de garder les yeux fixés sur la route poussiéreuse.

– Tout à l'heure, au poste de police, vos collègues vous ont appelé Charlie Chan, pour quelle raison ?

Il avait posé cette question avant tout parce qu'il se sentait nerveux et pensait qu'un peu de conversation l'aiderait à chasser la gêne et le désagrément du trajet.

– Parce que je suis chinois, répondit simplement Aguila.

Bosch se tourna vers lui. Sur le côté, il parvenait à voir derrière les lunettes réfléchissantes et il découvrit en effet les yeux légèrement bridés.

– En partie, devrais-je dire, reprit Aguila. Un de mes grands-parents était chinois. Il y a une importante communauté sino-mexicaine à Mexicali, inspecteur Bosch.

– Ah…

– Mexicali a été fondée vers 1900 par la Colorado River Land Company. Ces gens-là possédaient une immense bande de terrain des deux côtés de la frontière et avaient besoin d'une main-d'œuvre bon marché pour ramasser le coton et les légumes. Ils ont bâti Mexicali. En face de Calexico, de l'autre côté de la frontière. Comme le reflet d'un miroir, je suppose, dans leur tête du moins. Ils ont fait venir dix mille Chinois, rien que des hommes, et ils ont fondé une ville. Une ville tout entière appartenant à une entreprise.

Bosch acquiesça. Il n'avait jamais entendu cette histoire et la trouvait intéressante. En traversant la ville, il avait aperçu de nombreux restaurants et panneaux chinois, mais ne se souvenait pas d'avoir croisé beaucoup d'Asiatiques.

– Ils sont tous restés… les Chinois ?

– La plupart, oui. Mais je vous l'ai dit, il n'y avait que des hommes. Dix mille Chinois. Pas une seule femme. La Colorado River ne voulait pas. Ils pensaient que cela nuirait au travail. Par la suite, des femmes sont venues. Mais, dans la plupart des cas, les hommes ont épousé des Mexicaines. Les races se sont mélangées. Cependant, comme vous l'avez certainement constaté, la culture a été en grande partie conservée. A l'heure de la sieste, nous irons manger chinois, d'accord ?

– Ouais, d'accord.

– La police est restée très largement le domaine réservé des Mexicains. On n'y trouve pas beaucoup de gens comme moi. C'est pour ça qu'ils me surnomment Charlie Chan. Mes collègues me considèrent comme un étranger.

– Je crois comprendre ce que vous ressentez.

– Viendra un moment, inspecteur Bosch, où vous pourrez me faire confiance. D'ici là, ça ne me gêne pas d'attendre pour parler de cette autre affaire que vous avez mentionnée.

Sérieusement gêné, Bosch hocha la tête et tenta de se concentrer sur sa conduite. Peu après, Aguila lui indiqua une route étroite et non pavée qui s'enfonçait au cœur du barrio. De chaque côté se dressaient des habitations en parpaings, avec des toits plats, des couvertures tendues à l'entrée et des rajouts en contre-plaqué et en tôle. Partout étaient répandus ordures et autres détritus. Des hommes décharnés, hâves, inactifs, regardaient passer d'un air hébété la Caprice immatriculée en Californie.

– Arrêtez-vous devant l'habitation ornée d'une étoile, dit Aguila.

Bosch aperçut l'étoile en question. Elle avait été peinte à

la main sur le mur en briques d'une de ces tristes masures. Au- dessus de l'étoile figuraient les mots PERSONAS PERDIDOS. Et en dessous, en plus petit, cette inscription : *Honorable Alcade y Sheriff.*

Bosch arrêta la Caprice devant le taudis et attendit les instructions.

– Cet homme n'est ni maire ni shérif, si c'est ce que vous pensez, dit Aguila. Arnolfo Munoz de la Cruz est simplement ce que vous appelleriez un juge de paix. Dans un lieu de désordre, il fait régner l'ordre. Il est le shérif de la ville des Ames perdues. C'est lui qui nous a signalé la disparition de votre homme. C'est ici que vivait Fernal Gutierrez-Llosa.

Bosch descendit de voiture, sans oublier de prendre le dossier de Juan Doe. En contournant la voiture par-devant, il fit glisser de nouveau sa main sur sa veste, là où elle dissimulait son holster. C'était un geste inconscient qu'il accomplissait chaque fois qu'il descendait de voiture lorsqu'il était en service. Mais cette fois, en ne sentant pas sous ses doigts le contact rassurant de son arme, il prit pleinement conscience de sa position d'intrus désarmé sur un territoire étranger. Impossible de récupérer son Smith & Wesson dans le coffre en présence d'Aguila. Du moins, pas avant d'avoir appris à mieux le connaître.

Aguila fit tinter une cloche en argile suspendue près de l'entrée de la « maison ». Il n'y avait pas de porte, seulement une couverture accrochée à une latte de bois clouée en travers de l'ouverture. Une voix leur ayant crié *Abierto !*, ils entrèrent.

Munoz était un homme de petite taille. Le visage buriné, il avait de longs cheveux gris noués sur la nuque, il se promenait torse nu et portait son étoile de shérif tatoué sur le pectoral droit, face au fantôme dessiné sur son sein gauche. Il regarda d'abord Aguila, puis Bosch, avec une certaine curiosité. Aguila lui présenta Bosch et exposa à Munoz la raison de leur visite. Il parlait lentement afin que Bosch puisse comprendre. Aguila expliqua au vieil homme qu'il devait regarder quelques photos. Cette demande plongea Munoz dans la perplexité… jusqu'à ce que, Bosch ayant sorti du dossier les photos de la morgue, il comprenne qu'il s'agissait d'un mort.

– Est-ce Fernal Gutierrez-Llosa ? demanda Aguila après que le vieil homme eut étudié les photos suffisamment longtemps.

– Oui, c'est lui.

Munoz détourna les yeux. Bosch observa alors le décor pour la première fois depuis qu'ils étaient entrés. L'unique pièce de la cabane ressemblait en tous points à une grande cellule. Uniquement le strict nécessaire. Un lit. Une caisse de vêtements. Une serviette suspendue au dossier d'une chaise. Une bougie et une tasse contenant une brosse à dents posées sur un carton à côté du lit. Il flottait là un parfum de misère sordide et Bosch eut honte de son intrusion.

– Où habitait-il ? demanda-t-il à Aguila en anglais.

Aguila se retourna vers Munoz.

– Je suis désolé pour ce qui est arrivé à votre ami, M. Munoz, dit-il. Mais je dois prévenir son épouse. Savez-vous où je peux la trouver ?

Munoz hocha la tête et répondit que la femme se trouvait à son domicile.

– Acceptez-vous de venir avec nous pour nous aider ?

Munoz acquiesça de nouveau, prit une chemise blanche posée sur le lit et l'enfila. Puis il se dirigea vers la porte, souleva la couverture et les laissa passer.

Bosch alla d'abord chercher son matériel à empreintes dans le coffre de la Caprice. Après quoi ils continuèrent dans la rue poussiéreuse, jusqu'à une cabane en contreplaqué surmontée d'une marquise en toile sur le devant. Aguila posa sa main sur l'épaule de Bosch.

– Le senor Munoz et moi allons nous occuper de son épouse. Nous allons la faire sortir. Pendant ce temps, vous n'avez qu'à entrer pour relever les empreintes et faire ce que vous avez à faire.

Munoz appela une dénommée Marita. Quelques instants plus tard, une petite femme passa la tête par l'entrebâillement du rideau de douche en plastique blanc suspendu devant la porte. En apercevant Munoz et Aguila, elle sortit. Bosch n'eut qu'à voir son visage pour comprendre qu'elle connaissait déjà la nouvelle qu'on venait lui annoncer. Les femmes étaient comme ça. Harry repensa au premier soir où il avait vu Sylvia Moore. Elle savait. Elles savent toujours. Bosch confia le dossier à Aguila, au cas où l'épouse exigerait de voir les photos, puis il se faufila dans la pièce où cette femme et Juan Doe avaient vécu.

Il n'y avait pas beaucoup de meubles. Rien d'étonnant. Un petit matelas reposait sur une palette en bois. Une chaise unique d'un côté et, de l'autre, une commode faite avec des bouts de bois et un grand carton d'emballage. Quelques vêtements étaient suspendus à l'intérieur du carton. Le mur du fond était constitué d'une grande plaque d'aluminium portant le logo et le nom de la bière Tecate. Des planches de bois fixées sur toute la longueur servaient d'étagères où on avait rangé des boîtes de café, un coffret de cigares et divers petits objets.

Bosch entendit les sanglots étouffés de la femme au-dehors, et Munoz qui s'efforçait de la consoler. Il balaya rapidement la pièce du regard, essayant de localiser le meilleur endroit où relever des empreintes. Il n'était même pas certain que ce soit nécessaire ; les larmes de cette femme suffisaient, semblait-il, à confirmer l'identité de la victime.

Il s'approcha des étagères et avec son ongle souleva le couvercle du coffret à cigares. Celui-ci contenait un peigne sale, quelques pesos et un jeu de dominos.

– Carlos ? lança-t-il.

Aguila passa la tête à l'intérieur, en repoussant le rideau de douche.

– Demandez-lui si elle a touché à ce coffret dernièrement. Apparemment, ces objets appartenaient à son mari. Si c'est le cas, je vais relever les empreintes.

Il l'entendit s'adresser à la femme en espagnol, et celle-ci répondre qu'elle ne touchait jamais ce coffret, car il appartenait à son mari. Du bout des ongles, Harry transporta la boîte jusque sur la commode artisanale. Il ouvrit sa trousse de matériel et en sortit un petit vaporisateur, un flacon de poudre noire, une brosse en poils de martre, un gros rouleau de ruban adhésif transparent et une pile de fiches cartonnées format 8 × 13. Il disposa le tout sur le lit et se mit au travail.

Pour commencer, il s'empara du vaporisateur et pulvérisa un peu de ninhydrine sur le coffret. Une fois que la pellicule s'y fut déposée, il prit une cigarette, l'alluma et promena l'allumette enflammée sur le bord de la boîte, à quatre centimètres de la surface environ. La chaleur fit apparaître les stries de plusieurs empreintes digitales sur la couche de ninhydrine. Penché au- dessus de la commode, Bosch les examina, à la recherche d'échantillons complets. Il y en avait deux. Il dévissa le flacon de poudre noire avec laquelle il badigeonna très légèrement les empreintes afin de définir avec davantage de précision toutes les stries. Il déroula ensuite un petit bout de ruban adhésif, le colla sur une des empreintes, puis le retira. Après quoi, il appuya le morceau de ruban adhésif sur la fiche cartonnée blanche. Il renouvela l'opération avec la seconde empreinte. Il en avait maintenant deux bonnes à remporter.

Aguila le rejoignit à l'intérieur.

– Alors, vous en avez trouvé ?

– Oui, quelques-unes. Avec un peu de chance, ce seront celles du mari, pas de la femme. Mais ça n'a pas beaucoup d'importance. Apparemment, elle l'a identifié elle aussi. Elle a regardé les photos ?

Aguila acquiesça.

– Oui, elle a insisté. Avez-vous fouillé la pièce ?

– Pour trouver quoi ?

– Je ne sais pas.

– J'ai jeté un rapide coup d'œil. Il n'y a pas grand-chose.

– Avez-vous relevé les empreintes sur les boîtes de café ?

Bosch se tourna vers les étagères. Il y avait là trois vieilles boîtes de café Maxwell.

– Non, je me suis dit qu'il y aurait aussi les empreintes de la femme. Je ne veux pas être obligé de prendre les siennes pour pouvoir comparer. Autant ne pas l'embêter avec ça.

Aguila hocha la tête, mais il paraissait soucieux.

– Pourquoi un type sans le sou et sa femme auraient-ils trois boîtes de café ?

La question était bonne. Bosch s'avança vers les étagères et descendit une des boîtes. Elle faisait un bruit métallique et, en l'ouvrant, il y découvrit une poignée de pesos. La seconde contenait encore un fond de café. La troisième, elle, servait à ranger des papiers, entre autres un certificat de baptême au nom de Gutierrez-Llosa et un certificat de mariage. Ils étaient mariés depuis trente-deux ans. Cette pensée le déprima. Il y avait également un Polaroïd de Gutierrez-Llosa ; il s'agissait bien de Juan Doe n° 67. Identité confirmée. Et aussi un Polaroïd de son épouse. Pour finir, il tomba sur une liasse de talons de chèques retenus par un élastique. Bosch les passa en revue ; tous correspondaient à des sommes misérables versées par diverses sociétés, les livres de comptes d'un ouvrier agricole. Les rares entreprises qui ne payaient pas leurs ouvriers en liquide les payaient par chèque. Les deux derniers talons de la liasse correspondaient à deux chèques de seize dollars, l'un et l'autre émis par EnviroGènes. Bosch les glissa dans sa poche et annonça à Aguila qu'il était prêt à repartir.

Pendant que le policier mexicain exprimait de nouveau ses condoléances à la veuve, Bosch retourna à la voiture pour déposer dans le coffre son matériel et les cartes portant les empreintes qu'il avait relevées. Par-dessus le coffre ouvert, il apercevait Aguila en compagnie de Munoz et de la femme. Il s'empressa de soulever le tapis du côté droit, en sortit la roue de secours et récupéra son Smith & Wesson. Il fourra l'arme dans son holster et fit glisser celui-ci autour de sa taille jusque dans son dos. L'objet était caché par sa veste, toutefois, un œil exercé pouvait deviner sa présence. Mais Bosch n'était plus inquiet au sujet d'Aguila. Il remonta en voiture et attendit. Aguila le rejoignit rapidement.

Bosch observa la veuve et le « shérif » dans son rétroviseur tandis qu'ils repartaient.

– Que va-t-elle devenir ? demanda-t-il.

– Mieux vaut ne pas y penser, inspecteur Bosch. Sa vie était déjà dure avant. Maintenant, elle va l'être encore plus. Je crois qu'elle pleure autant sur son sort que sur celui de son mari. Et je la comprends.

Bosch conduisit en silence jusqu'à ce qu'ils quittent

les Ames perdues et se retrouvent sur la grand-route.

– C'était très astucieux, le coup de tout à l'heure, dit-il enfin. Les boîtes de café.

Aguila ne répondit pas. Ce n'était pas nécessaire. Bosch savait qu'il avait déjà fouillé cet endroit auparavant et y avait vu les talons de chèques signés EnviroGènes. Grena, son supérieur, touchait des pots-de-vin et Aguila n'aimait pas ça ; il n'était pas d'accord ou était simplement jaloux de ne pas faire partie de la combine. Quelles que soient ses motivations, il avait orienté Bosch dans la bonne direction. Il voulait que Bosch découvre les chèques. Il voulait que Bosch sache que Grena était un menteur.

– Etes-vous allé faire un tour dans les locaux d'EnviroGènes, histoire de vérifier par vous-même ?

– Non, répondit Aguila. Mon supérieur en serait averti immédiatement. Je ne pouvais pas me rendre sur place après qu'il eut soi-disant effectué l'enquête nécessaire. EnviroGènes s'occupe de commerce international. Cette société a des contrats avec des agences gouvernementales aux Etats-Unis. Vous devez comprendre que c'est une…

– Situation délicate ?

– Exactement.

– Je connais ça. Et je comprends. Vous ne pouvez pas passer par-dessus Grena. Mais moi, je peux. Où se trouve EnviroGènes ?

– Pas très loin d'ici. Au sud-ouest, en plaine, juste au pied de la sierra de los Cucapah. Il y a beaucoup d'usines par là, et aussi de grandes propriétés.

– Quelle distance sépare EnviroGènes du ranch que possède le Pape ?

– Le Pape ?

– Zorillo. Le Pape de Mexicali. Je croyais que vous vouliez connaître l'autre affaire sur laquelle j'enquête…

Ils continuèrent à rouler sans rien dire. En tournant la tête, Bosch constata que le visage d'Aguila s'était assombri. C'était visible, malgré les lunettes réfléchissantes. L'allusion à Zorillo avait sans doute confirmé les doutes que nourrissait l'inspecteur mexicain depuis que Grena avait tenté d'étouffer l'enquête. Bosch savait déjà, grâce à Corvo, qu'EnviroGènes se trouvait juste en face du ranch, de l'autre côté de la route. Sa question était simplement une façon supplémentaire de tester Aguila.

Un moment s'écoula avant qu'Aguila ne réponde enfin :

– Le ranch et EnviroGènes sont très près l'un de l'autre, me semble-t-il.

– Très bien. Conduisez-moi.

22

– Laissez-moi vous poser une question, dit Bosch. Comment se fait-il que vous ayez envoyé cet avis de recherche au consulat alors que vous n'avez pas de brigade des personnes disparues ? Quand quelqu'un disparaît, c'est qu'il a traversé la frontière, et vous n'envoyez pas d'avis de recherche. Qu'est-ce qui vous a fait penser que c'était différent cette fois ?

Ils se dirigeaient vers la chaîne montagneuse qui se dressait bien au-dessus de la couche de smog brunâtre venu de la ville. Ils roulaient en direction du sud-ouest, dans l'avenida Val Verde, à travers une zone où les ranchs s'étendaient vers l'ouest et les complexes industriels bordaient la route à l'est.

– Cette femme m'a convaincu, répondit Aguila. Elle est venue à la plaza avec le shérif pour signaler la disparition. Grena m'a confié l'enquête, et les paroles de la femme m'ont convaincu que Gutierrez-Llosa n'aurait jamais traversé la frontière de son plein gré… pas sans elle. Alors je me suis rendu au rond-point.

Aguila lui expliqua qu'il s'agissait du rond-point situé sous la statue dorée de Benito Juarez, l'endroit où les hommes venaient attendre du travail. D'autres ouvriers agricoles interrogés à cet endroit avaient déclaré que les camionnettes d'EnviroGènes venaient deux ou trois fois par semaine pour engager de la main-d'œuvre. Ceux qui avaient travaillé à l'usine d'élevage d'insectes parlaient d'un travail pénible : ils fabriquaient une sorte de pâte alimentaire destinée aux larves et chargeaient de lourds cartons d'incubation dans des camionnettes. Des mouches leur entraient en permanence dans la bouche et le nez. La plupart de ceux qui s'étaient fait engager avaient promis de ne plus y retourner, préférant attendre que d'autres employeurs viennent les chercher au rond-point.

Mais pas Gutierrez-Llosa. D'autres habitués du rond-point déclaraient l'avoir vu monter à bord de la camionnette d'EnviroGènes. Comparé aux autres travailleurs, c'était un homme âgé. Il n'avait guère le choix de ses employeurs s'il voulait travailler.

En apprenant qu'EnviroGènes expédiait sa production de l'autre côté de la frontière, reprit Aguila, il avait envoyé un avis de recherche au consulat de Californie du Sud. Entre autres hypothèses, il pensait que l'homme en question avait peut-être trouvé la mort dans un accident survenu à l'usine et qu'on avait dissimulé son corps pour éviter une enquête qui risquait d'interrompre la production. Apparemment, Aguila estimait que c'était là une pratique courante dans les diverses industries de la ville.

– Enquêter sur un décès, même accidentel, peut coûter très cher, dit-il.

– La *mordida*.

– Oui, la corruption.

Aguila expliqua que son travail avait pris fin le jour où il avait fait part de ses découvertes à Grena. Le capitaine lui avait répondu qu'il allait se charger d'enquêter auprès d'EnviroGènes, pour finalement déclarer peu de temps après que c'était une impasse. Voilà où en était la situation lorsque Bosch avait appelé pour donner de nouvelles informations sur le corps.

– On peut en déduire que Grena a touché sa petite commission…

Aguila ne répondit pas. Ils arrivèrent en vue d'un ranch protégé par une clôture métallique surmontée de barbelés. A travers les mailles, Bosch observa la sierra de los Cucapah sans y apercevoir autre chose qu'une vaste étendue déserte entre la route et les montagnes. Mais ils atteignirent bientôt une ouverture dans le grillage, l'entrée du ranch devant laquelle un pick-up était garé en travers du chemin. Assis dans la cabine, deux hommes regardèrent Bosch au passage, et celui-ci les regarda à son tour.

– C'est là, n'est-ce pas ? dit-il. C'est le ranch de Zorillo.

– Oui. C'est l'entrée.
– Le nom de Zorillo n'est jamais apparu avant que je le prononce devant vous ?
– Non, jamais.
Aguila n'en dit pas davantage. Une minute plus tard, ils arrivèrent en vue de quelques bâtiments situés derrière les grilles du ranch, mais proches de la route. Bosch remarqua une construction en béton semblable à une étable, avec une porte de garage fermée. De chaque côté se trouvaient des corrals, chacun contenant une demi-douzaine de taureaux dans des enclos séparés. Il n'y avait personne dans les parages.
– Il élève des taureaux pour l'arène, expliqua Aguila.
– Oui, il paraît. Ça rapporte beaucoup d'argent par ici, hein ?
– Tout ça grâce à la semence d'un seul taureau primé. El Temblar. Un animal redouté et admiré à Mexicali. C'est le taureau qui a tué Meson, le célèbre torero. Il vit ici maintenant et il se promène dans le ranch à sa guise, en prenant les génisses quand il le souhaite. Un champion.
– El Temblar ? Le tremblement ?
– Oui, on dit que les hommes et la terre tremblent quand il charge. C'est la légende. Tous les dimanches, à la plaza de los Toros, on évoque encore la mort de Meson.
– Ah… et El Temblar se promène en liberté dans le ranch ? Comme une sorte de chien de garde.
– Parfois, des gens s'arrêtent derrière la grille dans l'espoir d'entrevoir le célèbre animal. Les taureaux issus de sa semence sont considérés comme les meilleurs de la Baja California. Arrêtez-vous là.
Bosch s'immobilisa sur le bas-côté. Il constata qu'Aguila observait un alignement d'entrepôts et d'usines de l'autre côté de la route. Certains avaient des enseignes. En anglais, pour la plupart. Ces sociétés utilisaient de la main-d'œuvre mexicaine bon marché et payaient moins d'impôts pour fabriquer des produits destinés aux Etats-Unis. Il y avait là des fabriquants de meubles, de carrelage, des usines de circuits imprimés…
– Vous voyez l'usine des meubles Mexitec ? dit Aguila. Le deuxième bâtiment en partant de là, celui où il n'y a pas d'enseigne, c'est EnviroGènes.

C'était un bâtiment blanc, et Aguila avait raison : aucune enseigne, aucun panneau, n'indiquait ce qui se passait entre ces murs. Il était entouré d'une clôture de plus de trois mètres de haut et surmontée de barbelés. Des pancartes fixées au grillage annonçaient en deux langues que celui-ci était électrifié et qu'il y avait des chiens à l'intérieur. N'apercevant aucun molosse, Bosch se dit qu'ils ne les sortaient sans doute que la nuit. En revanche, il remarqua deux caméras de surveillance à l'entrée et plusieurs voitures stationnées à l'intérieur du complexe. Il n'aperçut aucune camionnette d'EnviroGènes, mais les deux portes de garage situées sur le devant de l'usine étaient fermées.

Bosch dut appuyer sur un bouton, donner la raison de sa visite et brandir son badge devant l'objectif d'une caméra de surveillance avant que la grille ne coulisse automatiquement. Il se gara à côté d'une Lincoln rouge foncé avec une plaque californienne et ils traversèrent à pied le parking en terre jusqu'à une porte portant l'inscription BUREAUX. Passant discrètement sa main dans son dos, Bosch caressa la crosse de son arme sous sa veste. Une petite dose de réconfort. La porte s'ouvrit au moment même où il se saisissait de la poignée, un individu coiffé d'un Stetson destiné à masquer son visage ravagé par l'acné et buriné par le soleil sortant pour allumer une cigarette. Il avait le type américain, et Bosch se dit qu'il s'agissait peut-être du conducteur de la camionnette qu'il avait aperçue au centre d'éradication à Los Angeles.

– Dernière porte sur la gauche, dit l'homme. Il vous attend.

– Qui ça ?

– Lui.

Le type au Stetson sourit, et Bosch crut que son visage allait se fendre en deux. Les deux policiers franchirent la porte et pénétrèrent dans un couloir lambrissé qui donnait directement sur un petit bureau d'accueil sur la gauche, avant trois portes. Tout au fond du couloir se trouvait une quatrième porte. Une jeune Mexicaine assise à la réception les dévisagea en silence. Bosch lui adressa un signe de tête, et ils passèrent devant elle. La première porte portait la mention *Ministère de l'Agriculture*. Les deux suivantes ne portaient aucune indication. Enfin, sur celle située au fond du couloir était fixée une plaque disant :

DANGER RADIATIONS
ACCÈS RÉGLEMENTÉ

Près de la porte, Harry remarqua une patère à laquelle étaient accrochés des paires de lunettes et des masques à gaz. Il ouvrit la dernière porte sur la gauche et ils pénétrèrent dans une petite antichambre avec un bureau de secrétaire, mais sans secrétaire.

– Par ici, je vous prie, dit une voix venant de la pièce voisine.

Bosch et Aguila entrèrent dans une vaste pièce au centre de laquelle trônait un imposant bureau en acier. Un homme vêtu d'une saharienne bleu ciel était assis derrière. Il écrivait dans un registre, et un gobelet en polystyrène contenant du café fumant était posé sur le bureau. La lumière du jour qui entrait par la fenêtre à jalousie derrière lui le dispensait d'utiliser une lampe de travail. Il avait la cinquantaine et des cheveux blancs qui laissaient deviner des restes de vieille teinture brune. Un gringo, lui aussi.

L'homme continua d'écrire, comme si de rien n'était. Balayant la pièce du regard, Bosch remarqua la console de quatre écrans de contrôle en circuit fermé installée sur une étagère basse contre le mur situé près du bureau. On y voyait les images en noir et blanc de la grille et du devant de l'usine. La quatrième image, très sombre, offrait apparemment une vue de la salle de chargement. Harry repéra une camionnette blanche dont les portes arrière étaient ouvertes, et deux ou trois employés occupés à charger de grandes boîtes blanches à l'intérieur du véhicule.

– Oui ? demanda l'homme derrière son bureau, toujours sans lever la tête.

– Sacrées mesures de sécurité pour de simples mouches.

Cette fois, il leva la tête.

– Je vous demande pardon ?

– J'ignorais qu'elles avaient une telle valeur.

– Que puis-je pour vous ?

Il jeta son stylo sur le bureau pour bien montrer que les rouages du commerce international s'arrêtaient de tourner en grinçant à cause de Bosch.

– Harry Bosch, police de Los…

– Oui, vous l'avez déjà dit à l'entrée. Que voulez-vous ?

– Je viens vous parler d'un de vos employés.

– Comment s'appelle-t-il ?

Il reprit son stylo et poursuivit son travail d'écriture.

– Vous voulez que je vous dise ? Je pense que si un policier a pris la peine de faire cinq cents bornes et de franchir la frontière uniquement pour vous poser quelques questions, ça mérite un peu plus d'intérêt. Or vous donnez l'impression de vous en foutre, et je n'aime pas ça.

Le stylo fut lancé plus violemment cette fois ; il rebondit sur le bureau et finit sa course dans la poubelle posée juste à côté.

– Je me contrefiche de vos états d'âme, inspecteur. Je dois expédier un chargement de produit périssable par la route avant 16 heures. Je ne peux pas me permettre de vous accorder tout l'intérêt que vous réclamez. Néanmoins, si vous voulez bien me dire le nom de cet employé – en supposant qu'il travaillait chez nous –, j'essaierai de vous renseigner.

– Pourquoi dites-vous « travaillait » ?

– Pardon ?

– Vous avez dit « travaillait ».

– Et alors ?

– Pourquoi ?

– Vous avez dit… C'est vous qui êtes venu me poser ces questions et je…

– Comment vous appelez-vous ?

– Hein ?

– Comment vous appelez-vous ?

L'homme marqua un temps d'arrêt, déstabilisé ; il but une gorgée de café.

– Vous savez, vous n'avez aucun pouvoir ici.

– Vous avez dit « en supposant qu'il travaillait chez nous », or, je n'ai jamais parlé au passé. J'en conclus que vous savez déjà que nous parlons d'un homme qui n'est plus. Autrement dit, un homme qui est mort.

– Simple déduction. Un flic vient de L. A. exprès pour ça, j'en ai déduit que nous parlions d'un mort. N'essayez pas de jouer les marioles… Rien ne vous autorise à débarquer ici avec votre badge qui ne vaut même pas son poids de fer-blanc de ce côté-ci de la frontière, pour essayer de me harceler. Je n'ai pas de…

– Vous voulez une marque d'autorité ? Je vous présente Carlos Aguila, de la police judiciaire. Vous pouvez considérer qu'il vous pose les mêmes questions que moi.

Aguila se contenta de hocher la tête.

– Le problème n'est pas là, reprit l'homme derrière son bureau. Le problème, c'est cet impérialisme puant typiquement américain que vous trimbalez avec vous. Je trouve ça écœurant, si vous voulez savoir. Je m'appelle Charles Ely. Je suis le propriétaire d'EnviroGènes. Et je ne sais rien sur cet homme qui a soi-disant travaillé ici.

– Je ne vous ai pas donné son nom.

– Peu importe. Vous comprenez maintenant ? Vous avez commis une erreur. Vous avez mal joué le coup.

Bosch sortit de sa poche la photo de Gutierrez-Llosa prise à la morgue et la fit glisser sur le bureau. Ely se contenta d'y jeter un coup d'œil sans la toucher. Bosch ne put déceler la moindre réaction sur son visage. Il lui montra les talons de chèques. Même chose. Aucune réaction.

– Son nom est Fernal Gutierrez-Llosa, dit Bosch. Journalier. J'ai besoin de savoir quand il a travaillé ici pour la dernière fois, et ce qu'il faisait.

Ely récupéra son stylo dans la corbeille à papiers et s'en servit pour repousser la photo vers Bosch.

– Je crains de ne pouvoir vous aider. Les journaliers ne figurent pas dans nos registres. Nous les payons à la fin de chaque journée avec des chèques au porteur. Ce ne sont jamais les mêmes. Je serais incapable de reconnaître cet homme. D'ailleurs, je crois que nous avons déjà répondu à des questions concernant cette affaire. Un certain capitaine Grena de la police judiciaire est venu ici. Je vais être obligé de l'appeler, je pense, afin de savoir pourquoi il n'est pas satisfait.

Il n'était pas satisfait de quoi, Grena, des réponses ou des pots-de-vin ? faillit demander Bosch. Mais il se retint, sachant que cela retomberait sur Aguila. A la place, il dit :

– Allez-y, appelez-le, monsieur Ely. En attendant, peut-être que quelqu'un d'autre par ici se souviendra de cet homme. Je vais aller faire un petit tour.

Ely devint aussitôt très nerveux.

– Non, non, inspecteur, vous n'avez pas le droit de circuler dans cette usine. Certains secteurs de ce bâtiment servent à irradier des produits, ce sont des endroits dangereux interdits aux personnes non autorisées. D'autres zones sont sous la surveillance du ministère de l'Agriculture et soumis à la quarantaine ; nul ne peut y accéder. Et, je vous le répète, vous n'avez aucun pouvoir ici.

– A qui appartient EnviroGènes, monsieur Ely ? lui demanda Bosch.

Ely sembla surpris par le changement de sujet.

– Hein ? Quoi ? bredouilla-t-il.

– Qui est le big boss ?

– Je ne suis pas obligé de répondre à cette question. Vous n'avez aucun…

– C'est le type d'en face ? Le Pape ?

Ely se leva en désignant la porte.

– Je ne comprends rien à ce que vous racontez, mais je vous ordonne de sortir. Je vais contacter sur-le-champ les autorités américaines et mexicaines. Nous verrons bien si la police de Los Angeles a le droit de se comporter ainsi sur un sol étranger.

Bosch et Aguila ressortirent dans le couloir et refermèrent la porte. Harry resta là un instant, pour guetter le bruit d'un téléphone, ou un bruit de pas. Rien. Il se dirigea vers la porte située au bout du couloir. Il essaya de l'ouvrir, mais sans succès.

Devant la porte portant l'inscription *Ministère de l'Agriculture*, il approcha l'oreille pour écouter de l'autre côté. Aucun bruit. Il ouvrit sans prendre la peine de frapper ; assise derrière un petit bureau en bois, une saisissante caricature de bureaucrate leva la tête. La pièce était environ quatre fois plus petite que celle occupée par Ely. L'homme portait une chemise blanche à manches courtes avec une fine cravate bleue. Ses cheveux gris étaient coupés ras et sa moustache ressemblait à une tête de brosse à dents ; ses petits yeux mornes disparaissaient derrière des lunettes à double foyer dont les branches comprimaient ses tempes roses et dodues. Son nom figurait sur la patte de l'étui à stylos en plastique glissé dans sa poche : *Jerry Dinsmore*. Un *burrito* aux haricots entamé était posé sur son bureau, emballé dans un papier gras.

– Que voulez-vous ? demanda l'homme, la bouche pleine.

Bosch et Aguila entrèrent.

Bosch lui montra son insigne en lui laissant le temps de bien l'examiner. Puis il déposa la photo de la morgue sur le bureau, à côté du *burrito*. Dinsmore la regarda, enveloppa son repas inachevé dans le papier et le rangea dans un tiroir.

– Vous le reconnaissez ? lui lança Bosch. Simple routine. Risque de maladie contagieuse. Ce type l'a transportée avec lui jusqu'à L. A. et il est mort. On essaye de refaire son itinéraire afin de faire vacciner toutes les personnes qui ont été en contact avec lui.

Dinsmore avait ralenti son rythme de mastication. Il regarda de nouveau le Polaroïd, puis Bosch par-dessus ses lunettes.

– Il a travaillé ici ?

– Nous le pensons. Nous interrogeons tous les employés permanents. Nous nous sommes dit que peut-être vous le reconnaîtriez. La mise en quarantaine dépend des contacts que vous avez eus avec lui.

– Euh… je ne suis jamais en contact avec les manutentionnaires. Je n'ai donc rien à craindre. Mais quelle est cette maladie dont vous parlez ? Je ne vois pas pourquoi la police de Los Angeles… D'ailleurs, on dirait que cet homme a été frappé…

– Je regrette, monsieur Dinsmore, cela doit rester confidentiel tant que nous n'aurons pas déterminé si vous êtes un sujet à risques. Si tel est le cas, nous abattrons nos cartes. Vous dites que vous n'êtes jamais en contact avec les employés… N'êtes-vous pas le fonctionnaire chargé de l'inspection dans cette usine ?

Bosch s'attendait à voir débarquer Ely d'un instant à l'autre.

– C'est exact, mais je ne m'intéresse qu'au produit fini. J'inspecte les échantillons directement dans les containers. Ensuite, je les scelle. Cette opération s'effectue dans la salle d'expédition. N'oubliez pas qu'il s'agit d'une compagnie privée ; par conséquent, je n'ai aucun contrôle sur le processus d'élevage et de stérilisation. Conclusion, je ne côtoie pas les ouvriers.

– Vous avez parlé d'« échantillons ». Cela signifie donc que vous n'inspectez pas tous les containers.

– Faux. Je n'examine pas tous les tubes de larves à l'intérieur de chacune des caisses, mais j'inspecte toutes les caisses et c'est moi qui pose les scellés. Mais je ne vois pas le rapport avec cet homme. Il n'a pas…

– Je ne le vois pas non plus. Laissez tomber. Vous n'avez rien à craindre.

Les petits yeux de Dinsmore s'écarquillèrent légèrement. Bosch lui adressa un clin d'œil pour accroître encore sa confusion. Il se demandait si Dinsmore était mêlé à ce qui se passait entre ces murs, ou si, telle la taupe lambda, il avançait en aveugle dans un monde aux contours incertains. Il l'autorisa à reprendre son *burrito*, puis, toujours accompagné d'Aguila, il ressortit dans le couloir. Au même moment, la dernière porte du fond s'ouvrit et Ely apparut. Arrachant ses lunettes de protection et son masque à gaz, celui-ci se précipita vers eux, faisant déborder le café contenu dans son gobelet en polystyrène.

– Si vous n'avez pas de mandat, je vous ordonne de ficher le camp, tous les deux !

Il s'était approché de Bosch ; la colère creusait des rides rouges sur son visage. Ce numéro aurait peut-être réussi à intimider plus d'un, mais Bosch n'était nullement impressionné. Regardant à l'intérieur du gobelet de café, il sourit, car une petite pièce du puzzle venait de trouver sa place. Dans l'estomac de Juan Doe n° 67, on avait relevé des restes de café, c'est ainsi qu'il avait avalé par mégarde la mouche qui avait conduit Bosch jusqu'ici. Suivant le regard de celui-ci, Ely découvrit l'insecte qui flottait à la surface du liquide chaud.

– Saloperie de mouches !

– Vous savez, dit Bosch, je crois que je vais aller chercher un mandat…

Il ne savait quoi dire d'autre, et il refusait de laisser à Ely la satisfaction de le jeter dehors. Aguila et lui se dirigèrent vers la sortie.

– N'espérez pas trop ! lui lança Ely. Nous sommes au Mexique. Vous n'êtes qu'une merde ici !

23

Debout devant la fenêtre de sa chambre, au deuxième étage de l'hôtel Colorado situé dans Calzado Justo Sierra, Bosch contemplait ce qu'il pouvait apercevoir de Mexicali. Sur la gauche, la vue était obstruée par l'autre aile de l'hôtel. Mais, en regardant sur la droite, il voyait les rues encombrées de voitures et de bus multicolores comme ceux qu'il avait aperçus en arrivant. Un orchestre mariachi jouait quelque part. Dans l'air flottait une odeur de graillon venue d'un restaurant voisin. Le ciel au-dessus de la ville délabrée était rouge et pourpre dans la lumière déclinante du jour. Au loin, il distingua les bâtiments du palais de justice, et à côté, sur la droite, la forme ronde d'une sorte de stade : la plaza de los Toros.

Deux heures plus tôt, Bosch avait appelé Corvo à Los Angeles et lui avait laissé son numéro et fait savoir où il se trouvait ; maintenant, il attendait d'être contacté par son correspondant à Mexicali, le dénommé Ramos. Il s'éloigna de la fenêtre et observa le téléphone. Il savait que le moment était venu de passer les autres coups de fil, mais il hésitait. Prenant une bière dans le petit seau à glace posé sur la commode, il l'ouvrit, en but un quart et s'assit sur le lit à côté du téléphone.

Trois messages l'attendaient sur son répondeur à son domicile, tous de Pounds, et tous disant la même chose : « Rappelez-moi. »

Il ne rappela pas. A la place, il appela d'abord le bureau des détectives. Certes, c'était samedi soir, mais il y avait des chances pour que tout le monde soit au poste à cause de l'affaire Porter. En effet, Jerry Edgar décrocha.

– Alors, quoi de neuf ?

– Putain, mec, faut que tu rappliques. (Jerry parlait à voix basse.) Tout le monde te cherche. C'est la brigade des vols et homicides qui s'occupe du truc, alors je sais pas trop ce qui se passe au juste. Je fais partie des blaireaux. Mais je crois que, euh… j'en sais rien, mec.

– Vas-y, crache le morceau.

– On dirait qu'ils pensent que t'as buté Porter ou bien alors t'es le prochain sur la liste. Putain, on n'arrive pas à savoir ce qu'ils foutent ni ce qu'ils pensent, ces enfoirés…

– Qui est là-bas ?

– Tout le monde. C'est le QG ici. Irving est dans la cage avec ce cher Pounds en ce moment même.

Bosch savait que cette situation ne pouvait s'éterniser très longtemps. Il devait donner signe de vie. Peut-être même s'était-il déjà fait un tort irréparable en agissant de cette façon.

– OK, dit-il, je vais les appeler. Mais j'ai un autre coup de fil à passer d'abord. Merci.

Bosch raccrocha et composa un second numéro, en espérant que sa mémoire ne le trompait pas et qu'elle se trouvait chez elle. Il était presque 19 heures et peut-être était-elle sortie dîner, mais non, elle décrocha à la sixième sonnerie.

– C'est Bosch. Ça boume ?

– Qu'est-ce que tu veux ? lui répondit Teresa. Où es-tu ? Tout le monde te cherche, tu le sais ?

– Oui, il paraît. J'ai quitté la ville. Je t'appelle parce que j'ai entendu dire qu'on avait retrouvé mon pote Lucius Porter.

– Exact. Désolée. Je rentre juste de l'autopsie.

– Je me doutais que tu t'en chargerais.

Il y eut un silence avant qu'elle ne reprenne :

– Harry, pourquoi ai-je l'impression que tu veux… que tu ne m'appelles pas uniquement parce que c'était ton ami ?

– Euh…

– Oh, merde, ça recommence, hein ?

– Non. Je voulais juste savoir comment il est mort, c'est tout. C'était un ami, tu l'as dit. Je travaillais avec lui. Laisse tomber.

– Je ne sais pas pourquoi je me laisse faire par toi. Merde alors ! Cravate mexicaine, Harry. Voilà, tu es content ? Tu as tout ce que tu voulais, maintenant ?

– Un étranglement au garrot ?

– Oui. Avec du fil de fer d'emballage, enroulé à chaque extrémité autour de deux chevilles de bois. Je suis sûre que tu as déjà vu ça. Dois-je me préparer à lire tout ça demain dans le *L. A. Times* encore une fois ?

Détachant son regard du lit, il leva les yeux vers la fenêtre et constata que le soir était totalement tombé. Le ciel avait la couleur d'un vin rouge très sombre. Il repensa à l'homme du Poe. Trois larmes.

– As-tu procédé à une compa...

– Une comparaison avec le cadavre de Jimmy Kapps ? Oui. Nous ne t'avons pas attendu, figure-toi, mais ça va prendre quelques jours.

– Pour quelle raison ?

– Parce qu'il faut tout ce temps-là pour comparer les fibres du bois des diverses chevilles et analyser l'alliage du fil de fer. On a quand même déjà effectué une analyse en coupe du fil. C'est excellent.

– Ce qui veut dire ?

– Qu'apparemment le fil de fer utilisé pour garrotter Porter a été découpé dans le même morceau que celui utilisé pour tuer Kapps. Les extrémités concordent. Mais ce n'est pas sûr à cent pour cent, car des tenailles identiques peuvent laisser des marques identiques. On va donc comparer les deux alliages. Nous serons fixés dans quelques jours.

Elle expliquait tout cela d'un ton parfaitement indifférent. Harry s'étonna qu'elle soit encore furieuse après lui. Les reportages télévisés de la veille semblaient la donner favorite. Il ne savait pas quoi dire. Autrefois, il était à l'aise au lit avec cette femme, maintenant il se sentait gêné au téléphone.

– Merci, Teresa, dit-il finalement. A plus tard.

– Euh, Harry ? dit-elle avant qu'il raccroche.

– Quoi ?

– A ton retour, je pense qu'il vaut mieux ne plus me rappeler. Restons-en à des rapports professionnels. Si on se croise au labo, tant mieux. Mais restons-en là. (Il ne dit rien.) D'accord ?

– Oui, pas de problème.

Ils raccrochèrent. Bosch resta assis sans bouger pendant plusieurs minutes. Au bout d'un moment, il décrocha de nouveau le téléphone et composa le numéro de la ligne directe de la cage de verre. Pounds décrocha immédiatement.

– C'est Bosch.

– Bon Dieu, où êtes-vous ?

– A Mexicali. Vous m'avez laissé des messages ?

– J'ai appelé l'hôtel que vous avez indiqué sur votre répondeur. Ils ont dit que vous n'aviez jamais mis les pieds chez eux.

– Finalement, j'ai décidé de loger de l'autre côté de la frontière.

– Bon, assez déconné. Porter est mort.

- Hein ? (Bosch fit de son mieux pour jouer la surprise.) Que s'est-il passé ? Je l'ai vu encore hier et il…

– Arrêtez vos conneries, Bosch. Qu'est-ce que vous foutez là-bas ?

– Vous m'avez demandé de suivre la piste de l'enquête. Elle m'a conduit jusqu'ici.

– Je ne vous ai jamais dit d'aller au Mexique ! (Il hurlait dans le téléphone.) Vous devriez déjà être ici ! Ça se présente plutôt mal pour vous. On a le témoignage d'un barman qui est prêt à vous enfoncer le nez dans la merde, nom de Dieu. Il… Ne quittez pas.

– Allô, Bosch ? dit une autre voix. Chef adjoint Irving à l'appareil. Où êtes-vous ?

– A Mexicali.

– Je veux vous voir dans mon bureau demain matin à 8heures pétantes.

Bosch n'hésita pas. Il savait qu'il devait faire preuve de détermination.

– Impossible, chef. J'ai encore quelques petites choses à régler, et ça devrait me prendre toute la journée de demain.

– Il s'agit du meurtre d'un de vos collègues, inspecteur Bosch. Je ne sais pas si vous en avez conscience, mais vous êtes peut-être en danger vous aussi.

– Je sais ce que je fais. C'est également le meurtre d'un collègue qui m'a conduit jusqu'ici. Vous avez oublié ? Ou bien est-ce que Moore ne compte pas ?

Irving ne releva pas :

– Vous désobéissez à mon ordre ?

– Ecoutez, chef, je me fous de ce que peut vous raconter ce barman, vous savez bien que ce n'est pas moi le meurtrier.

– Je n'ai jamais dit ça. Mais vos paroles indiquent déjà que vous en savez plus que vous ne devriez si vous n'étiez pas mêlé à cette histoire.

– Je vous explique simplement que les réponses à un tas de questions – concernant Moore, Porter et le reste – se trouvent ici. Tout sc passc ici. Alors, je reste.

– Inspecteur Bosch, je me suis trompé à votre sujet. Je vous ai laissé la bride sur le cou cette fois-ci, car je croyais avoir senti un changement en vous. Je m'aperçois maintenant que j'avais tort. Vous m'avez berné une fois de plus. Vous…

– Chef, je fais mon…

– Ne m'interrompez pas ! Peut-être n'avez-vous nullement l'intention de revenir comme je vous l'ordonne de manière formelle, mais ne m'interrompez pas ! Je vous dis que si vous ne voulez pas revenir, c'est très bien. Ne revenez pas. Mais, dans ce cas, autant ne plus revenir du tout, Bosch. Réfléchissez-y. Vous risquez de ne plus retrouver ce que vous avez laissé en partant.

Après qu'Irving eut raccroché, Bosch alla chercher une seconde bouteille de Tecate dans le seau à glace et alluma une cigarette, debout près de la fenêtre. Il se moquait des menaces d'Irving. Enfin, presque. Sans doute serait-il suspendu à son retour, cinq jours au maximum. Il pouvait le supporter. Mais Irving ne le muterait pas. D'ailleurs, où pourrait-il l'envoyer ? Il n'y avait pas beaucoup d'endroits pires que Hollywood. Bosch se concentra sur Porter. Jusqu'à présent, il avait réussi à le mettre de côté, à le chasser de son esprit. Mais maintenant, il fallait penser à lui. Etranglé avec du fil de fer, balancé dans un dépotoir. Pauvre type. Pourtant, quelque chose l'empêchait d'accorder sa compassion au flic assassiné. Rien dans sa mort ne l'émouvait comme il l'aurait supposé, comme cela aurait dû. C'était une fin pitoyable, mais il n'éprouvait aucune pitié. Porter avait commis des erreurs fatales. Bosch se jura de ne pas commettre les mêmes et d'aller jusqu'au bout.

Il essaya de reporter ses pensées sur Zorillo. Il était convaincu que c'était lui qui tirait les ficelles, qui avait envoyé le tueur faire le ménage. S'il y avait de fortes chances pour que le même homme ait tué Kapps et Porter, on pouvait aisément ajouter Moore à la liste de ses victimes. Et sans doute également Fernal Gutierrez-Llosa. L'homme aux trois larmes. Est-ce que cela innocentait Dance ? Pas sûr. C'était sans doute lui qui avait attiré Moore au Hideaway. Ses réflexions le convainquirent qu'il faisait le bon choix en restant. Les réponses se trouvaient ici, pas à L. A.

Il se dirigea vers son porte-documents posé sur la commode et en sortit le cliché anthropométrique de Dance qui figurait dans le dossier rassemblé par Moore. Il observa la moue étudiée d'un homme jeune qui avait conservé un visage d'enfant, avec des cheveux blonds décolorés. Maintenant, il avait décidé de gravir les échelons et avait franchi la frontière pour faire valoir ses arguments. Bosch songea que si Dance se trouvait effectivement à Mexicali, il ne pouvait passer facilement inaperçu. Il aurait forcément besoin d'aide.

Les coups frappés à la porte le firent sursauter. Il reposa sans bruit la bouteille et prit son arme sur la table de chevet. A travers le judas, il découvrit un homme d'une trentaine d'années avec des cheveux noirs et une épaisse moustache. Ce n'était pas le garçon d'étage qui avait monté les bières.

– *Si ?*

– Bosch. C'est Ramos.

Bosch entrouvrit la porte sans ôter la chaîne et demanda à voir une pièce d'identité.

– Vous vous foutez de moi ? Je me trimbale pas avec mes papiers par ici. Laissez-moi entrer. C'est Corvo qui m'envoie.

– Qu'est-ce qui le prouve ?

– Vous avez appelé les stups de L. A. il y a deux heures, et vous avez donné votre adresse. Hé, ça me rend parano moi aussi de devoir vous expliquer tout ça en restant dans le couloir !…

Bosch referma la porte, fit sauter la chaîne et rouvrit. Il conserva son arme à la main, mais le bras le long du corps. Ramos passa devant lui et entra dans la chambre. Il gagna la fenêtre, regarda dehors, puis revint vers le centre de la pièce et se mit à faire les cent pas près du lit.

– Ça pue par ici, dit-il. Y a quelqu'un qui fait cuire des tortillas ou une merde quelconque ? Il vous reste de la bière ? Ah, soit dit en passant, si les *federales* vous chopent avec ce flingue, vous risquez d'avoir des problèmes pour retraverser la frontière. Comment ça se fait que vous êtes pas resté à Calexico comme Corvo vous l'avait conseillé, hein ?

Si Ramos n'avait pas été flic, Bosch aurait pensé que ce type était bourré de coke jusqu'aux yeux. Mais c'était certainement autre chose, quelque chose qu'il ignorait et qui lui donnait l'impression que Ramos était survolté. Bosch décrocha le téléphone et demanda qu'on lui monte un pack de bières, sans quitter des yeux un seul instant l'homme qui se trouvait dans sa chambre. Après avoir raccroché, il glissa son arme dans sa ceinture et s'assit sur la chaise près de la fenêtre.

– Je ne voulais pas me taper les queues à la frontière, dit-il en réponse à une des nombreuses questions de Ramos.

– Vous ne voulez pas faire confiance à Corvo, vous voulez dire. Remarquez, je ne vous blâme pas. Non pas que je me méfie de lui moi aussi. Non, j'ai confiance. Mais je comprends votre désir d'agir à votre guise. D'ailleurs, la bouffe est meilleure de ce côté-ci. Calexico est une putain de ville, un de ces endroits où on sait jamais trop ce qui risque de vous arriver. Si jamais vous faites un pas de travers, vous risquez de déraper méchamment, mon gars. Moi-même, je me sens mieux ici. Au fait, vous avez mangé ?

L'espace d'un instant, Bosch repensa à ce que lui avait dit Sylvia Moore à propos de la glace noire. Ramos continuait à marcher de long en large dans la pièce, et Bosch remarqua qu'il avait deux bipers accrochés à sa ceinture. L'agent des stups était défoncé à quelque chose. Bosch en était désormais convaincu.

– Oui, j'ai déjà mangé, répondit-il en rapprochant sa chaise de la fenêtre, car la puissante odeur corporelle de Ramos avait envahi la chambre.

– Je connais le meilleur restaurant chinois des deux côtés de la frontière. On pourrait y faire un saut et...

– Bon sang, asseyez-vous, Ramos ! Vous me rendez nerveux. Asseyez-vous et racontez-moi ce qui se passe.

L'agent des stups regarda autour de lui comme s'il découvrait la chambre pour la première fois. Il s'empara d'une chaise posée contre le mur, près de la porte, et s'assit dessus à califourchon, au centre de la pièce.

– Ce qui se passe, mec, c'est qu'on n'a pas trop apprécié le bordel que vous avez foutu chez EnviroGènes aujourd'hui...

Bosch s'étonna que les stups soient déjà au courant de sa visite, mais il s'efforça de ne rien laisser paraître.

– C'était pas très cool, ajouta Ramos. Alors, je suis venu vous dire d'arrêter votre petit numéro. Corvo m'a dit que vous étiez du genre à foutre la merde, mais vous avez pas perdu de temps.

– Où est le problème ? répondit Bosch. C'était ma piste. D'après ce que m'a raconté Corvo, vos collègues et vous ne saviez rien de cet endroit. Je suis allé là-bas pour les secouer un peu, c'est tout.

– Ces gens n'aiment pas qu'on les secoue, Bosch. Voilà ce que j'essaye de vous expliquer. Bon, assez parlé de ça. Maintenant que je vous ai fait mon petit speech, racontez-moi ce qui vous intéresse, à part ce foutu machin d'insectes. Autrement dit, j'aimerais savoir ce que vous venez foutre ici...

Avant que Bosch ne puisse répondre, on frappa lourdement à la porte. L'agent des stups bondit de sa chaise et s'accroupit sur le sol.

– C'est le garçon d'étage, dit Bosch. Qu'est-ce qui vous prend ?

– Je suis toujours nerveux avant une opération.

Bosch se leva en jetant un regard étonné à Ramos et se dirigea vers la porte. A travers le judas, il reconnut l'homme qui avait monté les premières bières. Il ouvrit, paya les consommations et tendit à Ramos une des bouteilles contenues dans le seau à glace.

Ramos en vida la moitié d'une avant de se rasseoir. Bosch regagna sa place avec une autre bière.

– « Avant une mission », avez-vous dit ?

Ramos but une autre gorgée avant de répondre :

– Le tuyau que vous avez refilé à Corvo était valable. Malheureusement, vous avez tout gâché en jouant les cowboys aujourd'hui. Vous avez même failli tout foutre en l'air.

– Oui, je sais, vous l'avez déjà dit. Alors, qu'avez-vous découvert ?

– EnviroGènes. On s'est renseignés et on a décroché le jackpot, mon vieux. Par l'intermédiaire d'une série d'informateurs, on est remontés jusqu'au proprio, un dénommé Gilberto Ornelas. C'est le pseudo d'un type qui s'appelle en réalité Fernando Ibarra, un des lieutenants de Zorillo. On tarabuste les *federales* pour obtenir des mandats de perquisition. Ils acceptent de coopérer sur ce coup. Leur nouveau procureur général est un type intègre, à ce qu'il paraît, un acharné. Il travaille avec nous. Si jamais on obtient le feu vert, ça va chier.

– Quand aurez-vous la réponse ?

– D'un moment à l'autre. Il ne manque plus qu'une seule pièce du puzzle.

– Laquelle ?

– S'il transporte la glace noire dans les containers d'EnviroGènes pour franchir la frontière, comme est-ce qu'il transporte la came entre le ranch et l'usine ? Vous pigez ? Ça fait un bail qu'on surveille le ranch, on aurait repéré le truc. En outre, on est quasiment certain qu'elle n'est pas fabriquée dans les locaux d'EnviroGènes. C'est trop petit, y a trop de va-et-vient, c'est trop près de la route, etc. D'après toutes nos informations, ça se passe au ranch. Sous terre, dans un bunker. On a des photos aériennes qui montrent les ondes de chaleur du système de ventilation. La question est donc : comment est-ce que la came traverse la route jusqu'à EnviroGènes ?

Bosch repensa à ce que lui avait raconté Corvo au Code 7. On suspectait Zorillo d'avoir participé au financement du tunnel qui passait sous la frontière à Nogales.

– La marchandise ne traverse pas la route. Elle passe en dessous.

– Tout juste, répondit Ramos. On a mis nos informateurs sur le coup. Dès qu'on a la confirmation, on obtient les mandats signés par le district attorney et on fonce. On investit simultanément le ranch et EnviroGènes. Double opération. Le procureur général envoie la milice fédérale. Nous, on envoie le CLET.

Bosch détestait tous ces sigles dont raffolaient les différentes branches de la police ; il demanda néanmoins ce que signifiait le mot CLET.

– Clandestine Laboratory Enforcement Team[1]. Ces types sont des vrais putains de ninjas.

Bosch réfléchit. Il ne comprenait pas pourquoi cela allait si vite. Ramos lui cachait quelque chose. Sans doute avaient-ils obtenu de nouveaux renseignements concernant Zorillo.

– Vous l'avez vu, hein ? Zorillo. Ou quelqu'un l'a vu.

– Gagné. On a repéré aussi l'autre petit pédé blanc que vous cherchez. Dance.

– Où ? Quand ?

– On a un informateur dans la place qui les a vus tous les deux ce matin, devant le bâtiment principal. Ils tiraient au fusil sur des cibles. Et ensuite on…

– Est-ce qu'il était près ? Je parle de l'informateur ?

– Suffisamment près. Pas assez pour dire « Salut, comment allez-vous, Monsieur le Pape », mais assez près quand même pour l'identifier.

Ramos ricana bruyamment et se leva pour aller chercher une autre bière. Il lança une bouteille à Bosch, qui n'avait pas encore fini la précédente.

– Où était-il passé ? s'enquit Bosch.

– Comment savoir, nom de Dieu ? Moi, la seule chose qui m'intéresse, c'est qu'il soit revenu et qu'il soit là

1. Brigade de type commando chargée d'investir les laboratoires clandestins.

quand les types du CLET vont enfoncer la porte. Entre nous, je vous conseille de ne pas emporter ce flingue avec vous, sinon les *federales* vont vous embarquer vous aussi. Ils veulent bien accorder une autorisation de port d'arme spéciale aux gars du CLET, mais ça s'arrête là. Le procureur va la signer. Putain, j'espère que ce type ne va pas se faire acheter ou assassiner. Enfin bref, je vous le répète, s'ils veulent que vous ayez un flingue, ils vous en fileront un de leur arsenal.

– Et comment saurai-je quand ça va se passer?

Ramos était toujours debout. Il renversa brusquement la tête et engloutit la moitié de la bouteille de bière. Son odeur avait maintenant totalement envahi la chambre. Bosch approcha le goulot de la bouteille de son nez ; il préférait respirer la bière plutôt que la sueur de l'agent des stups.

– On vous tiendra au courant, répondit Ramos. Tenez, prenez ça. (Il décrocha un des bipers de sa ceinture et le lança à Bosch.) Je vous ferai signe dès que nous serons prêts à agir. Ça ne devrait pas tarder. Avant le jour de l'an en tout cas, j'espère. Faut pas traîner. On ne peut pas savoir combien de temps la cible va rester en place, cette fois…

Il vida sa bière et reposa la bouteille sur la table. Il n'en prit pas une autre. La réunion était terminée.

– Et mon collègue ? demanda Bosch.

– Qui, le Mex ? Laissez tomber. Pas question de le mettre au parfum, Bosch. Le Pape a la mainmise sur la police judiciaire et tous les autres flics. Par ici, il faut faire confiance à personne ; gardez tout ça pour vous. Portez simplement ce biper sur vous et attendez notre appel. Allez voir les corridas. Faites-vous bronzer au bord de la piscine ou je ne sais quoi. Hé, regardez-vous, ça vous fera du bien de prendre un peu de couleurs !

– Je connais Aguila mieux que vous.

– Saviez-vous qu'il travaille pour un homme qui est invité par Zorillo aux corridas chaque dimanche ?

– Non, répondit Bosch.

Il pensa aussitôt à Grena.

– Saviez-vous que pour devenir inspecteur de la police

judiciaire ici, la promotion se monnaye dans les deux mille dollars, et peu importe si on est incapable de mener une enquête ?

– Non.

– Je m'en doutais. C'est comme ça que ça se passe ici. Vous devez bien comprendre ça. Ne faites confiance à personne. Vous faites peut-être équipe avec le dernier flic honnête de Mexicali, mais pourquoi risquer votre vie ?

Bosch acquiesça.

– Une dernière chose, dit-il. J'aimerais passer consulter vos trombines demain. Vous avez des photos des hommes de Zorillo ?

– La plupart. Qui cherchez-vous ?

– Un homme avec trois larmes tatouées sur le visage. C'est le tueur à gages de Zorillo. Il a buté un autre flic à L. A. hier.

– Nom de Dieu ! OK, appelez-moi demain matin à ce numéro. On mettra ça au point. Si vous l'identifiez, on passera le mot au procureur général. Ça nous aidera à obtenir les mandats.

Il tendit à Bosch une carte où figurait un numéro de téléphone, rien d'autre. Puis il s'en alla. Après son départ, Harry remit la chaîne à la porte.

24

Assis sur le lit avec sa bouteille de bière à la main, Bosch réfléchissait à la réapparition soudaine de Zorillo. Il se demandait où il était passé et pour quelle raison il avait quitté la sécurité de son ranch. Il caressa l'idée qu'il s'était peut-être rendu à L. A., pour attirer Moore dans la chambre de motel où on l'avait abattu. Zorillo était peut-être le seul pour qui Moore aurait accepté de se rendre dans cet endroit.

Soudain, un crissement de freins et un bruit de tôle froissée se firent entendre par la fenêtre. Avant même de se lever, Bosch entendit des éclats de voix dans la rue. Le débit des paroles s'accéléra rapidement pour finir en un échange d'insultes et de menaces proférées en hurlant, à une cadence telle qu'il n'en comprit pas un mot. S'approchant de la fenêtre, il découvrit deux automobilistes prêts à en venir aux mains. Apparemment, l'un des deux avait fait une queue de poisson à l'autre.

Au moment où Harry se retournait, il perçut un petit éclair de lumière bleue sur sa gauche. La bouteille qu'il tenait à la main explosa, la bière et des débris de verre jaillissant de tous les côtés. Instinctivement, il fit un pas en arrière, bondit par-dessus le lit et retomba sur le sol de l'autre côté. Il s'attendait à d'autres coups de feu, mais rien ne vint. Son rythme cardiaque s'accéléra ; il sentit en lui la bouffée de complète lucidité qui n'apparaît que dans ces situations où la vie est en jeu. Rampant sur le sol jusqu'à la table, il tira d'un coup sec sur la prise de la lampe, plongeant ainsi la chambre dans l'obscurité. Au moment où il s'emparait de son arme sur la table de chevet, il entendit les deux voitures repartir sur les chapeaux de roue. Jolie mise en scène, se dit-il, mais ils avaient loupé leur coup.

Il rampa jusque sous la fenêtre, puis se releva, le dos plaqué contre le mur. En même temps, il songeait combien il avait été stupide de poser littéralement devant la fenêtre. Il scruta l'obscurité au-dehors, regardant l'aile gauche de l'hôtel, à l'endroit où il lui semblait avoir aperçu l'éclair bleu. Il n'y avait personne. Plusieurs fenêtres étaient ouvertes et il était impossible de localiser avec précision l'endroit d'où le coup de feu était parti. Sans bouger, Bosch inspecta sa chambre et finit par repérer le morceau de bois éclaté à la tête de lit, au point d'impact de la balle. En se représentant une ligne partant de l'impact, passant par l'emplacement de la bouteille au moment du coup de feu et sortant par la fenêtre, il parvint à localiser une fenêtre ouverte, mais sombre, située au quatrième étage de l'autre aile. Il n'apercevait d'autre mouvement que le lent balancement des rideaux balayés par la brise. Finalement, il glissa son arme dans sa ceinture et quitta la chambre ; ses vêtements empestaient la bière, de minuscules éclats de verre plantés dans sa chemise lui piquaient la peau. Il savait qu'il avait deux coupures légères. Une au cou et l'autre à la main droite, celle qui tenait la bouteille. Il plaqua sa main blessée sur la plaie de son cou.

Il estimait que la fenêtre était celle de la quatrième chambre du quatrième étage. Ayant sorti son arme de sa ceinture, il la tint pointée devant lui, tandis qu'il avançait à pas feutrés dans le couloir. Il s'interrogea pour savoir s'il allait enfoncer la porte d'un coup de pied, mais cette question s'avéra inutile. Un courant d'air frais entrant par la fenêtre s'échappait par la porte ouverte de la chambre 404.

Celle-ci était plongée dans l'obscurité et Bosch savait que sa silhouette se découperait dans la lumière du couloir. D'un geste vif il abaissa donc l'interrupteur au moment où il se ruait à l'intérieur de la chambre. Il balaya la pièce avec le canon de son Smith & Wesson. Rien. L'odeur de poudre flottait encore dans l'air. Penché à la fenêtre, Harry imagina la trajectoire de la balle en direction de la fenêtre de sa chambre au deuxième étage. Une cible facile. C'est alors qu'il entendit un crissement de pneus et vit les feux arrière d'une grosse berline jaillir du parking de l'hôtel et disparaître à toute allure.

Il coinça son arme dans sa ceinture et rabattit sa chemise par-dessus. Il inspecta rapidement la chambre, au cas où le tireur aurait oublié quelque chose. Un éclat cuivré, dans les plis du couvre-lit coincés sous les oreillers, attira son regard. Il tira sur le tissu : une douille s'y trouvait, qui avait été éjectée par une carabine de 32. Il prit une enveloppe dans le tiroir du bureau et fit glisser la douille à l'intérieur.

Il ressortit de la chambre 404 et s'éloigna dans le couloir. Aucun client n'ouvrit sa porte pour glisser la tête au-dehors, aucun détective d'hôtel n'accourut, aucune sirène de police ne résonna au loin. Personne n'avait rien entendu, à part, peut-être, le bruit d'une bouteille qui se brise. Bosch savait que la carabine avec laquelle on lui avait tiré dessus était munie d'un silencieux. Le tireur, quel qu'il fût, avait pris son temps, dans l'attente du moment idéal. Pourtant, il avait manqué son coup. Etait-ce délibéré ? Il se dit que non : tirer avec l'intention de manquer sa cible de si peu était trop risqué. Il avait eu de la chance, tout simplement. Se retourner à l'instant du tir lui avait sauvé la vie.

Il regagna sa chambre avec l'intention de récupérer la balle fichée dans le mur, de soigner ses blessures et de faire ses bagages. En chemin, il se mit à courir en songeant qu'il devait prévenir immédiatement Aguila.

De retour dans sa chambre, il fouilla dans son portefeuille à la recherche du bout de papier sur lequel Aguila avait noté son adresse et son numéro de téléphone. Le Mexicain décrocha presque aussitôt.

– *Bueno.*

– C'est Bosch. Quelqu'un vient de me tirer dessus.

– Hein ? Où ? Vous êtes blessé ?

– Non, ça va. Dans ma chambre, à l'hôtel. On a tiré à travers la fenêtre. Je vous appelle pour vous mettre en garde.

– Pourquoi ?

– Nous étions ensemble aujourd'hui, Carlos. J'ignore si je suis le seul visé, ou si vous l'êtes également. Tout va bien chez vous ?

– Oui.

Bosch s'aperçut alors qu'il ne savait même pas si Aguila avait une famille ou s'il vivait seul. A vrai dire, à part les origines lointaines de cet homme, il ne connaissait pas grand-chose de lui.

– Qu'allez-vous faire ? lui demanda Aguila.

– Je ne sais pas. Je quitte cet hôtel...

– Venez chez moi.

– D'accord... Euh, non. Pouvez-vous venir ici d'abord ? Je n'y serai plus, mais je veux que vous essayiez de vous renseigner sur la personne qui a loué la chambre 404. Le coup de feu venait de là. Vous obtiendrez ces renseignements plus facilement que moi.

– OK, je pars tout de suite.

– On se retrouve chez vous. J'ai quelque chose à faire avant, moi aussi.

Une lune semblable au sourire du chat du Cheshire flottait au-dessus des contours hideux de la zone industrielle de Val Verde. Il était 22 heures. Bosch était assis dans sa voiture devant la fabrique de meubles Mexitec. Installé à environ deux cents mètres d'EnviroGènes, il attendit que la dernière voiture ait quitté le parking. C'était une Lincoln rouge foncé qui appartenait très certainement à Ely. Sur le siège à côté de lui était posé le sac contenant les articles qu'il avait achetés précédemment. L'odeur du rôti de porc saturant l'habitacle de la voiture, il baissa la vitre.

Les yeux fixés sur le parking d'EnviroGènes, il continuait à respirer de manière saccadée, l'adrénaline coulant encore dans ses artères comme des amphétamines. Il transpirait malgré la relative fraîcheur de l'air. Il repensait à Moore, à Porter et aux autres. Pas moi, se dit-il. Pas moi.

A 22 h 15, il vit la porte du grand bâtiment blanc s'ouvrir et un homme en sortir, accompagné par deux silhouettes noires floues. Ely. Les chiens. Les formes noires marchaient à ses côtés en faisant des bonds. Ely dispersa quelque chose à travers le parking, mais les chiens demeurèrent à ses pieds. Puis il frappa sur sa hanche en criant : « A la bouffe ! » Aussitôt les molosses s'élancèrent l'un derrière l'autre en divers endroits du parking où ils se battirent pour s'emparer de la nourriture lancée par Ely.

Ce dernier monta dans sa Lincoln. Après quelques secondes, Bosch en vit les feux arrière s'allumer, la voiture quittant son emplacement en marche arrière. Il regarda les phares décrire un cercle sur le parking et la voiture rouler vers le portail. Celui-ci coulissa lentement, et la Lincoln le franchit en douceur. Mais le conducteur hésita encore un instant au bord de la route, alors que la voie était libre. Il attendit que la grille soit refermée, les chiens soigneusement enfermés de l'autre côté, avant de repartir. Bosch s'enfonça dans son siège, bien que la Lincoln ait pris la direction opposée, celle de la frontière au nord.

Il attendit encore quelques minutes, et scruta les environs. Rien ne bougeait. Aucune voiture. Pas âme qui vive. Les agents des stups avaient sans doute abandonné leur surveillance, comme chaque fois qu'ils projetaient une intervention, afin de ne pas risquer d'éveiller les soupçons. Du moins l'espérait-il. Il descendit de voiture avec son sac, sa lampe-torche et ses crochets de cambrioleur. Après quoi, il se pencha de nouveau à l'intérieur du véhicule pour arracher les tapis de sol en caoutchouc qu'il roula sous son bras.

A en juger par ce qu'il avait pu apercevoir lors de sa visite, les mesures de sécurité d'EnviroGènes avaient pour seul but d'interdire l'entrée du complexe, et non pas de déclencher une alarme une fois qu'on avait pénétré dans l'enceinte du bâtiment. Des chiens, des caméras, un grillage de trois mètres de haut surmonté de lanières d'acier acérées. Mais, à l'intérieur, Bosch n'avait repéré aucun capteur de vibrations sur les fenêtres du bureau d'Ely, aucune cellule photo-électrique, pas même un boîtier d'alarme derrière la porte principale.

La raison en était simple : déclencher l'alarme aurait fait venir la police. Les éleveurs de mouches ne voulaient certes pas qu'on s'introduise dans leur usine, mais ils ne voulaient pas non plus attirer l'attention des autorités. Peu importait qu'il fût facile de corrompre lesdites autorités et de les payer pour qu'elles détournent la tête. Mieux valait les laisser à l'écart. Donc, pas d'alarme. Evidemment, ça ne voulait pas dire qu'une sonnerie n'allait pas se déclencher quelque part en cas d'intrusion, à l'intérieur du ranch situé de l'autre côté de la route, par exemple. Mais c'était là un risque qu'il devait courir.

Il longea la fabrique Mexitec jusqu'à une allée qui passait derrière les bâtiments situés en bordure de la zone industrielle. Il gagna ensuite l'arrière du complexe d'EnviroGènes et attendit les chiens.

Ceux-ci arrivèrent rapidement, mais sans bruit. Deux dobermans noirs et musclés qui s'avancèrent jusqu'à la grille. L'un d'eux laissa échapper un grognement rauque, et l'autre l'imita. Bosch longea la grille en observant les spirales d'acier en haut. Les chiens le suivirent, la bave dégoulinant de leur langue pendante. Bosch aperçut l'enclos où on les enfermait dans la journée, tout au fond. Une brouette était appuyée contre le mur du bâtiment et rien d'autre.

A part les chiens. Accroupi dans l'allée, Bosch ouvrit son sac. Tout d'abord, il sortit et déboucha le flacon en plastique de Sueno Mas. Puis il défit le papier qui enveloppait le rôti de porc acheté dans un snack chinois près de l'hôtel. La viande était presque froide. Il arracha un morceau de la taille d'un poing de bébé à l'intérieur duquel il enfonça trois cachets de somnifère extra fort. Il le serra dans sa main et le lança ensuite par-dessus la clôture. Les chiens se précipitèrent, le premier arrivé s'arrêtant juste au-dessus du morceau de viande, mais sans y toucher. Bosch renouvela la même opération et lança le second morceau de rôti. L'autre chien imita en tous points son collègue.

Les deux bestiaux se mirent à tourner en tous sens, reniflant les morceaux de porc, tournant la tête vers Bosch, reniflant à nouveau. Ils regardèrent autour d'eux, comme s'ils cherchaient leur maître pour prendre une décision. Ne trouvant aucune aide, ils échangèrent un regard. Finalement, un des deux dobermans saisit le morceau de viande dans sa gueule, avant de le relâcher. Ils se tournèrent de nouveau vers Bosch, et celui-ci leur cria : « Mange ! »

Les chiens restèrent immobiles. Bosch répéta plusieurs fois son ordre, sans plus de résultat. Il remarqua alors que les chiens regardaient sa main droite. Il comprit. Il frappa sur sa hanche en lançant son ordre. Les chiens se jetèrent sur les morceaux de porc.

Rapidement, Bosch confectionna deux autres en-cas aux somnifères qu'il lança par-dessus la clôture. Ils furent rapidement avalés. Il se mit alors à marcher le long de la grille dans l'allée. Comme prévu, les chiens le suivirent pas à pas. Il fit deux fois l'aller et retour, dans l'espoir que l'exercice accélérerait leur digestion. Les abandonnant un instant, il reporta son attention sur la spirale de métal acéré qui courait au sommet de la clôture. L'acier fin projetait des reflets dans l'éclat de la lune. Il remarqua également les circuits électriques installés tous les trois ou quatre mètres tout en haut, et crut entendre un faible bourdonnement. Celui qui tenterait d'escalader ce grillage avait toutes les chances d'être lacéré ou grillé vif avant même de passer une jambe de l'autre côté. Bosch était décidé à essayer malgré tout.

Soudain, il dut s'accroupir derrière une poubelle dans l'allée en voyant les phares d'une voiture approcher lentement. Lorsqu'elle fut plus près, il constata qu'il s'agissait d'une voiture de police. Un instant, la peur le pétrifia : comment expliquer sa présence ici ? Il songea qu'il avait laissé les tapis de sol roulés dans l'allée au pied du grillage. La voiture de patrouille ralentit encore en passant devant le bâtiment d'EnviroGènes. Le chauffeur adressa un petit baiser aux deux chiens dressés derrière la grille. La voiture poursuivit son chemin et Bosch put sortir de sa cachette.

Figés de l'autre côté de la grille, les deux dobermans l'observèrent pendant encore presque une heure avant que l'un deux ne se laisse tomber enfin sur son arrière-train, rapidement imité par le second. Celui qui paraissait être le chef fit ensuite glisser ses pattes vers l'avant pour adopter la position couchée. L'autre fit de même. Bosch regarda leurs deux têtes s'incliner, presque en même temps, puis tomber sur leurs pattes tendues. Une petite flaque d'urine apparut autour de l'un des deux. Ils avaient encore les yeux ouverts. Lorsqu'il sortit le dernier morceau de viande du papier pour le lancer par-dessus le grillage, il vit un des chiens relever péniblement la tête pour suivre la trajectoire du morceau de porc. Mais sa tête retomba. Aucun des deux n'eut la force d'aller chercher le cadeau empoisonné. Bosch agrippa le grillage à deux mains, devant les chiens, et le secoua ; l'acier émit une sorte de sifflement, mais les deux bêtes restèrent indifférentes.

Le moment était venu. Il roula en boule le papier gras et le jeta dans le container à ordures. Il sortit ensuite du sac une paire de gants de chantier qu'il enfila. Puis, il déroula un des tapis de sol de la voiture et le tint par une extrémité dans la main gauche. S'accrochant solidement à la grille avec son autre main, il leva le pied droit le plus haut possible et coinça le bout de sa chaussure dans une des mailles en forme de losange. Prenant une profonde inspiration, il se hissa sur le grillage d'un seul mouvement, se servant de sa main et de son bras gauches pour lancer le tapis en caoutchouc au-dessus de la clôture, afin qu'il retombe à cheval sur la spirale d'acier acéré à la manière d'une selle. Il répéta la manœuvre avec le second tapis. Les deux restèrent accrochés au sommet, écrasant sous leur poids la spirale tranchante.

Il lui fallut moins d'une minute pour atteindre le haut de la grille et faire passer timidement une jambe au-dessus de la selle de caoutchouc, puis l'autre. Le bourdonnement électrique étant plus fort en haut, il choisit ses prises avec soin avant de se laisser retomber de l'autre côté, près des formes inertes des deux chiens. Sortant sa lampe de sa trousse, il la braqua sur les dobermans. Ils avaient les yeux ouverts, dilatés, et le souffle haletant. Bosch regarda pendant un moment leurs poitrines se soulever et retomber au même rythme, puis il balaya le sol avec sa lampe jusqu'à ce qu'il repère le morceau de viande intacte. Il le jeta de l'autre côté du grillage, dans l'allée. Puis, saisissant les chiens par le collier, il les traîna jusqu'à leur enclos et verrouilla la porte. Ils ne présentaient plus le moindre danger.

Bosch revint en courant sans faire de bruit et risqua un œil au coin du bâtiment afin de s'assurer que le parking était toujours désert. Puis il retourna sur ses pas jusqu'au bureau d'Ely.

Il examina la fenêtre, s'assurant qu'il n'y avait pas de

système d'alarme. Promenant le faisceau de la lampe sur les quatre côtés de la fenêtre à jalousie, il ne vit ni fils électriques, ni capteur de vibrations, aucun dispositif de protection. Sortant la lame de son canif, il fit sauter une des bandes métalliques qui maintenaient le carreau du bas en place. Il le descella avec prudence et l'appuya contre le mur. Introduisant la lampe par l'ouverture, il balaya l'intérieur. La pièce était vide. Il reconnut le grand bureau d'Ely et d'autres objets. La console des quatre écrans vidéo était totalement noire. Les caméras étaient débranchées.

Après avoir ôté cinq carreaux de la fenêtre et les avoir soigneusement empilés contre le mur extérieur, il eut suffisamment de place pour se hisser et se faufiler à l'intérieur.

Aucun papier, aucun dossier n'encombrait la surface lisse du bureau ; le presse-papiers captait le faisceau de la lampe et projetait des reflets colorés à travers la pièce. Bosch tenta d'ouvrir les tiroirs, mais ils étaient tous fermés à clé. Il parvint malgré tout à les ouvrir à l'aide d'un crochet, sans rien y découvrir d'intéressant. L'un d'cux renfermait un registre, mais celui-ci concernait apparemment la gestion des stocks et de la production.

Braquant sa lampe à l'intérieur de la corbeille posée sous le bureau, il y découvrit plusieurs papiers froissés. Il la vida sur le sol, déplia chaque feuille, la refroissa et la remit dans la corbeille après l'avoir jugée sans intérêt.

Mais la corbeille ne contenait pas que des choses sans intérêt. Il découvrit ainsi une feuille froissée sur laquelle figuraient plusieurs gribouillis, dont celui-ci :

Colorado 404

Que faire de ce document ? se demanda-t-il. Ce papier était la preuve qu'on avait tenté de le tuer. Mais Bosch l'avait découvert lors d'une perquisition illégale. Il ne vaudrait rien tant qu'on ne le découvrirait pas, plus tard, au cours d'une perquisition légale. Mais quand ? S'il laissait ce morceau de papier dans la corbeille, il y avait de fortes chances pour que quelqu'un la vide bien avant cette hypothétique perquisition.

Après avoir froissé de nouveau la feuille, il arracha un morceau de scotch au distributeur qui se trouvait sur le bureau. Il s'en servit pour coller la boulette de papier au fond de la corbeille. Il ne restait plus à espérer que la personne en charge du ménage ne remarquerait pas qu'il restait un morceau de papier dans la corbeille qu'elle venait de vider.

Il ouvrit la porte du bureau et passa dans le couloir. Arrivé à la porte du laboratoire, il décrocha une paire de lunettes de protection et un masque à gaz, qu'il enfila. La porte était munie d'une serrure classique à trois broches qu'il n'eut aucun mal à crocheter.

La porte s'ouvrit sur l'obscurité. Il attendit un court instant avant de s'y enfoncer. Une odeur douceâtre, écœurante, flottait dans cet endroit. C'était humide. Il promena le faisceau de sa lampe à travers ce qui semblait être la salle d'expédition. Une mouche bourdonna à son oreille, une seconde venant bientôt voltiger bruyamment autour de son visage protégé par le masque. Il les chassa d'un geste et continua d'avancer.

Arrivé à l'autre bout de la salle, il franchit une porte à double battant pour pénétrer dans une pièce où régnait une humidité oppressante. Disposées à intervalles réguliers, des ampoules rouges éclairaient des rangées entières de casiers à insectes en fibre de verre. Bosch se sentit enveloppé par l'air chaud. Un escadron de mouches vint se cogner en bourdonnant contre son masque et son front nu. Il dut les chasser une fois de plus. S'approchant d'un des casiers, il braqua sa lampe à l'intérieur. Une masse de larves marron-rose se mouvait dans la lumière, comme une mer au ralenti.

Il éclaira le reste de la pièce et découvrit un râtelier à outils ainsi qu'une petite bétonneuse fixe dont se servaient certainement les ouvriers pour mélanger les aliments destinés aux insectes. Plusieurs pelles, râteaux et balais étaient suspendus à des crochets et alignés au fond de la pièce. Des palettes supportaient d'énormes sacs de blé et de sucre déshydratés, et des sacs plus petits de levure. Toutes les inscriptions étaient en espagnol. La cuisine, assurément.

Il promena le faisceau de sa lampe sur les outils et son attention fut attirée par une pelle au manche tout neuf. Le bois en était lisse et clair, alors que tous les autres outils avaient des manches noircis par la crasse et la sueur.

En observant ce manche neuf, il comprit que Fernal Gutierrez-Llosa avait été tué ici même : on l'avait battu à mort avec une pelle, dont le manche s'était brisé ou tellement couvert de sang qu'il avait fallu le changer. Qu'avait donc vu cet homme qui lui avait valu de mourir ainsi ? Quel acte avait donc commis ce simple journalier ? Bosch continua à observer les lieux avec sa lampe, jusqu'à ce qu'il découvre une autre porte à double battant à l'autre extrémité de la pièce. Une pancarte indiquait :

DANGER ! RADIATIONS !
NE PAS ENTRER !
PELIGRO ! RADIACION !

Une fois encore, il se servit de ses crochets pour forcer la serrure. Balayant les lieux avec sa lampe, il ne vit aucune autre porte. Conclusion, il était arrivé tout au bout du bâtiment. Cette pièce, la plus grande du complexe, était divisée en deux par une cloison percée d'une petite fenêtre. Sur la cloison, une pancarte indiquait :

PROTECTIONS
OBLIGATOIRES

Bosch contourna la cloison et constata que cet espace était occupé en grande partie par une grosse machine ressemblant à une boîte. Un tapis roulant entrait d'un côté en transportant des plateaux, puis ressortait de l'autre, les plateaux tombant alors dans des casiers semblables à ceux qu'il avait vus dans la pièce voisine. D'autres panneaux d'avertissement étaient apposés sur la machine. C'était là que les larves étaient stérilisées à coups de radiations.

Passant de l'autre côté de la cloison, Bosch découvrit de grands établis en acier au-dessus desquels étaient accrochés des placards. Ceux-ci n'étaient pas fermés à clé ; ils contenaient du matériel : des gants en plastique, des emballages en forme de saucisse dans lesquels étaient transportées les larves, des batteries et des détecteurs de chaleur. C'était là que les larves étaient conditionnées et rangées dans les containers. La fin de la chaîne. Il n'y avait là rien d'autre susceptible d'exciter sa curiosité.

Il rebroussa chemin vers la sortie. Il éteignit sa lampe, seule brilla la petite lumière rouge de la caméra de surveillance fixée dans un coin sous le plafond. Qu'est-ce que je n'ai pas vu ? se demanda-t-il. Que reste-t-il à voir ?

Il ralluma sa lampe et repassa derrière la cloison, là où se trouvait la machine ionisante. Toutes les pancartes du bâtiment avaient pour but de tenir les gens éloignés de cet endroit. C'est là que devait se trouver le secret. Il concentra son attention sur les grands plateaux en acier qui s'empilaient du sol au plafond et servaient à manipuler les larves. Appuyant son épaule contre une des piles, il la fit glisser sur le sol. Dessous, il n'y avait que du béton. Il fit la même chose avec la pile suivante, baissa les yeux et aperçut l'extrémité d'une trappe.

Le tunnel.

Mais, au même moment, il comprit : le voyant rouge sur la caméra de surveillance. La console dans le bureau d'Ely était éteinte. Et dans la journée, lors de sa visite, Bosch avait remarqué que la seule vision intérieure sur les écrans était celle de la salle d'expédition.

Autrement dit, quelqu'un d'autre surveillait la salle. Il jeta un coup d'œil à sa montre, essayant de déterminer combien de temps il était resté. Deux minutes ? Trois ? S'ils venaient du ranch, il ne lui restait plus beaucoup de temps. Il regarda les contours de la trappe dans le sol, puis leva la tête vers l'œil rouge qui brillait dans le noir.

Il ne pouvait prendre le risque de se contenter d'espérer que personne ne l'observait. Il s'empressa de remettre la pile de plateaux sur la trappe et de quitter la salle. Il rebroussa chemin à travers le complexe, et raccrocha le masque et les lunettes à la patère près du bureau d'Ely. Puis il traversa le bureau et ressortit par la fenêtre. Rapidement, il remit les carreaux en place, en enfonçant les barres métalliques avec ses doigts.

Les chiens étaient toujours couchés à l'intérieur de leur enclos et leurs poitrines se soulevaient à un rythme régulier. Après un instant d'hésitation, Bosch décida de les ressortir de leur cage, au cas où il n'y aurait eu personne devant l'écran de contrôle de la caméra de surveillance. Agrippant les deux chiens par le collier, il les traîna dehors. L'un d'eux tenta de grogner, mais cela ressemblait davantage à un gémissement. L'autre l'imita.

Bosch prit son élan pour escalader le grillage rapidement, mais s'obligea à ralentir au moment d'enjamber les tapis de caoutchouc. Arrivé au sommet, il lui sembla entendre un bruit de moteur par-dessus le bourdonnement électrique. Juste avant de sauter de l'autre côté, il arracha les deux tapis de sol posés sur les spirales d'acier et les entraîna avec lui dans sa chute.

Il vérifia le contenu de ses poches pour s'assurer qu'il n'avait pas laissé tomber les crochets ou sa lampe en chemin. Ou encore ses clés. Son arme était toujours dans le holster. Rien ne manquait. Déjà il percevait distinctement le bruit d'une voiture, peut-être même plusieurs. Aucun doute, il avait été repéré. Alors qu'il courait dans l'allée, en direction de la fabrique Mexitec, il entendit quelqu'un crier : « Pedro y Pablo ! Pedro y Pablo ! » Les chiens, se dit-il. Les deux dobermans s'appelaient Pierre et Paul.

Il s'engouffra dans la voiture et se recroquevilla sur le siège, en observant le bâtiment d'EnviroGènes. Deux voitures étaient arrêtées sur le parking ; il aperçut trois hommes. Tous armés, ils se tenaient dans la lumière du projecteur fixé au-dessus de la porte. Un quatrième homme, s'exprimant en espagnol, apparut au coin du bâtiment. Il avait retrouvé les chiens. Cet homme avait quelque chose de familier, mais il faisait trop sombre, et Bosch était trop loin pour apercevoir les larmes tatouées sur son visage. Ils ouvrirent la porte de l'usine et, tels des policiers, ils entrèrent, arme au poing. C'était le moment de filer. Bosch fit démarrer la Caprice et regagna la route. Tandis qu'il s'éloignait à toute allure, il constata qu'il tremblait de nouveau ;

la tension retombait après que la peur eut atteint le point culminant. La sueur coulait de ses cheveux et l'air frais de la nuit la séchait dans son cou.

Il alluma une cigarette et jeta l'allumette par la fenêtre. Un rire nerveux suivit, lui aussi emporté par le vent.

25

Le dimanche matin, il appela le numéro que lui avait donné Ramos à partir du téléphone public de la Casa de Mandarin, restaurant du centre de Mexicali. Il donna son nom et le numéro, puis raccrocha et alluma une cigarette. Deux minutes plus tard, le téléphone sonna ; c'était Ramos.

– *Qué pasa, amigo ?*

– Rien. Je veux juste consulter les photos, vous vous souvenez ?

– Ah oui, oui. Vous savez ce qu'on va faire ? Je vais passer vous prendre. Donnez-moi une demi-heure.

– J'ai quitté l'hôtel.

– Vous fichez le camp ?

– Non, j'ai simplement rendu ma chambre. Généralement, c'est ce que je fais quand quelqu'un essaye de me tuer.

– Quoi ?

– Un type armé d'un fusil. Je vous raconterai. Bref, je suis dans la nature pour l'instant. Si vous voulez passer me prendre, je suis au Mandarin, dans le centre ville.

– Une demi-heure. J'ai hâte d'èn savoir plus.

Ils raccrochèrent et Bosch regagna sa table, où Aguila achevait son petit déjeuner. L'un et l'autre avaient commandé des œufs brouillés avec de la sauce piquante, du *cilantro* émincé et quelques boulettes frites en accompagnement. Tout était excellent et Bosch avait dévoré son assiette. Comme toujours après une nuit blanche.

La veille, après être revenu d'EnviroGènes en riant tout seul, il avait retrouvé Aguila dans sa petite maison située près de l'aéroport, et l'inspecteur mexicain lui avait fait part du résultat de ses recherches à l'hôtel. L'employé de la réception ne pouvait offrir un signalement très précis de l'homme qui avait loué la chambre 404, si ce n'est qu'il avait trois larmes tatouées à l'œil gauche.

Aguila n'avait pas demandé à Bosch où il était allé, comme s'il devinait qu'il n'obtiendrait pas de réponse. Au lieu de cela, il lui avait proposé de dormir sur le canapé, un des rares meubles de la maison. Harry avait accepté, mais n'avait pu fermer l'œil. Il avait passé sa nuit à regarder la fenêtre en réfléchissant à un tas de choses, jusqu'à ce qu'une lumière gris-bleu pénètre à travers les fins rideaux blancs.

Lucius Porter avait occupé la plupart de ses pensées. Il imaginait le corps de l'inspecteur, nu et cireux, sur la table en acier froid, tandis que Teresa Corazon le découpait à l'aide de ses cisailles. Il pensait aux minuscules hémorragies, de la taille d'une tête d'épingle, qu'elle découvrirait dans les cornées de ses yeux, confirmation de la mort par strangulation. Et il revoyait toutes ces fois où il s'était trouvé dans cette salle avec Porter, regardant d'autres se faire découper, les rigoles de la table qui se remplissaient de déchets. Maintenant, c'était Lucius qui se trouvait sur cette table, un bout de bois glissé sous la nuque afin de renverser sa tête pour l'incision à la scie. Juste avant l'aube, la fatigue avait embrumé ses pensées, et soudain, il s'était vu, couché sur la table métallique ; à côté de lui, Teresa préparait ses instruments pour l'autopsie.

Il s'était redressé d'un bloc sur le canapé et avait saisi ses cigarettes. En cet instant, il s'était juré de ne jamais se retrouver sur cette table. Pas de cette façon.

– Les stups ? demanda Aguila en repoussant son assiette.

– Hein ? (D'un mouvement de tête, Aguila désigna le biper fixé à sa ceinture.) Ouais. Ils ont insisté pour que je porte ce truc.

Bosch avait estimé qu'il devait faire confiance à cet homme, et celui-ci avait mérité cette confiance. Peu importe ce que disait Ramos. Ou Corvo. Toute sa vie, Bosch avait vécu et travaillé dans un cadre institutionnel. Pourtant, il espérait avoir échappé à un mode de pensée trop rigide ; il savait prendre ses propres décisions. Le moment venu, il raconterait tout à Aguila.

– Je vais aller les voir ce matin, pour consulter quelques fichiers, des trucs comme ça. On peut se retrouver plus tard…

Aguila acquiesça. De son côté, lui expliqua-t-il, il se rendrait au poste pour remplir les documents relatifs à la confirmation de l'identité de Fernal Gutierrez-Llosa. Bosch voulut lui parler de la pelle avec le manche neuf qu'il avait trouvée dans les locaux d'EnviroGènes, mais il se ravisa. Une seule personne devait être tenue au courant de cette effraction.

Bosch but son café et Aguila son thé. Pendant un moment, personne ne dit mot. Finalement, Bosch demanda :

– Avez-vous déjà vu Zorillo ? En personne ?

– De loin, oui.

– Où était-ce ? A la corrida ?

– Oui, à la plaza de los Toros. El Papa vient souvent admirer ses taureaux. Il a une loge réservée en permanence, à l'ombre. Moi, je peux juste m'offrir des places du côté ensoleillé de l'arène. C'est pour ça que je l'ai toujours vu de loin.

– Il vient voir ses taureaux gagner ? Pas les toreros ?

– Non. Il vient voir ses taureaux mourir de manière honorable.

Bosch n'était pas certain de comprendre, mais il n'insista pas.

– J'aimerais voir une corrida aujourd'hui. C'est possible ? J'aimerais m'asseoir dans une loge près de celle du Pape.

– Oh, c'est très cher, vous savez. Parfois, ils n'arrivent pas à les louer. Mais dans ce cas-là, ils ne les ouvrent pas…

– Combien ?

– Il faut compter au moins deux cents dollars américains. Je vous l'ai dit, c'est très cher.

Bosch sortit son portefeuille et compta deux cent dix dollars. Il laissa un billet de dix sur la table pour payer le petit déjeuner et fit glisser le reste sur la nappe verte délavée. Il songea alors qu'Aguila ne gagnait pas autant en six jours de travail, et regretta d'avoir été si prompt à prendre une décision qui aurait demandé à son collègue mexicain des heures de réflexion.

– Trouvez-nous une loge près du Pape.

– Vous devez imaginer qu'il sera bien entouré. Il sera…

– Je veux juste l'observer, c'est tout. Trouvez-nous de bonnes places.

Ils sortirent du restaurant. Aguila lui annonça qu'il allait marcher jusqu'au poste de police, à deux rues de là. Une fois seul, Harry resta devant le restaurant à attendre Ramos. Consultant sa montre, il vit qu'il était 8 heures. Il aurait dû se trouver dans le bureau d'Irving à Parker Center. Il se demanda si le chef adjoint avait déjà entamé une procédure disciplinaire contre lui. Dès son retour, Bosch serait certainement consigné derrière un bureau.

A moins… à moins qu'il ne rentre avec l'affaire bien ficelée sous le bras. C'était la seule façon pour lui désormais d'avoir un quelconque moyen de pression sur Irving. Il savait qu'il devait quitter le Mexique en ayant tout réglé.

Et soudain, Bosch s'aperçut qu'il était stupide de servir de cible en restant debout comme ça sur le trottoir. Il rentra dans le restaurant et guetta Ramos derrière la porte. La serveuse s'approcha et se répandit en courbettes, avant de repartir. Sans doute à cause du pourboire de trois dollars, pensa-t-il.

Ramos mit presque une heure à arriver. Ne voulant pas se retrouver sans voiture, Bosch dit à l'agent des stups qu'il le suivrait. Ils prirent la direction du nord en empruntant Lopez Mateos. Arrivé au rond-point de la statue de Juarez, ils bifurquèrent vers l'est et pénétrèrent dans une zone d'entrepôts anonymes. Ayant pris une ruelle, ils s'arrêtèrent derrière un bâtiment couvert de graffiti. Ramos jeta des regards furtifs autour de lui en descendant de sa vieille Chevy Camaro cabossée et immatriculée au Mexique.

– Bienvenue dans notre modeste bureau fédéral, dit-il.

A l'intérieur de l'entrepôt régnait le calme d'un dimanche matin. L'endroit était vide. Ramos alluma les plafonniers et Bosch découvrit plusieurs rangées de bureaux et de classeurs. Au fond se trouvaient deux armoires remplies d'armes et un coffre-fort Cincinnati de deux tonnes servant à entreposer les pièces à conviction.

– Bon, voyons voir ce qu'on a pendant que vous me racontez ce qui s'est passé hier. Vous êtes sûr qu'on a essayé de vous tuer ?

– Pour en être plus sûr, il faudrait que je sois mort.

Le bout de sparadrap que Bosch s'était mis sur la nuque était masqué par son col de chemise. Un autre couvrait sa blessure à la paume droite, tout aussi discret.

Il raconta à Ramos la tentative d'assassinat à l'hôtel, sans omettre un seul détail, y compris la douille retrouvée dans la chambre 404.

– Et la balle ? On peut la retrouver ?

– J'imagine qu'elle est toujours enfoncée dans la tête de lit. Je n'ai pas pris le temps de vérifier.

– Non, je suppose que vous avez couru prévenir votre pote le Mexicain… Je vous ai dit de faire gaffe, Bosch. C'est peut-être un chic type, mais vous ne le connaissez pas.

– C'est vrai, Ramos, je l'ai prévenu. Mais ensuite, je suis allé faire ce que vous attendiez de moi.

– Qu'est-ce que vous racontez ?

– EnviroGènes. J'y suis allé hier soir.

– Hein ? Vous êtes dingue ou quoi ? Je ne vous ai jamais dit de…

– Allons, ne me prenez pas pour une andouille. Vous m'avez raconté toutes ces conneries hier soir pour que je sache de quoi vous aviez besoin pour obtenir le droit de perquisitionner. Epargnez-moi votre numéro. Nous sommes seuls ici. Je sais ce que vous voulez, et je l'ai eu. Mettez-moi sur la liste des indics.

Ramos faisait les cent pas devant la rangée de classeurs. Il se donnait beaucoup de mal pour être convaincant.

– Ecoutez, Bosch, je suis obligé de soumettre chacun de mes indicateurs à l'approbation de mes supérieurs. Ça ne marchera jamais. Je ne peux…

– Faites en sorte que ça marche.

– Bosch, je…

– Voulez-vous savoir ce que j'ai découvert ou on en reste là ?

Cela calma l'agent des stups pendant un instant.

– Est-ce que vos ninjas, les… je ne sais plus comment vous les appelez, sont arrivés ?

– Le CLET, Bosch. Oui, ils sont arrivés cette nuit.

– Parfait. Vous allez devoir passer à l'action. Tout de suite. J'ai été repéré.

Bosch vit le visage de Ramos s'assombrir. Ce dernier secoua la tête et se laissa tomber dans un fauteuil.

– Bon Dieu ! Et comment le savez-vous ?

– Il y avait une caméra. Je m'en suis aperçu trop tard. J'ai réussi à ressortir, mais des types sont venus voir ce qui se passait. Ils ne m'ont pas reconnu, je portais un masque. Mais ils savent que quelqu'un s'est introduit dans le bâtiment.

– OK, Bosch, vous ne me laissez plus guère le choix. Qu'avez-vous découvert ?

Et voilà. Ramos admettait la perquisition illégale. Il l'approuvait. Bosch échapperait aux critiques. Il lui parla de la trappe dissimulée sous la pile de plateaux à insectes dans la salle d'ionisation.

– Vous ne l'avez pas soulevée ?

– Je n'ai pas eu le temps. D'ailleurs, je ne l'aurais pas fait. J'ai bossé dans les galeries souterraines au Vietnam. Toutes les trappes que j'ai vues là-bas étaient piégées. Les types qui ont rappliqué juste après que j'ai foutu le camp sont venus en voiture, pas par le tunnel. Il était certainement piégé.

Il lui expliqua ensuite que sa demande de mandat de perquisition, d'approbation, ou autre, devait inclure la saisie de tous les outils et également les déchets contenus dans les poubelles.

– Pourquoi ?

– Ce que vous y découvrirez m'aidera à boucler une des affaires d'homicide qui m'ont fait venir jusqu'ici. Vous y trouverez également la preuve d'un complot visant à supprimer un représentant des forces de l'ordre… moi, en l'occurrence.

Ramos se contenta de hocher la tête, sans demander d'autres explications. Ça ne l'intéressait pas. Il se leva, se dirigea vers un des meubles de rangement d'où il sortit deux épais classeurs noirs.

Bosch alla s'asseoir à un bureau vide ; Ramos déposa les classeurs devant lui.

– Voici tous les hommes qui, à notre connaissance, travaillent pour Humberto Zorillo. Nous avons des topos biographiques sur certains d'entre eux. Pour d'autres, uniquement des rapports de surveillance ; parfois, on ne connaît même pas leur nom.

Bosch ouvrit le premier classeur et observa la photo du dessus. C'était l'agrandissement format 18 × 24 d'un cliché flou pris au téléobjectif. Ramos précisa qu'il s'agissait de Zorillo, mais Bosch l'avait déjà deviné. Cheveux et barbe noirs, yeux sombres et regard intense. Bosch avait déjà vu ce visage. Plus jeune, sans barbe, un sourire dans ce regard aujourd'hui vide. C'était le visage vieilli du jeune garçon qui se trouvait sur les photos avec Calexico Moore.

– Que savez-vous de lui ? demanda-t-il à Ramos. Vous avez des détails sur sa famille ?

– Non, on ne sait rien là-dessus. Remarquez, on n'a pas beaucoup cherché. A vrai dire, on se contrefout de son passé ; nous, ce qui nous intéresse, c'est ce qu'il fait maintenant et ce qu'il a l'intention de faire…

Bosch tourna la page plastifiée pour passer en revue les autres photos. Ramos, quant à lui, regagna son bureau, glissa une feuille dans une machine à écrire et commença à taper.

– Je vais bidouiller un rapport d'informateur. Je me débrouillerai pour le faire passer.

Arrivé aux deux tiers du premier classeur, Bosch tomba enfin sur l'homme aux trois larmes tatouées. Il y avait plusieurs photos de lui, des clichés anthropométriques et des photos prises à son insu, sous différents angles, sur plusieurs années. Bosch vit ainsi le visage se modifier à mesure que les larmes s'ajoutaient ; le petit voyou souriant s'était transformé en criminel endurci. D'après la courte notice biographique, l'homme s'appelait Osvaldo Arpis Rafaelillo, et il était né en 1952. Il avait effectué trois séjours au *penitenciaro*, pour un premier meurtre quand il était adolescent, pour un second à l'âge adulte, et enfin pour possession de drogue. Il avait passé la moitié de sa vie en prison. Toujours d'après la notice, son association avec Zorillo remontait à très longtemps.

– Ça y est, je l'ai, dit Bosch.

Ramos le rejoignit. Lui aussi reconnut l'homme.

– Et vous dites qu'il a buté des flics à L. A. ?

– Ouais. Au moins un. Mais je pense qu'il a peut-être liquidé le premier également. Je crois qu'il a aussi supprimé un passeur qui travaillait pour la concurrence. Un Hawaiien nommé Jimmy Kapps. Celui-ci et un des flics ont été étranglés de la même façon.

– La cravate mexicaine…

– Exact.

– Et le journalier ? Celui qui s'est fait buter dans l'usine selon vous ?

– Il se peut qu'il les ait tous tués. Je ne sais pas.

– Ce type a un long passé. Arpis. Ouais, il est sorti de la *penta* il y a un an environ. C'est un tueur de sang-froid, Bosch. Un des principaux acolytes du Pape. Un exécuteur. Par ici, les gens le surnomment « Alvin Karpis », vous savez, en référence au tueur à la mitraillette dans les années 30… Le gang de Ma Barker… Arpis a été envoyé à l'ombre pour quelques sales coups, mais il paraît que ça ne lui a pas servi de leçon.

Les yeux fixés sur les photos, Bosch demanda :

– C'est tout ce que vous avez sur lui ? Tout ce qui est là-dedans ?

– Il y a d'autres trucs ailleurs, mais vous savez l'essentiel. Le reste, c'est surtout des ragots d'informateurs. Ce qu'il faut retenir au sujet d'Al Karpis, c'est qu'à l'époque où Zorillo a commencé son ascension vers le sommet, ce type se trouvait seul en première ligne pour déblayer le terrain. Chaque fois que Zorillo avait un boulot à faire, il se tournait vers son pote du barrio, Arpis. Le travail était fait. Et, comme je vous l'ai dit, ils ne l'ont coffré que trois fois. On peut parier que, les autres fois, il a échappé à la taule en payant.

Bosch nota dans son carnet quelques renseignements piochés dans la biographie d'Arpis, pendant que Ramos continuait à parler :

– Tous les deux, ils viennent d'un barrio au sud. Un truc qui…

– Les Saints et les Pécheurs.
– Exact. Les Saints et les Pécheurs. Certains flics d'ici, ceux en qui je n'ai aucune confiance, affirment qu'Arpis a toujours eu un goût prononcé pour la mort. Dans le barrio, ils avaient un dicton : *Quien eres ?* Ça veut dire : « Qui es-tu ? » C'était un défi. Ça signifiait en fait : De quel côté es-tu ? Avec nous ou contre nous ? Saint ou Pécheur ? Et quand Zorillo a accédé au pouvoir, il a chargé Arpis de liquider tous ceux qui étaient contre lui. Les gens du coin racontent qu'après avoir buté quelqu'un il répandait la nouvelle à travers tout le barrio. *El descubrio quien era.* Ça veut dire...
– « Il a découvert qui il était... »
– Tout juste. C'était excellent au niveau de la pub, et tous les types du cru lui ont emboîté le pas. A tel point qu'ils finissaient par laisser des messages sur les cadavres. Vous voyez le genre ? Ils butaient un type et ils écrivaient sur un bout de papier *Il a découvert qui il était*, ou un truc comme ça, qu'ils épinglaient à sa chemise...
Bosch ne dit rien, il n'écrivait plus. Une autre pièce du puzzle venait de trouver sa place.
– Parfois, on voit encore cette inscription sur les murs du barrio, poursuivit Ramos. Ça fait partie du folklore qui entoure Zorillo. C'est ça qui fait de lui le Pape.
Harry referma son carnet et se leva.
– J'ai trouvé ce que je cherchais.
– Très bien. Faites gaffe à vous dehors, Bosch. Rien ne prouve qu'ils ne vont pas recommencer, surtout si Arpis est sur le coup. Vous ne voulez pas passer la journée ici ? C'est plus sûr.
– Non, ça va aller.
Il fit un pas vers la porte, s'arrêta et porta la main au biper fixé à sa ceinture.
– Je serai prévenu ?
– Ouais, vous en serez. Corvo va venir assister au spectacle, faut bien que je vous mette dans le coup. Où vous allez, aujourd'hui ?
– Je ne sais pas encore. Je vais peut-être jouer les touristes. Visiter les archives historiques, assister à une corrida...

– Restez cool surtout. Vous serez prévenu.
– J'y compte bien.
Bosch regagna sa Caprice, la tête pleine du message retrouvé dans la poche arrière de Cal Moore.

J'ai découvert qui j'étais

26

Il lui fallut trente minutes pour franchir la frontière. La file de voitures s'étendait sur presque un kilomètre à partir du sinistre poste-frontière peint en marron. Tandis qu'il faisait la queue et mesurait sa progression à l'avancée d'une ou deux voitures, il dépensa toute sa monnaie et ses billets d'un dollar, assailli par une armée de pauvres qui s'approchaient de sa vitre la main tendue ou en vendant des articles de pacotille et de la nourriture. La plupart essuyaient son pare-brise, sans attendre une improbable autorisation, avec des serpillières crasseuses, puis réclamaient quelques pièces. A chaque « lavage », le pare-brise était un peu plus opaque ; à la fin, Bosch, fut obligé de mettre les essuie-glaces et d'utiliser le lave-vitre de la voiture. Lorsqu'il atteignit le poste de contrôle, le douanier, un type avec des lunettes réfléchissantes, lui fit signe de passer après avoir jeté un œil à son badge. Il lui dit simplement :

– Y a un tuyau d'arrosage là-bas sur la droite si vous voulez nettoyer toute cette merde sur votre pare-brise.

Quelques minutes plus tard, il s'arrêta sur un emplacement de stationnement devant l'hôtel de ville de Calexico. Assis derrière le volant, il fuma une cigarette en contemplant le parking presque désert. Il n'y avait pas de *troubadours*[1] aujourd'hui. Descendant de voiture, il se dirigea vers la porte sur laquelle figurait l'inscription CENTRE DES ARCHIVES HISTORIQUES DE CALEXICO, sans trop savoir exactement ce qu'il cherchait. Il avait l'après-midi devant lui, et la seule chose dont il était sûr, c'est qu'un lien profond unissait tous les éléments entourant la mort de Cal Moore, qu'il s'agisse de sa décision de changer de camp, du mot retrouvé dans sa poche de pantalon ou de la photo le montrant en compagnie de Zorillo, si longtemps auparavant. Bosch était curieux de savoir ce qu'étaient devenus la maison que Moore nommait « château » et l'homme avec lequel il posait, celui aux cheveux blancs comme neige.

La porte vitrée était fermée, et Bosch constata que le centre n'ouvrait pas avant 13 heures le dimanche. Il consulta sa montre ; il lui restait un quart d'heure à attendre. Collant ses mains en visière contre la vitre, il scruta l'intérieur, mais ne vit personne dans l'espace exigu qui comportait deux bureaux, un mur de rayonnages de livres et deux vitrines.

S'éloignant de la porte, il envisagea de profiter de ce quart d'heure pour aller manger. Mais il décida qu'il était encore trop tôt. A la place, il marcha jusqu'au poste de police et acheta un Coca au distributeur installé dans le hall minuscule. Il salua d'un signe de tête l'officier assis derrière le guichet vitré. Ce n'était pas Gruber, aujourd'hui.

Adossé à la façade, il sirota son Coca en observant le parking et vit un vieil homme avec un treillis de fins cheveux blancs sur les côtés du crâne ouvrir la porte du bâtiment. Il avait quelques minutes d'avance, mais Bosch se mit en marche et le suivit à l'intérieur.

– C'est ouvert ?

– Disons que c'est ouvert puisque je suis là, répondit le vieil homme. Vous cherchez un renseignement précis ?

Bosch s'avança au centre de la pièce et expliqua qu'il ne savait pas exactement ce qu'il cherchait.

– En fait, j'essaye de reconstituer le passé d'un ami, et je crois que son père était une figure historique. A Calexico, je veux dire. J'aimerais retrouver leur maison si elle existe encore, et en apprendre le plus possible sur ce père.

– Comment s'appelle ce monsieur ?

– Je ne connais que son nom de famille, Moore.

– Voilà qui ne va pas faciliter nos recherches ! Moore est un nom très répandu par ici. Une grande famille. Des frères, des cousins, un peu partout. Vous savez ce qu'on va faire ? Donnez-moi...

– Attendez, vous avez des photos ? Vous voyez ce que

je veux dire, des livres avec des photos de famille ? J'ai vu des photos du père. Je pourrais…

– Oui, c'est ce que je voulais vous proposer. Je vais vous installer là avec deux ou trois bouquins. On va le retrouver, votre Moore. J'avoue que vous avez éveillé ma curiosité. Au fait, pourquoi est-ce que vous faites ça pour votre ami ?

– J'essaye de faire son arbre généalogique.

Quelques minutes plus tard, le vieil homme l'avait installé à l'autre bureau avec trois ouvrages devant lui, d'épais livres reliés en cuir qui sentaient la poussière, de la taille d'un annuaire. Chaque page offrait des photos accompagnées d'un texte historique. Ouvrant au hasard l'un des livres, Bosch découvrit une photo en noir et blanc montrant la construction de l'hôtel De Anza.

Le premier livre s'intitulait *Calexico et Mexicali : soixante-quinze ans sur la frontière*. En le parcourant, Bosch eut un rapide aperçu de l'histoire des deux villes et des hommes qui les avaient bâties. C'était bien celle que lui avait racontée Aguila, mais vue par les Blancs. L'ouvrage qu'il tenait entre les mains décrivait l'horrible pauvreté qui sévissait à Tapai en Chine, et racontait avec quelle joie tous ces hommes étaient venus en Baja California pour chercher fortune. Le Rêve américain. Pas un mot sur la suite.

Dans les années 20-30, Calexico avait été une ville-champignon, une ville appartenant tout entière à une société. Les dirigeants de la Colorado River Land Company en étaient les seigneurs et maîtres. Comme l'expliquait ce livre, la plupart de ces hommes s'étaient fait construire de somptueuses maisons et des propriétés sur des promontoires qui dominaient les abords de la ville. Au fil de sa lecture, Bosch repéra plusieurs fois les noms des trois frères Moore : Anderson, Cecil et Morgan. D'autres Moore figuraient dans ces pages, mais les frères étaient toujours décrits comme des personnages importants, occupant des postes élevés au sein de la Colorado River.

En parcourant le chapitre intitulé « Une pluie d'or s'abat sur une petite ville », Bosch découvrit enfin l'homme qui l'intéressait. Cecil Moore. Là, au milieu d'une description des richesses que le coton procurait à la ville de Calexico, se trouvait la photo d'un homme aux cheveux prématurément blanchis, qui posait devant une demeure de style méditerranéen de la taille d'une école. C'était l'homme de la photo que Moore conservait, avec d'autres, dans son sac en papier froissé. Sur le côté gauche de la maison, se dressant tel un clocher, on apercevait une tour percée de deux fenêtres cintrées. Cette tour conférait à la maison un aspect de château espagnol. La maison d'enfance de Cal Moore.

– Voici l'homme et voici la maison, dit Bosch en apportant le livre au vieil archiviste.

– Cecil Moore, dit celui-ci.

– Il est toujours vivant ?

– Non, et ses frères non plus. Il a été le dernier à partir. L'année dernière, à peu près à cette époque ; il est mort dans son sommeil. Mais je pense que vous faites erreur.

– Pourquoi ça ?

– Cecil n'avait pas d'enfant.

Bosch acquiesça.

– Oui, vous avez peut-être raison. Et la maison a disparu elle aussi ?

– Vous ne travaillez pas sur un arbre généalogique, n'est-ce pas ?

– Non, je suis de la police. Je viens de Los Angeles. J'essaye de remonter la piste de cet homme. Acceptez-vous de m'aider ?

Le vieil homme l'observa, et Bosch regretta de ne pas avoir joué franc-jeu avec lui dès le début.

– Je ne vois pas le rapport avec Los Angeles, mais continuez. Que voulez-vous savoir d'autre ?

– Cette maison avec la tour, elle existe toujours ?

– Oui, c'est le Castillo de los Ojos. Le Château des Yeux. Le nom vient de ces deux fenêtres, en haut de la tour. Quand elles étaient éclairées la nuit, on disait que c'étaient des yeux qui observaient tout Calexico.

– Où est-il ?

– Sur ce qu'on appelle « la piste du Coyote », à l'ouest de la ville. Vous prenez la 98, vous passez Pinto Wash et vous arrivez au lieu-dit Crucifixion Thorn. Là, vous prenez Anza Road, comme le nom de l'hôtel ici. Vous arriverez à la piste du Coyote. Le château est au bout de la route. Vous ne pouvez pas le louper.

– Qui y habite maintenant ?

– Personne, je crois. Il l'a légué à la ville, vous savez. Mais la municipalité n'avait pas les moyens d'entretenir un endroit pareil. Ils l'ont vendu… D'ailleurs, je crois que l'acheteur venait lui aussi de Los Angeles. Mais, autant que je sache, il n'est jamais venu y habiter. Quel dommage… J'espérais qu'on pourrait peut-être en faire un musée.

Après l'avoir remercié, Bosch remonta en voiture pour se rendre à Crucifixion Thorn. Rien ne lui permettait de croire que le Castillo de los Ojos fût plus qu'une propriété ayant appartenu à un homme riche et décédé, sans aucun rapport avec l'enquête. Mais il n'avait rien d'autre à faire, et son impulsion le poussait à aller de l'avant.

La 98 était une route goudronnée à deux voies qui partait vers l'ouest à partir du centre ville de Calexico, longeait la frontière et pénétrait dans une vaste zone de cultures quadrillées par des fossés d'irrigation. L'air embaumait le poivron vert et le *cilantro*, tandis que Bosch longeait ces terres qui appartenaient autrefois à la Compagnie.

Devant, le sol plat s'élevant en collines, il vit la maison d'enfance de Calexico Moore bien avant d'y arriver. Le Castillo de los Ojos. Les deux fenêtres cintrées étaient des yeux sombres et vides sur la façade en pierre couleur pêche de la tour qui se dressait sur un promontoire à l'horizon.

Bosch emprunta un pont au-dessus d'une rivière asséchée qu'il supposa être Pinto Wash, bien qu'il n'y ait aucun panneau au bord de la route. Jetant au passage un coup d'œil au fond du lit poussiéreux, il découvrit une Chevy Blazer vert jaune stationnée juste en dessous. Il eut le temps d'entr'apercevoir un homme assis derrière le volant avec des jumelles collées sur les yeux. La police frontalière. Le douanier se servait du lit asséché de la rivière comme d'une cachette d'où il pouvait repérer les clandestins.

Le cours d'eau marquait la fin des terres cultivées.

Presque immédiatement, le relief plat se transforma en collines couvertes de broussailles brunes. La route décrivait une boucle à proximité d'un bosquet d'eucalyptus et de chênes totalement immobiles dans l'air stagnant. Cette fois, une pancarte indiquait :

ZONE NATURELLE
DE CRUCIFIXION THORN
DANGER
MINES DÉSAFFECTÉES

Bosch se souvint d'avoir vu, dans un des livres des archives de la ville, une allusion aux mines d'or du début du siècle qui, telle la petite vérole, grêlaient toute la zone frontalière. Des spéculateurs y avaient fait fortune, avant de tout perdre. Les collines regorgeaient de brigands. Puis la Colorado River Land Company était arrivée pour établir l'ordre.

Il alluma une cigarette et observa l'édifice, beaucoup plus près désormais, qui s'élevait derrière un mur. L'immobilité du décor, renforcée par les deux fenêtres de la tour semblables à des yeux sans âme, avait quelque chose de morbide. Toutefois, la tour n'était pas seule dans ces collines. Harry distingua ici et là les toits de tuile d'autres maisons. Malgré tout, elle se dressait de manière singulière au-dessus de tout le reste, avec ses yeux de verre vides, et il s'en dégageait un sentiment de solitude. De mort.

Anza Road apparut moins d'un kilomètre plus loin. Il bifurqua vers le nord, et la route à une voie fit le tour de la colline en grimpant et cahotant. Sur sa droite, il aperçut des terres cultivées. Il tourna à gauche sur une route signalée par un panneau PISTE DU COYOTE et passa bientôt devant de grandes haciendas plantées sur de vastes propriétés. La plupart du temps, il ne voyait que le premier étage des demeures à cause des murs qui entouraient presque chaque domaine.

La piste du Coyote s'achevait par une boucle qui contournait un vieux chêne dont les branches devaient offrir une ombre bienfaisante en été. Le Castillo de los Ojos se trouvait au bout du chemin.

De l'extérieur, un mur de pierre de plus de deux mètres

de haut masquait la totalité de la maison, à l'exception de la tour. Seul un portail en fer forgé permettait d'avoir une vue d'ensemble. Bosch s'engagea dans l'allée et roula jusqu'à la grille. Celle-ci était fermée par une lourde chaîne et une grosse serrure. Il descendit de voiture, regarda à travers les barreaux et constata que le parking situé devant la maison était désert. A l'intérieur du « château », tous les rideaux étaient tirés.

Sur le mur à côté du portail se trouvaient une boîte aux lettres et un interphone. Il appuya sur le bouton, mais n'obtint aucune réponse. D'ailleurs, il ne savait pas ce qu'il aurait pu dire si quelqu'un avait répondu. A tout hasard, il ouvrit la boîte aux lettres ; elle était vide.

Abandonnant sa voiture, il redescendit la piste jusqu'à la maison la plus proche. Celle-ci faisait partie des rares habitations du coin à ne pas être entourée d'un mur. Il y avait malgré tout une palissade blanche et un interphone à l'entrée. Cette fois, lorsqu'il appuya sur le bouton, il obtint une réponse :

– Oui ? dit une voix de femme.

– Bonjour, madame. Police. J'aimerais vous poser quelques questions concernant la maison de vos voisins.

– Quels voisins ?

C'était une voix très âgée.

– Le château.

– Y a plus personne qu'habite là. M. Moore est mort il y a quelque temps.

– Oui, je sais, madame. Mais pourrais-je entrer pour discuter avec vous un moment ? Je peux vous montrer ma plaque.

Après un silence, il entendit un « D'accord » très sec dans l'interphone, puis le portail s'ouvrit en bourdonnant.

La femme qui se trouvait à l'intérieur de la maison insista pour qu'il colle son badge contre une petite fenêtre découpée dans la porte. Il l'entrevit de l'autre côté, les cheveux blancs et décatie, se dévissant le cou dans son fauteuil roulant pour apercevoir l'insigne. Finalement, elle accepta d'ouvrir.

– Pourquoi est-ce qu'ils envoient un policier de Los Angeles ?

– Je travaille sur une enquête qui concerne un homme qui vivait au château il y a longtemps, quand il était enfant…

Elle l'observa à travers ses yeux plissés, comme si elle essayait de regarder au-delà d'un souvenir.

– Vous voulez parler de Calexico Moore ?

– Oui. Vous le connaissiez ?

– Il lui est arrivé quelque chose ?

Bosch hésita. Finalement, il dit :

– Il est mort, malheureusement.

– Là-bas, à Los Angeles ?

– Oui. Il était officier de police. Je crois que sa mort a un rapport avec sa vie d'autrefois, ici. Voilà pourquoi je suis venu. En fait, je ne sais pas trop quoi vous demander… Il n'a pas vécu longtemps ici. Mais vous vous souvenez de lui, hein ?

– Il n'a pas vécu longtemps ici, mais ça ne veut pas dire que je ne l'ai jamais revu. Au contraire. Je le voyais régulièrement depuis des années. Il venait en vélo ou en voiture ; il s'asseyait dehors sur le chemin et il regardait la maison. Un jour, j'ai demandé à Marta de lui apporter un sandwich et une limonade.

Harry se dit que Marta était la domestique. Par ici, les domestiques étaient fournis avec la propriété.

– Il regardait simplement, et il se souvenait, je suppose, expliqua la vieille femme. C'est affreux ce que lui a fait Cecil. Sans doute est-ce qu'il le paye maintenant…

– Affreux ? Que voulez-vous dire ?

– Renvoyer le garçon et sa mère de cette façon. Je crois même qu'il ne leur a plus jamais adressé la parole à l'un et à l'autre depuis ce jour-là. Mais j'ai continué à voir le gamin, et plus tard, je l'ai vu adulte ; comme je vous le disais, il venait regarder la maison. Les gens du coin disent que c'est pour cette raison que Cecil a fait construire le mur. C'était il y a vingt ans. Ils disent que c'est parce qu'il ne supportait plus de voir Calexico devant chez lui. Cecil était comme ça. Vous n'aimez pas ce que vous voyez de vos fenêtres, vous faites construire un mur. Moi, je voyais encore le jeune Cal de temps en temps. Un jour, je lui ai apporté une boisson fraîche, moi-même. Je n'étais pas encore dans ce fauteuil. Il était assis dans sa voiture et je lui ai demandé : « Pourquoi est-ce que tu viens tout le temps ici ? » Il m'a répondu : « J'aime me souvenir, Tante Mary. » Voilà ce qu'il a dit.

– Tante Mary ?

– Oui. Je croyais que c'était pour ça que vous veniez m'interroger. Mon Anderson et Cecil étaient frères. Que Dieu ait leur âme.

Bosch acquiesça. Il laissa passer cinq secondes de silence, en signe de respect, avant de reprendre :

– L'homme qui s'occupe des archives de la ville m'a dit que Cecil n'avait pas eu d'enfant.

– Bien sûr que si ! Mais Cecil ne voulait pas que ça se sache. Terrible secret. Il ne voulait pas ternir la réputation de la Compagnie.

– La mère de Calexico était la domestique, c'est ça ?

– Oui, elle… Vous savez déjà tout, on dirait.

– Non, juste quelques détails. Que s'est-il passé ? Pourquoi l'a-t-il chassée avec son fils ?

La vieille femme hésita avant de répondre, comme si elle avait besoin de reconstituer une histoire vieille de plus de trente ans.

– Quand elle s'est retrouvée enceinte, elle a vécu ici… il l'a obligée… et elle a accouché ici. Quatre ou cinq ans plus tard, il a découvert qu'elle lui avait menti. Un jour, il l'a fait suivre par plusieurs de ses hommes alors qu'elle se rendait à Mexicali pour voir sa mère, soi-disant. Il n'y avait pas de mère. Juste un mari et un autre fils, plus âgé que Calexico. C'est ce jour-là qu'il les a renvoyés. Il a chassé son propre fils.

Bosch réfléchit un long moment. Pendant ce temps, la vieille femme repensait au passé.

– Quand avez-vous revu Calexico pour la dernière fois ?

– Attendez… oh, ça fait plusieurs années maintenant. Finalement, il a cessé de venir.

– Croyez-vous qu'il ait appris la mort de son père ?

– En tout cas, il n'était pas à l'enterrement, mais on ne peut pas lui en vouloir.

– J'ai entendu dire que Cecil Moore avait légué sa propriété à la ville.

– Oui, il est mort seul et a tout laissé à la ville, rien à Calexico, ni à aucune de ses ex-femmes ou maîtresses. Cecil Moore était un homme mesquin, même dans la mort. Evidemment, la ville ne savait pas quoi faire de cette maison. Trop grande et trop chère à entretenir. Calexico n'est plus une ville en pleine expansion comme autrefois ; elle n'a plus les moyens. Pendant un moment, on a pensé en faire un musée, mais il n'y a pas de quoi remplir un placard avec l'histoire de cette ville. Encore moins un musée. Finalement, la ville a vendu la maison. Plus d'un million, paraît-il. Peut-être qu'ils ne seront pas en déficit pour une fois.

– Qui l'a achetée ?

– Je l'ignore. En tout cas, elle n'est pas habitée. Quelqu'un vient l'entretenir, parfois. J'ai vu de la lumière, la semaine dernière. Mais, à ma connaissance, personne n'y a jamais emménagé. Ce doit être un investissement. Un investissement dans quoi, je n'en sais rien. On est isolé au milieu de nulle part, ici…

– Une dernière question. Moore était-il accompagné quand il venait regarder la maison ?

– Non. Le pauvre garçon était toujours seul.

En retournant en ville, Bosch repensa aux veilles solitaires de Moore devant la maison de son père. Que regrettait-il, la maison et ses souvenirs, ou le père qui l'avait chassé ? Ou les deux ?

Bosch se souvint de sa brève rencontre avec son propre père. Un vieillard malade sur son lit de mort. Bosch lui avait pardonné chaque seconde qu'on lui avait volée. Il le fallait, s'il ne voulait pas passer le restant de sa vie à se lamenter à cause de ça.

27

La file des véhicules se rendant au Mexique était plus longue et plus lente que la veille. Sans doute à cause de la corrida qui attirait des gens de toute la région, se dit-il. C'était une tradition du dimanche en fin d'après-midi, aussi célèbre ici que le match des Raiders à Los Angeles.

Bosch ne se trouvait plus qu'à deux voitures du poste-frontière mexicain lorsqu'il s'aperçut qu'il avait laissé son Smith & Wesson dans le holster qu'il portait dans le dos. Trop tard pour le retirer. Arrivé devant l'officier, il annonça simplement « Corrida » et celui-ci lui fit signe de passer.

Le ciel était dégagé au-dessus de Mexicali, l'air frais. Une promesse de temps idéal. Il sentit un picotement d'excitation dans sa gorge. Pour deux raisons : il allait assister au rituel de la corrida, et peut-être voir enfin Zorillo, l'homme dont la réputation et les habitudes l'obsédaient si fort depuis trois jours qu'il se sentait peu à peu conquis lui aussi par le mythe. Il voulait voir le Pape dans son élément. Avec ses taureaux. Avec son peuple.

Après s'être garé sur le parking devant le poste de police, il sortit une paire de jumelles de la boîte à gants. L'arène n'était qu'à trois rues de là et sans doute s'y rendraient-ils à pied. Il montra son badge au planton à l'entrée et celui-ci le laissa passer ; Bosch trouva Aguila assis derrière l'unique bureau de la salle des inspecteurs. Plusieurs rapports rédigés à la main étaient étalés devant lui.

– Alors, vous avez les billets ?

– Oui. Nous avons une loge du côté soleil. Mais ce n'est pas un problème, car les loges sont bien protégées.

– Nous serons près du Pape ?

– Presque en face… s'il est là.
– Oui, s'il est là. Nous verrons bien. Vous avez terminé ?
– Oui, j'ai rédigé les rapports sur l'enquête Fernal Gutierrez-Llosa. En attendant l'inculpation d'un suspect.
– Ce qui ne se fera sans doute pas ici.
– Exact… Bon, allons-y.
Bosch brandit les jumelles.
– Je suis paré.
– Nous serons tellement près que vous n'en aurez pas besoin.
– Ce n'est pas pour regarder les taureaux.
Sur le chemin des arènes, ils se fondirent dans un flot de personnes qui se dirigeaient dans la même direction. La plupart tenaient sous les bras de petits coussins carrés pour s'asseoir sur les gradins de l'arène. Ils passèrent devant de jeunes enfants encombrés de coussins qu'ils vendaient au prix d'un dollar.
Après avoir franchi l'entrée, Bosch et Aguila descendirent une volée de marches en béton jusqu'à un sous-sol où Aguila présenta leurs billets à un placeur. L'homme les conduisit dans un passage souterrain qui ressemblait à des catacombes et épousait la forme circulaire de l'arène. Sur leur gauche se découpaient de petites portes en bois portant des numéros.
Le placeur ouvrit une porte marquée du chiffre 7 et ils pénétrèrent dans une pièce qui n'était pas plus grande qu'une cellule de prison. Le sol, les murs et le plafond étaient en béton brut. Le plafond voûté descendait vers une ouverture de deux mètres de large donnant sur l'arène. Ils se trouvaient tout au bord, là où les matadors, les toreros et les autres participants à la corrida se tenaient et attendaient. Bosch sentit le sable de la piste, l'odeur de cheval et de taureau, l'odeur du sang. Six chaises métalliques étaient repliées et appuyées contre le mur du fond. Ils en déplièrent deux et s'assirent après que le placeur eut refermé et verrouillé la porte.
– On se croirait dans un blockhaus, dit Bosch en regardant à travers l'étroite ouverture les autres loges disposées en face.

Il ne voyait pas Zorillo.
– C'est quoi, un blockhaus ?
– Laissez tomber, répondit Bosch. Ça ressemble à une cellule de prison.
– Ah. Peut-être, dit Aguila.
Bosch comprit qu'il l'avait insulté. Ces places étaient les meilleures.
– C'est formidable, Carlos. Nous verrons tout d'ici.
Tous les bruits résonnaient à l'intérieur de cette boîte de béton et, outre les effluves de l'arène, il y flottait une odeur de bière éventée. La petite alcôve semblait répercuter le martèlement d'un millier de pieds à mesure que l'arène se remplissait au-dessus de leurs têtes. Un orchestre jouait, installé sur les hauteurs des gradins. Dans l'arène, on présentait les toreros. Bosch sentit monter l'excitation du public et l'écho dans la loge s'amplifia sous les applaudissements lorsque les matadors saluèrent la foule.
– Je peux fumer ici, hein ? demanda Bosch.
– Oui, oui, répondit Aguila en se levant. *Cervesa ?*
– Je veux bien une Tecate, s'ils en ont.
– Bien sûr. Fermez la porte derrière moi. Je frapperai.
Aguila sortit. Harry ferma le verrou, en se demandant s'il faisait cela pour se protéger, ou simplement pour tenir à l'écart des spectateurs indésirables. Une fois seul, il s'aperçut qu'il ne se sentait nullement protégé dans ce décor de forteresse. Finalement, ce n'était pas comme un blockhaus.
Portant les jumelles à ses yeux, il passa en revue les ouvertures des autres loges situées en face. La plupart étaient encore désertes et, parmi les rares personnes déjà installées, aucune ne ressemblait de près ou de loin à Zorillo. Il remarqua que la plupart des loges étaient personnalisées : des étagères contenaient des bouteilles d'alcool, des tapisseries ornaient les murs, il y avait des fauteuils rembourrés. C'étaient les loges des habitués, à l'ombre. Peu de temps après, Aguila revint avec les bières, et Bosch alla lui ouvrir au moment où le spectacle commençait.
Les deux premiers combats manquaient d'inspiration et de vivacité. Aguila les qualifia de médiocres. Les matadors furent copieusement hués par le public, particulière-

ment lorsque leur ultime coup d'épée dans la nuque du taureau ne parvint pas à tuer immédiatement l'animal, transformant chacun des affrontements en un spectacle sanglant et interminable qui avait bien peu à voir avec de l'art, encore moins avec une démonstration de bravoure.

Lors du troisième combat, en revanche, l'arène s'enflamma, et un grondement de tonnerre emplit la loge où étaient installés Bosch et Aguila lorsqu'un taureau noir comme de l'encre, à l'exception du Z blanc marqué au fer sur son échine, chargea avec violence dans le flanc du cheval d'un des picadors. La force redoutable de l'animal releva la jupe rembourrée du cheval jusqu'à la cuisse du cavalier. Celui-ci planta sa lance à tête d'acier dans le dos du taureau et pesa de tout son poids. Mais cela n'eut pour effet, sembla-t-il, que de décupler la fureur de la bête. Retrouvant une vigueur nouvelle, elle se jeta une seconde fois contre le cheval. Le duel se déroulait à une dizaine de mètres seulement de Bosch, malgré tout, il prit ses jumelles pour mieux voir. C'était comme une scène au ralenti ; il vit le cheval se cabrer et le picador désarçonné chuter sur le sable. Le taureau poursuivit sa charge ; ses cornes se plantèrent dans la jupe matelassée et le cheval, déséquilibré, retomba sur le picador.

Les cris et les encouragements frénétiques de la foule redoublèrent lorsque les banderillos envahirent la piste en agitant leurs capes afin de détourner l'attention du taureau. D'autres aidèrent le picador à se relever et celui-ci regagna le bord de l'arène en boitant. Puis il les repoussa, refusant qu'on l'aide davantage. Son visage était luisant de sueur, rouge de honte, et les applaudissements de la foule avaient quelque chose de moqueur. Grâce à ses jumelles, Bosch avait l'impression de se trouver juste à côté de lui. Un coussin lancé des gradins rebondit sur son épaule. Le picador ne leva pas la tête, car son geste aurait déclenché immédiatement une pluie de coussins.

Le taureau avait conquis le public et, quelques minutes plus tard, ils acclamèrent sa mort avec respect. L'épée d'un matador s'enfonça profondément dans sa nuque ; ses pattes avant s'affaissèrent et son énorme masse s'effondra. Un torero, un homme plus âgé que tous les autres protagonistes, accourut en brandissant un petit poignard qu'il planta à la base du crâne de l'animal. La mort instantanée après la torture prolongée. Bosch regarda l'homme essuyer sa lame sur le poil noir de l'animal, avant de s'en aller en remisant son poignard dans un fourreau fixé à son gilet.

Trois ânes harnachés furent amenés dans l'arène. On noua une corde autour des cornes du taureau et le corps de celui-ci fut traîné tout autour de la piste avant d'être emmené. Bosch vit une rose rouge s'envoler des gradins et retomber sur la tête de l'animal mort qui traçait un large sillage dans le sable de l'arène.

Harry observa l'homme au poignard. Son rôle semblant se limiter à porter le coup de grâce à la fin de chaque combat, Bosch ne put déterminer s'il s'agissait de miséricorde ou au contraire de cruauté. L'homme était âgé ; ses cheveux noirs étaient veinés de mèches grises et son visage offrait une expression impassible, usée. Ses yeux sans âme creusaient son visage de granit brun. Bosch songea à l'homme aux larmes tatouées sur le visage. Arpis. Quelle expression avait-il eue au moment d'étrangler Porter, au moment d'appuyer le double canon du fusil sur le visage de Moore et de presser la détente ?

– Le taureau était courageux et magnifique, dit Aguila.

Il n'avait presque pas ouvert la bouche durant les trois premiers combats, si ce n'est pour donner son appréciation sur le talent des matadors.

– Je suppose que Zorillo aurait été très fier, dit Bosch. S'il était venu.

De fait, Zorillo ne s'était pas montré. Plusieurs fois, Bosch avait scruté l'intérieur de la loge que lui avait désignée Aguila, mais celle-ci était demeurée obstinément vide. Il ne restait plus qu'un seul combat, et il était peu probable que l'homme qui avait élevé les taureaux pour les combats d'aujourd'hui fasse son apparition.

– Vous voulez partir, Harry ?

– Non, j'ai envie de voir la suite.

– Tant mieux. Ce combat promet d'être le plus esthétique, le plus palpitant. Silvestri est le plus grand matador de Mexicali. Une autre *cervesa* ?

– Oui, mais cette fois, j'y vais. Que voulez-vous…

– Non, non. Je m'en occupe ; c'est un peu ma façon de vous rembourser.

– Comme vous voulez, dit Bosch.

– Fermez bien la porte.

Il obéit. Puis il regarda son billet, où figuraient les noms des toreros. Cristobal Silvestri. D'après Aguila, c'était le torero le plus élégant et le plus courageux qu'il eût jamais vu. Une clameur monta du public lorsque le taureau, un énorme monstre noir lui aussi, se rua à l'intérieur de l'arène pour affronter ses bourreaux. Les toreros commencèrent à se déplacer autour de lui en agitant des capes bleues et vertes qui s'ouvraient comme des pétales de fleurs. Bosch était frappé par le rituel et l'apparat des combats, même les moins intéressants. Ce n'était pas un sport, assurément. C'était autre chose, une épreuve. Une épreuve d'agilité et, oui, de courage, de détermination. S'il en avait la possibilité, nul doute qu'il aimerait assister plus souvent à ce spectacle.

On frappa à la porte et Bosch se leva pour faire entrer Aguila. Lorsqu'il ouvrit la porte, deux hommes se trouvaient de l'autre côté. Le premier, il ne le connaissait pas. Le second, il l'avait déjà vu, mais il lui fallut quelques secondes pour mettre un nom sur son visage. C'était Grena, l'inspecteur chef. Aguila n'était pas avec eux.

– Senor Bosch, peut-on entrer ?

Bosch s'écarta pour les laisser passer, mais seul Grena entra. L'autre homme se retourna, comme pour monter la garde devant la loge. Grena referma et verrouilla la porte.

– Comme ça, nous ne serons pas dérangés, dit-il en scrutant la pièce, longuement, comme si elle avait la taille d'un terrain de basket et qu'il devait l'examiner avec attention pour s'assurer qu'il n'y avait personne d'autre qu'eux. J'ai l'habitude de venir assister au dernier combat, senor Bosch. Surtout, voyez-vous, quand c'est Silvestri qui torée. Un formidable champion. J'espère que vous apprécierez.

Bosch hocha la tête et regarda nonchalamment l'arène. Le taureau, toujours plein de fougue, courait encore tandis que les toreros esquivaient ses charges et attendaient qu'il se fatigue.

– Où est Carlos Aguila ? demanda Grena. Il est parti ?

– *Cervesa.* Mais vous le savez certainement, capitaine. Dites-moi plutôt ce que vous voulez. Que venez-vous faire ici ?

– Ah, *si*, vous souhaitez voir notre petit spectacle sans être dérangé par le travail. « Venez-en au fait », voilà ce qu'on dit chez vous, je crois…

– Ouais, c'est ça.

Il y eut une salve d'applaudissements. Les deux hommes tournèrent la tête vers l'arène. Silvestri venait de faire son entrée et se dirigeait vers le taureau d'un pas décidé. Vêtu d'un habit de lumière blanc et doré, il marchait de manière majestueuse, le dos bien droit, la tête penchée vers l'avant pour observer son adversaire d'un œil sévère. Le taureau continuait à charger d'un bout à l'autre de la piste, faisant ballotter les banderilles bleues et jaunes plantées dans son cou.

Bosch reporta son attention sur Grena. Le chef de la police portait une veste en cuir noir souple, sa manche droite ne couvrant pas entièrement sa montre Rolex.

– En vérité, j'aimerais savoir ce que vous cherchez, senor Bosch. Vous n'êtes pas venu ici pour la corrida. Alors, pourquoi ? J'ai appris que le corps du senor Gutierrez-Llosa avait été identifié. Pourquoi restez-vous ici ? Pourquoi accaparez-vous l'inspecteur Carlos Aguila ?

Il n'était pas question pour Bosch de révéler quoi que ce fût à cet homme. D'un autre côté, il ne voulait pas mettre en danger Aguila. Bosch finirait par repartir tôt ou tard, pas Aguila.

– Je m'en vais demain matin. Mon travail est terminé.

– Dans ce cas, vous pouvez partir ce soir, non ? De bonne heure ?

– Peut-être.

Grena acquiesça.

– Voyez-vous, dit-il, j'ai reçu un appel d'un certain lieutenant Pounds de la police de Los Angeles. Il est impatient que vous rentriez. Il m'a chargé de vous le dire personnellement. Pour quelle raison ?

Bosch le regarda en secouant la tête.

– Aucune idée. Il faudra le lui demander.

Il s'ensuivit un long silence au cours duquel Grena

reporta son attention sur l'arène. Bosch l'imita, juste à temps pour voir Silvestri détourner la charge furieuse du taureau à l'aide de sa cape.

Grena l'observa longuement, puis il sourit.

– Connaissez-vous *el arte de la muleta* ?

Bosch ne répondit pas. Les deux hommes se regardèrent un moment en silence.

– L'art de la cape…, traduisit le capitaine de la police. La tromperie. L'art de la survie. Le matador se sert de sa cape pour tromper la mort, pour entraîner la mort là où il n'est pas. Mais il doit être courageux. Il doit risquer sa vie au-dessus des cornes de la mort. Plus la mort est proche, plus il est courageux. Pas un instant il ne doit laisser voir la peur. Ne jamais montrer sa peur. Car alors, il a perdu. Il est mort. Tout l'art est là, mon cher ami.

Il conclut par un hochement de tête. Bosch continua à l'observer sans rien dire.

Un large sourire aux lèvres, Grena se dirigea vers la porte. Il l'ouvrit. L'autre homme se tenait toujours derrière. En se retournant pour la fermer, Grena regarda Bosch et ajouta :

– Bon voyage, inspecteur Harry Bosch. Ce soir, hein ?

Bosch ne dit rien, et la porte se referma. Il resta assis un long moment, à contempler la porte, puis les applaudissements le firent se retourner vers l'arène. Un genou à terre au centre de la piste, Silvestri avait incité le taureau à foncer sur lui. Il resta parfaitement immobile dans cette position jusqu'à ce que l'animal soit sur lui ; alors seulement il éloigna sa cape de son corps dans un geste fluide. Le taureau passa en trombe, sans le toucher. C'était magnifique, et une clameur s'éleva dans les gradins. La porte de la loge s'ouvrit et Aguila entra.

– Que voulait Grena ?

Bosch garda le silence. Il porta les jumelles à ses yeux pour observer la loge de Zorillo. Le Pape n'était toujours pas là, mais Grena s'était installé à sa place, et lui aussi le regardait, avec toujours ce petit sourire.

Silvestri tua le taureau d'un seul coup d'épée magistral ; la lame s'enfonça profondément entre les épaules et transperça le cœur. Mort instantanée. Bosch tourna la tête vers l'homme au poignard et crut discerner un soupçon de déception sur son visage buriné. Cette fois, on n'avait pas besoin de son savoir-faire.

Les applaudissements saluant le talent de Silvestri étaient assourdissants, et ils conservèrent toute leur vigueur lorsque le matador effectua un tour d'arène triomphal. Des roses, des coussins, des chaussures de femmes pleuvaient sur la piste. Le torero s'abreuvait de cette adulation. Le bruit était tel que Bosch mit un certain temps à s'apercevoir que le biper fixé à sa ceinture sonnait.

28

A 21 heures, Bosch et Aguila quittèrent l'avenida Cristobal Colon pour emprunter une voie circulaire qui longeait l'aéroport international Rodolfo Sanchez Taboada. Ils passèrent devant plusieurs vieux hangars en tôle avant d'atteindre un ensemble de structures plus modernes. Une enseigne apposée sur la façade de l'une d'elles indiquait *AeroCarga*. Les énormes portes du quai de chargement étaient entrouvertes de quelques dizaines de centimètres et une lumière brillait à l'intérieur. Ils étaient arrivés à destination, une planque de la brigade des stups. Bosch pénétra sur le parking devant l'entrepôt et vint se garer à côté de plusieurs voitures. Immatriculées en Californie, pour la plupart.

Alors qu'il descendait de la Caprice, quatre agents des stups vêtus de coupe-vent en plastique bleu s'approchèrent. Il montra son badge et l'un des hommes hocha la tête après avoir consulté une feuille fixée sur une tablette.

– Et vous ? demanda celui-ci à l'adresse d'Aguila.

– Il est avec moi, répondit Bosch.

– Il n'y a que votre nom sur la feuille, inspecteur Bosch. Je crois que nous avons un petit problème…

– J'ai oublié de préciser sur le carton d'invitation que je viendrais accompagné.

– Ce n'est pas très drôle, inspecteur Bosch.

– Non, évidemment. Mais c'est mon équipier. Et il reste avec moi.

L'homme à la tablette prit un air affligé. C'était un Yankee au teint rougeaud, avec des cheveux quasiment blanchis par le soleil. Apparemment, il avait scruté la frontière pendant de longues journées. Il se tourna vers le hangar, comme s'il attendait qu'on lui dise quelle attitude adopter. Dans le dos de son coupe-vent était inscrit le mot DEA en grosses lettres jaunes.

– Vous devriez aller chercher Ramos, suggéra Bosch. Si mon équipier s'en va, je pars aussi. Et alors, que deviennent les mesures de sécurité de toute l'opération ?

Il se tourna vers Aguila, qui se tenait raide comme un piquet au milieu des trois autres agents, semblables à des videurs d'un night-club de Sunset Strip prêts à foutre dehors un indésirable.

– Réfléchissez, reprit Bosch. Tous ceux qui sont arrivés jusqu'ici doivent continuer jusqu'au bout. Allez demander à Ramos.

L'homme à la tablette hésita à nouveau, puis il sortit une radio de sa poche de blouson. Il expliqua à un dénommé « Chef » qu'il y avait un problème au parking. Après cet appel, tout le monde attendit quelques instants en silence. Bosch se tourna vers Aguila et, quand leurs regards se croisèrent, il lui adressa un clin d'œil. Puis il vit Ramos et Corvo, venu spécialement de L. A., s'avancer vers eux d'un pas vif.

– C'est quoi cette histoire, Bosch ? lança Ramos avant même d'atteindre la voiture. Vous savez ce que vous avez fait ? Vous avez compromis cette foutue opération. J'ai donné des instruct…

– Cet homme est mon équipier dans cette affaire, Ramos. Il en sait autant que moi. Nous travaillons main dans la main. S'il est sur la touche, moi aussi. Si je me barre, je retraverse la frontière et je rentre à L. A. Lui, je ne sais pas où il va. Qu'est-ce que vous faites de votre théorie sur les gens dignes de confiance ?…

Dans la lumière du hangar, Bosch voyait battre l'artère dans le cou de Ramos.

– Vous comprenez, reprit-il, si vous le laissez partir, c'est que vous lui faites confiance. Si vous lui faites confiance, autant l'autoriser à rester…

– Allez vous faire voir, Bosch !

Corvo posa la main sur le bras de Ramos comme pour le retenir et fit un pas en avant.

– Ecoutez-moi, Bosch. Si jamais votre petit copain

merde ou si cette opération se trouve compromise, pour une raison ou pour une autre, je ferai en sorte que ça se sache. Vous comprenez ce que ça veut dire ? Tout le monde saura à L. A. que vous avez mis ce type dans le coup.

Il adressa un signe de la main aux autres par-dessus la voiture et les agents des stups s'écartèrent d'Aguila. La lune éclairait le visage de Corvo, et Bosch remarqua la cicatrice qui fendait sa barbe sur le côté droit. Combien de fois l'agent des stups raconterait-il l'histoire du combat au couteau ce soir ?

– Une dernière chose, ajouta Ramos. Il restera à poil. Nous n'avons plus qu'un seul gilet pare-balles. Il est pour vous, Bosch. Si votre pote se fait descendre, c'est vous le responsable.

– D'accord, répondit Bosch. Pigé. Quoi qu'il arrive, je suis responsable. Pigé. J'ai un gilet dans ma voiture. Aguila mettra le vôtre. Moi, je préfère le mien.

– Briefing à 22 heures tapantes, déclara Ramos en retournant vers le hangar.

Corvo lui emboîta le pas, Bosch et Aguila firent de même. Les autres agents fermaient la marche. A l'intérieur de l'immense hangar, Bosch découvrit trois hélicoptères noirs stationnés côte à côte dans la zone de chargement. Plusieurs hommes, vêtus pour la plupart de combinaisons de saut noires, semblaient tourner en rond en buvant du café dans des gobelets blancs. Deux des hélicoptères étaient de gros appareils de transport de troupes. Bosch les identifia : des Huey UH-1NS. Le vrombissement caractéristique de leurs rotors lui rappellerait toujours le Vietnam. Le troisième était plus petit, plus aérodynamique. Il ressemblait à un appareil à usage commercial, genre hélicoptère de journalistes ou de la police, mais avait été transformé en machine de guerre. Bosch repéra la tourelle installée à droite du fuselage. Sous le cockpit, un trépied supportait divers instruments, dont un projecteur et un capteur à infrarouge. Les hommes en noir étaient occupés à arracher les lettres et les chiffres blancs sur la queue de l'appareil. Ils préparaient un camouflage total : opération de nuit.

Bosch vit Corvo s'approcher de lui.

– On surnomme cet engin le Lynx, dit-il en désignant d'un mouvement de tête le plus petit des trois hélicos. On l'utilise surtout dans les opérations en Amérique centrale et du Sud, mais on a chopé celui-ci au passage. Excellent pour les interventions de nuit. Il y a tout ce qu'il faut à bord : viseurs et jumelles à infrarouge. Ce sera notre QG aérien pour ce soir.

Bosch se contenta de hocher la tête. Contrairement à Corvo, il n'était pas impressionné par tout ce matériel. Le superviseur des stups, en revanche, semblait plus remonté que lors de leur rencontre au Code 7. Son regard ne cessait de passer d'un point à l'autre du hangar, rien ne lui échappait. Le travail sur le terrain devait lui manquer, se dit Bosch. Il était coincé dans un bureau à L. A., alors que des types comme Ramos pouvaient jouer à la guerre.

– C'est là-dedans que vous serez, votre équipier et vous, ajouta Corvo en désignant le Lynx. Avec moi. Bien installés, à l'abri. Pour observer.

– C'est vous le responsable du spectacle, ou bien Ramos ?

– C'est moi.

– Espérons… Dites-moi une chose, Corvo. On veut capturer Zorillo vivant, n'est-ce pas ?

– Exact.

– OK. Donc, une fois qu'on l'aura capturé, quel est le plan ? Il est citoyen mexicain, vous n'avez pas le droit de lui faire franchir la frontière. Vous allez le remettre aux autorités locales ? En moins d'un mois, c'est lui qui dirigera le pénitencier. A supposer déjà qu'ils l'envoient en tôle…

C'était un problème auquel s'étaient trouvés confrontés tous les policiers de Californie du Sud. Les autorités mexicaines refusaient d'extrader vers les Etats-Unis leurs ressortissants coupables de crimes commis dans leur pays. Elles voulaient les juger sur place. Mais tout le monde savait que les plus importants trafiquants de drogue transformaient rapidement les prisons en hôtels. Tant qu'ils payaient, ils pouvaient se procurer des femmes, de la drogue, de l'alcool et autres petits plaisirs. On racontait même qu'un baron de la drogue avait carrément investi le bureau et les appartements du directeur d'une prison de Juarez. Pour cela, il avait déboursé cent mille dollars, environ quatre fois ce que gagnait le directeur en une année. Aujourd'hui, celui-ci était devenu simple prisonnier dans son établissement.

– Oui, oui, je sais ce que vous voulez dire, répondit Corvo. Mais ne vous en faites pas. Nous avons un plan. Pour l'instant, pensez plutôt à votre peau et à celle de votre collègue. Vous avez intérêt à veiller sur lui. Et je vous conseille de boire du café. La nuit va être longue.

Bosch rejoignit Aguila, qui se tenait près de l'établi où l'on servait le café. Ils adressèrent des signes de tête à quelques-uns des agents qui s'affairaient autour d'eux, mais peu leur répondirent. Ils étaient les invités indésirables. D'où ils se trouvaient, ils apercevaient une succession de bureaux au-delà de la zone de stationnement des appareils. Plusieurs Mexicains en uniforme vert étaient assis devant des tables ; ils buvaient du café et attendaient.

– La milice, commenta Aguila. Ils viennent de Mexico. Les stups de chez vous ne font donc confiance à personne, à Mexicali ?

– Après ce soir, ils auront confiance en vous.

Bosch alluma une cigarette pour accompagner son café, puis il observa longuement les lieux.

– Alors, qu'en pensez-vous ? demanda-t-il à Aguila.

– Je pense que le Pape de Mexicali va avoir droit à un réveil en fanfare, cette nuit.

– Oui, on dirait.

Ils s'éloignèrent de l'établi pour permettre à d'autres de se servir du café et allèrent s'appuyer un peu plus loin contre un mur afin d'assister aux derniers préparatifs du raid. Jetant un regard vers le fond du hangar, Bosch aperçut Ramos en compagnie d'un groupe d'hommes vêtus d'amples combinaisons de saut noires. En s'approchant, il constata que ces hommes portaient en dessous des tenues en Nomex ignifugées. Certains se mettaient de la suie autour des yeux, avant d'enfiler des passe-montagnes noirs. L'équipe du CLET. Ils étaient impatients de décoller, de passer à l'action. Bosch pouvait presque sentir le parfum de leur adrénaline.

Ils étaient douze. Ils sortaient de grandes malles noires le matériel dont ils auraient besoin pour leur mission nocturne. Bosch repéra entre autres des casques, des gilets en Kevlar et des grenades de diversion. Un des hommes portait déjà à la taille un 9 mm P-226 avec double chargeur. Uniquement pour le soutien, se dit-il. Le canon d'une arme de fort calibre dépassait d'une des malles. Remarquant la présence de Bosch, Ramos se saisit de cette arme et le rejoignit, avec un étrange sourire concupiscent sur le visage.

– Visez-moi un peu ce bijou, dit-il. Colt les fabrique uniquement pour les stups, mon gars. Le RO636. Une version compacte de la mitraillette de 9 standard. Ça vous balance des charges creuses subsoniques. Vous savez ce que peut faire un seul de ces machins-là ? Ça vous traverse trois bonshommes avant de penser seulement à ralentir… Il est muni d'un silencieux. Autrement dit, pas d'étincelles à la sortie du canon. Ces types ont l'habitude de faire irruption dans des labos. Il y a toujours des vapeurs d'éther, et une étincelle risquerait de tout faire sauter. Boum !… Vous vous retrouvez deux pâtés de maisons plus loin. Mais pas avec ces machins-là. Pas d'étincelle. C'est beau. Ah, j'aimerais être avec eux ce soir…

Ramos tenait et couvait du regard l'arme dans ses bras comme une mère son premier enfant.

– Vous avez fait le Vietnam, hein, Bosch ? demanda-t-il.

Bosch répondit par un simple hochement de tête.

– J'en étais sûr. Ça se sent. Je ne me trompe jamais.

Ramos rendit l'arme à son propriétaire. Il avait toujours son étrange sourire.

– Moi, j'étais trop jeune pour le Vietnam, et trop vieux pour l'Irak. C'est moche, hein ?

Le briefing ne débuta pas avant 22 h 30. Ramos et Corvo réunirent tous les agents, les officiers de la milice, plus Bosch et Aguila, devant un grand panneau d'affichage sur lequel on avait épinglé l'agrandissement d'une photo aérienne du ranch de Zorillo. Bosch constata que la propriété se composait de vastes zones dégagées et inutilisées. Le Pape avait trouvé la sécurité dans l'espace. A l'ouest de son domaine se dressaient les Cucapah Mountains, une frontière naturelle, alors que dans les autres directions il avait créé une zone tampon de milliers d'hectares de broussailles.

Ramos et Corvo se tenaient chacun d'un côté du tableau ; Ramos dirigeait la réunion. A l'aide d'une règle, il suivit les limites du ranch, et désigna ce qu'il appela le centre d'habitation, un complexe entouré d'un mur et comportant une hacienda et le ranch que jouxtait un bâtiment de type bunker. Il entoura ensuite d'un cercle les corrals destinés à l'élevage et l'étable située à plus d'un kilomètre du centre d'habitation, à proximité de la clôture du ranch qui bordait Val Verde Highway. Il désigna également les installations d'EnviroGènes de l'autre côté de la route.

Après cela, Ramos fixa sur le tableau un second agrandissement, représentant environ un quart de la propriété, du centre d'habitation jusqu'à la zone d'élevage et EnviroGènes. La photo avait été prise d'assez près pour qu'on y distingue de minuscules silhouettes sur les toits du bâtiment en forme de bunker. Dans les broussailles derrière les constructions, des formes noires se détachaient sur le fond brun et vert de la terre. Les taureaux. Bosch se demanda lequel était le fameux El Temblar. Un des officiers de la milice traduisait les propos de Ramos à l'attention d'un groupe de soldats réunis autour de lui.

– Ces photos ont été prises il y a une trentaine d'heures, expliqua Ramos. Nous avons demandé à la NASA d'effectuer un survol à bord d'un avion de reconnaissance. Nous leur avons également réclamé des clichés infrarouges, et c'est là que ça devient intéressant. Les taches rouges que vous voyez sont les points de chaleur.

Il punaisa un autre agrandissement sur le tableau. Il s'agissait d'un graphique réalisé par ordinateur et sur lequel des carrés rouges – les bâtiments – se détachaient sur une mer de bleu et de vert. Il y avait des petits points rouges à l'extérieur des carrés, et Bosch supposa qu'ils représentaient les taureaux.

– Toutes ces photos ont été prises hier à la même seconde, expliqua Ramos. En sautant du graphique à la photo, on peut remarquer certaines anomalies. Ces carrés deviennent les bâtiments et la plupart de ces petites taches rouges deviennent les taureaux.

Il utilisa sa règle pour montrer alternativement les deux agrandissements. Bosch constata qu'il y avait davantage de points rouges sur le graphique qu'il n'y avait de taureaux sur la photo.

– Ces marques que vous voyez ne correspondent pas à des animaux sur la photo, expliqua Ramos. En réalité, elles correspondent à des auges...

Avec l'aide de Corvo, ils fixèrent deux autres agrandissements sur le tableau. Ceux-ci étaient encore plus précis. Bosch distingua très nettement le toit en tôle d'un petit appentis. Un taureau noir se tenait juste à côté. Sur le graphique correspondant, le taureau et l'appentis étaient d'un même rouge vif.

– Il s'agit normalement de petits abris destinés à protéger de la pluie le fourrage et la nourriture des animaux. D'après la NASA, ces abris peuvent émettre une chaleur résiduelle captée par le film infrarouge. Mais la NASA est formelle : il ne peut s'agir de ce que nous voyons ici. Par conséquent, nous pensons que ces auges sont en fait des leurres. Nous pensons qu'il s'agit des bouches d'aération d'un complexe souterrain. Il existe certainement à l'intérieur du centre d'habitation une sorte d'entrée qui conduit au laboratoire souterrain...

Il laissa ses paroles pénétrer tous les esprits. Personne ne posa de question.

– De plus, reprit-il, il existe... D'après un de nos informateurs confidentiels, il existerait un tunnel. Nous pensons qu'il conduit du centre d'élevage, ici, jusqu'à ce complexe industriel, une usine baptisée EnviroGènes, que voici. Nous pensons que ce tunnel a permis à Zorillo d'échapper à notre surveillance et que c'est peut-être un des moyens utilisés pour acheminer la marchandise du ranch jusqu'à la frontière.

Ramos poursuivit en détaillant le déroulement de l'opération. Celle-ci devait débuter à minuit. La milice mexicaine avait une double tâche. Une voiture banalisée roulerait jusqu'à l'entrée du ranch, en zigzaguant sur la route en graviers, comme si le chauffeur était ivre. Grâce à cette ruse, les trois soldats dissimulés à l'intérieur devaient neutraliser les deux gardes postés à l'entrée. Après cela, la moitié des miliciens restants suivrait la route du ranch jusqu'au centre d'habitation, pendant que l'autre moitié progresserait en direction du complexe d'EnviroGènes, prendrait position tout autour et attendrait la suite des événements dans le ranch.

– Le succès de toute l'opération repose en grande partie sur la neutralisation des deux gardes à l'entrée avant qu'ils ne puissent donner l'alerte au QG, expliqua Corvo. (C'étaient les premiers mots qu'il prononçait depuis le début du briefing.) Si nous échouons à ce niveau, nous perdons l'effet de surprise.

Après le début de l'attaque terrestre, les trois escadrons aéroportés devaient entrer en jeu. Les deux hélicoptères de transport de troupes se poseraient au nord et à l'est du QG afin de larguer l'équipe du CLET. Ce seraient eux les premiers à pénétrer à l'intérieur des bâtiments. Le troisième hélicoptère, le Lynx, resterait en l'air et tiendrait le rôle d'un poste de commandement volant.

Le ranch, ajouta Ramos, était surveillé par une patrouille mobile, deux hommes à bord de deux Jeeps. Celles-ci ne suivaient aucun schéma de surveillance préétabli, il était donc impossible de les localiser avant le déclenchement du raid.

– Ce sont les inconnues, expliqua Ramos. D'où l'utilité du poste de commandement mobile et aérien. Nous serons prévenus de l'arrivée des Jeeps, ou bien le Lynx se chargera lui-même de leur élimination.

Ramos faisait les cent pas devant le tableau, en agitant sa règle. Bosch sentit qu'il aimait ça, ce sentiment de diriger une opération militaire. Peut-être que ça le consolait du Vietnam et de l'Irak.

– Très bien, messieurs. Encore deux ou trois choses, déclara Ramos en accrochant une autre photo sur le tableau. Notre cible principale est le ranch. Nous avons des mandats de perquisition pour chercher de la drogue. Si nous découvrons du matériel de fabrication, c'est gagné. Si nous découvrons des stupéfiants, c'est gagné.

Mais ce qui nous intéresse avant tout, c'est l'homme que voici... (La photo était un agrandissement tiré du livre de photos que Bosch avait parcouru le matin même.) Humberto Zorillo. Le Pape de Mexicali. Si nous ne parvenons pas à mettre la main sur lui, toute cette opération tombe à l'eau. C'est le cerveau. C'est lui que nous voulons. Il vous intéressera peut-être de savoir qu'outre ses activités liées au trafic de drogue, il est suspecté du meurtre de deux policiers de Los Angeles, sans parler de deux autres assassinats perpétrés là-bas il y a environ un mois. C'est un homme qui ne réfléchit pas deux fois. Quand il n'agit pas lui-même, il a un tas de gusses qui exécutent ses ordres. Il est dangereux. Toute personne aperçue sur la propriété doit être considérée comme armée et dangereuse. Des questions ?

Un des miliciens posa une question en espagnol.

– Bonne question, répondit Ramos. Nous ne tenterons pas de pénétrer à l'intérieur d'EnviroGènes, à priori, pour deux raisons. Premièrement, notre cible principale reste le ranch, et nous serions obligés de déployer davantage de forces pour envahir simultanément l'usine et le ranch. Deuxièmement, notre informateur confidentiel pense que le tunnel est sans doute piégé de ce côté. Nous ne voulons pas courir ce risque. Une fois que nous aurons pris possession du ranch, nous descendrons dans le tunnel et nous le suivrons jusqu'au bout.

Il attendit d'autres questions. Il n'y en eut aucune. Les hommes réunis devant lui se balançaient d'un pied sur l'autre, se rongeaient les ongles ou bien pianotaient nerveusement sur leurs genoux. La poussée d'adrénaline devenait trop forte. Bosch avait déjà connu ça, au Vietnam, et même depuis. Aussi accueillit-il sa propre excitation avec un désagréable sentiment d'appréhension.

– Parfait ! s'écria Ramos. Je veux que tout le monde soit fin prêt dans une heure. A minuit, on passe à l'attaque !

Le briefing prit fin sous les cris enthousiastes de quelques jeunes agents. Bosch se dirigea vers Ramos alors que celui-ci décrochait les photos du tableau.

– Bon plan, dit-il.

– Ouais, espérons seulement qu'il se déroulera plus ou

moins selon nos prévisions. Ça ne se passe jamais comme sur le papier.

– Exact. Corvo m'a dit que vous aviez un autre plan. Pour faire franchir la frontière à Zorillo.

– Oui, on a mijoté un coup.

– On peut savoir lequel ?

Ramos se retourna, les photos formant une pile bien nette entre ses mains.

– Si vous voulez. Je crois que ça va vous plaire, Bosch, car ce salopard va se retrouver devant un tribunal de L. A. pour les meurtres de vos gars. En fait, ce qui va se passer, c'est qu'après avoir été capturé, il va évidemment tenter de résister et se blessera. Sans doute des blessures au visage qui paraîtront plus graves qu'elles ne le sont en réalité. Mais nous déciderons de le faire soigner immédiatement. La brigade des stups offrira un de ses hélicoptères pour le transporter. Le commandant de la milice acceptera avec reconnaissance. Malheureusement, voyez-vous, le pilote confondra les lumières de l'Imperial County Memorial Hospital situé de l'autre côté de la frontière avec la Mexicali General Clinic qui se trouve de ce côté-ci. Dès que l'hélico se posera sur le mauvais hôpital, et dès que Zorillo posera le pied du mauvais côté de la frontière, il tombera entre les mains tendues de la justice américaine. Sale coup pour lui. Evidemment, nous serons sans doute obligés d'infliger un blâme au pilote de l'hélicoptère.

Ramos avait retrouvé son sourire pervers. Il adressa un clin d'œil à Bosch et s'éloigna.

29

Le Lynx survolait le tapis de lumières de Mexicali en direction du sud-ouest, vers la silhouette sombre des Cucapah Mountains. Le vol était plus calme, moins bruyant que dans tous ses souvenirs du Vietnam, ou dans ses rêves par la suite.

Bosch était recroquevillé à l'arrière de l'appareil, contre le hublot de gauche. L'air frais de la nuit s'engouffrait par une bouche d'aération. Aguila était assis à ses côtés. A l'avant de l'appareil se trouvaient Corvo et le pilote. Corvo était « Air Leader » ; c'est lui qui dirigeait les communications et l'assaut du ranch. Ramos était « Sol Un », responsable des opérations à terre. En regardant à l'avant, Bosch vit les cadrans verts du cockpit se refléter sur la visière du casque de Corvo.

Les casques des quatre hommes présents à bord de l'hélicoptère étaient reliés à une console centrale par l'intermédiaire de cordons ombilicaux électroniques. Ils étaient dotés en outre d'émetteurs radio sol-air et internes à deux voies.

Au bout d'un quart d'heure de vol, les lumières se firent plus rares derrière les hublots, et Harry distinguait difficilement la silhouette d'un des deux autres hélicoptères, à environ deux cents mètres sur la gauche. Le second appareil camouflé devait se trouver sur la droite. Ils volaient en formation.

– Objectif dans deux minutes, déclara une voix dans son oreille.

Le pilote.

Bosch prit le gilet pare-balles en Kevlar posé sur ses genoux et le glissa sous ses fesses, sur le siège. Une protection contre les tirs venus du sol. Il vit Aguila faire de même avec le gilet prêté par les stups.

Le Lynx entama une descente brutale.

– C'est parti, dit une voix dans son casque.

Bosch abaissa le système de vision nocturne et regarda à travers les lentilles. Tout en bas, le sol se déplaçait rapidement, fleuve jaune de broussailles et quasiment rien d'autre. Ils survolèrent une route ; l'hélicoptère vira en direction d'un embranchement. Bosch repéra une voiture, un pick-up et une Jeep immobilisés sur la route, et plusieurs autres véhicules qui roulaient sur le chemin de terre, en soulevant dans leur sillage des nuages de poussière jaune. La milice avait pénétré dans la propriété et fonçait vers le centre d'habitation. La bataille était engagée.

– Apparemment, nos amis ont déjà neutralisé une des Jeeps de patrouille, dit Corvo dans les écouteurs de Bosch.

– Tout est OK, répondit une autre voix, venant, semblait-il, d'un des autres hélicos.

Le Lynx dépassa les véhicules militaires. Bosch scruta la route avec ses jumelles de vision nocturne. L'hélicoptère poursuivit sa descente, avant de se stabiliser à une altitude que Bosch évalua à environ trois cents mètres. Dans son champ de vision jaune, il distinguait maintenant l'hacienda et la façade du bunker. Il vit les deux autres hélicoptères, semblables à des libellules noires, se poser de chaque côté de la maison, à l'endroit prévu.

– Appareil Un posé ! cria une voix dans le casque.

– Appareil Deux posé ! lança une autre voix.

Des hommes en noir jaillirent par les portes latérales des appareils. Un premier groupe de six soldats se précipita aussitôt vers l'entrée de l'hacienda. Les six hommes du second hélicoptère se déplacèrent en direction du bunker. Les véhicules de la milice surgirent dans le champ de vision. Bosch vit d'autres silhouettes apparaître. Sans doute Ramos et les renforts.

Vu à travers ces jumelles, dans cette couleur jaune, tout cela paraissait surréaliste. Tous ces personnages minuscules. Comme un film mal réalisé, mal monté.

– On passe sur les liaisons sol-sol, déclara Corvo.

Bosch perçut dans son casque le déclic du changement de fréquence et, presque aussitôt, il capta des échanges radio et le souffle haletant d'hommes qui courent. Soudain, il y eut un bruit sec et violent, mais Bosch savait que ce n'était pas un coup de feu. C'était le bélier utilisé pour enfoncer la porte. Sur les ondes fusaient maintenant des cris : *Policia ! Policia !* Profitant d'une relative et brève accalmie dans ce vacarme, Corvo demanda :

– Sol Un, je vous écoute. Faites le point. Contactez QG.

Il y eut quelques grésillements, puis la voix de Ramos reprit le dessus.

– Nous avons pénétré le Point A. Nous avons… Je vais…

Ramos fut coupé. Le Point A désignait l'hacienda. Le plan consistait à attaquer l'hacienda et le bunker, le Point B, simultanément.

– Sol Deux, avez-vous pénétré le Point B ? demanda Corvo.

Pas de réponse. Après un long moment de silence, la voix de Ramos résonna de nouveau dans les casques.

– Air Leader, impossible donner position Sol Deux pour l'instant. Le commando s'est approché de l'objectif et nous…

Avant que la communication soit coupée, Bosch entendit le bruit caractéristique d'une rafale de fusil automatique. Il sentit l'adrénaline envahir son sang. Mais il ne pouvait rien faire, à part rester assis et écouter le silence radio en regardant la scène d'un jaune terreux à travers son appareil de vision nocturne. Il crut apercevoir des éclairs de coups de feu provenant de l'entrée du bunker. Et tout à coup, la voix de Ramos retentit :

– Ça chauffe ici !

L'hélicoptère fit une brusque embardée et prit de l'altitude. A mesure que l'appareil s'élevait dans les airs, le système de vision nocturne offrait une vue plus générale de la scène qui se déroulait au sol. Le QG se montra dans son ensemble. Bosch distingua des silhouettes perchées sur le toit du bunker et qui se précipitaient vers l'avant du bâtiment. Enfonçant le bouton situé sur le côté de son casque, il cria dans le micro :

– Corvo, ils ont des hommes sur le toit ! Prévenez les autres !

– Ne vous mêlez pas de ça ! hurla Corvo. (Il lança un appel radio en direction du sol :) Sol Deux, Sol Deux, vous avez des hommes armés sur le toit du bunker, vous me recevez ?

Bosch n'entendit pas les détonations à cause du bruit des rotors, mais il perçut les éclairs des armes automatiques à deux endroits différents sur le devant du bunker. Les véhicules de la milice répondaient par quelques tirs sporadiques, mais les soldats étaient cloués sur place. Un contact radio s'établit, il y eut des coups de feu, puis la communication fut coupée net.

– Sol Deux, vous m'entendez ? demanda Corvo dans le vide.

Les premières traces de panique commençaient à percer dans sa voix. Pas de réponse.

– Sol Deux, vous m'entendez ?

Une voix haletante lui répondit enfin :

– Ouais, Sol Deux. Nous sommes coincés à l'entrée du Point B. Nous sommes pris entre deux feux. On aurait besoin d'aide…

– Sol Un, au rapport ! beugla Corvo.

Il y eut un long silence. Puis la voix de Ramos se fit entendre. Les coups de feu couvraient une partie de ses paroles.

– J'écoute. Nous… la maison… trois suspects abattus. Personne d'autre. On dirait qu'ils…

– Allez au bunker ! Sol Deux a besoin de renforts !

– … de suite… Putain de bunker !

Bosch constata combien les voix étaient devenues plus aiguës, plus pressantes. On avait laissé tomber les mots de code et le langage formel. C'était la peur. Il avait déjà vu ça à la guerre. Il l'avait vu ensuite dans les rues, quand il était en uniforme. La peur, bien que jamais avouée, prive les hommes de leurs poses soigneusement calculées. L'adrénaline gronde et la gorge gargouille de peur comme une canalisation qui refoule. L'unique désir de survivre l'emporte. Il aiguise l'esprit, fait disparaître tout le baratin. Une allusion sereine au Point B se transforme alors en juron presque hystérique.

De quatre cents mètres de haut, grâce au système de vision nocturne, Bosch découvrit également les lacunes du plan. Les agents des stups avaient espéré dépasser les soldats de la milice à bord de leurs hélicoptères, attaquer le centre d'habitation et contrôler la situation avant l'arrivée des troupes terrestres. Mais cela ne s'était pas passé ainsi. La milice était déjà sur place, et maintenant, un commando du CLET se retrouvait coincé entre la milice et les types dans le bunker.

Soudain, les tirs venant de ces derniers redoublèrent d'intensité. Bosch le comprit à la multiplication des éclairs. C'est alors qu'il vit, grâce à ses lunettes spéciales, une Jeep déboucher à toute allure de derrière le bunker. Elle fit voler en éclats une porte située dans le mur qui entourait le complexe et s'éloigna à travers l'immense étendue de broussailles en direction du sud-est. Bosch enfonça de nouveau le bouton de transmission.

– Corvo, il y en a un qui fout le camp ! Une Jeep ! Direction sud-est !

– Laissons-le se tirer pour le moment. Ça va chier là en bas, j'ai besoin de tout le monde. Et coupez-moi cette putain de radio !

La Jeep était sortie depuis longtemps du champ de vision des lunettes. Repoussant l'appareil de vision nocturne sur son front, Bosch regarda par le hublot. Il n'y avait rien. Uniquement l'obscurité. La Jeep roulait sans lumière. Il pensa à l'étable et aux écuries près de la route. C'est dans cette direction que fonçait le fugitif.

– Ramos, demanda Corvo, voulez-vous de la lumière ?

Pas de réponse.

– Sol Un ? ... Sol Deux, vous voulez de la lumière ?

– ...mière serait la bienvenue, mais vous feriez une sacrée ci... répondit la voix de Sol Deux. Mieux vaut attendre qu'on... toyé.

– Reçu. Ramos, vous me recevez ?

Pas de réponse.

La fusillade cessa peu de temps après. Les gardes du

Pape rendirent les armes, ayant décidé, semblait-il, que leurs chances de survie lors d'un affrontement prolongé étaient des plus minces.

– Air Leader, balancez la lumière maintenant, demanda Ramos du sol.

Sa voix avait retrouvé son calme et son assurance.

Trois puissants projecteurs fixés sous le ventre du Lynx illuminèrent le sol. Des hommes avec les mains sur la tête sortaient en file indienne du bunker pour se rendre à la milice. Ils étaient au moins une douzaine. Bosch vit un homme du CLET traîner un corps hors du bâtiment et l'abandonner par terre à l'extérieur.

– Nous contrôlons la situation, lança Ramos par radio.

Corvo adressa un signe au pilote avec son pouce, et l'appareil entama sa descente. Bosch sentit sa tension s'apaiser au fur et à mesure qu'ils perdaient de l'altitude. Moins de trente secondes plus tard, ils étaient posés, à côté d'un des deux autres hélicoptères.

Devant le bunker, on avait fait agenouiller les prisonniers, tandis que des soldats de la milice leur attachaient les mains dans le dos à l'aide de menottes en plastique jetables. D'autres formaient un tas avec les armes confisquées, parmi lesquelles quelques Uzis et AK-47, mais surtout des fusils à pompe et des M-16. Ramos se tenait auprès du capitaine de la milice, qui gardait sa radio plaquée contre son oreille.

Bosch ne reconnut personne parmi les prisonniers. Abandonnant Aguila, il se dirigea vers Ramos.

– Où est Zorillo ?

Ramos leva la main, d'un air de dire « pas maintenant », et ne répondit pas. Il regardait le capitaine. Corvo les rejoignit. Ayant fini d'écouter le rapport radio, le capitaine se tourna vers Ramos et déclara :

– *Nada*.

– OK, tout est calme là-bas, à EnviroGènes, dit Ramos. Personne n'est entré ou sorti depuis notre intervention. La milice continue à surveiller l'endroit.

Apercevant Corvo, Ramos se pencha à son oreille et lui glissa :

– Nous avons un problème. On a perdu un homme.

– Ouais, on l'a vu, dit Bosch. Il était dans la Jeep et il fonçait vers le…

Il se tut en comprenant le sens véritable des paroles de Ramos.

– Qui a-t-on perdu ? demanda Corvo.

– Kirth, un type du CLET. Mais il n'y a pas que ça…

Bosch s'éloigna des deux hommes. Il savait que cela ne le regardait pas.

– Bon Dieu, qu'est-ce qui se passe ? demanda Corvo.

– Venez, je vais vous montrer.

Les deux agents se dirigeant vers l'arrière de l'hacienda, Bosch leur emboîta le pas discrètement. Une véranda longeait tout l'arrière de la maison. Ramos la traversa jusqu'à une porte ouverte. Là, un homme du CLET, le masque relevé sur son visage marbré de sueur et de sang, était allongé sur le seuil. Bosch crut remarquer quatre rafales : deux dans le haut de la poitrine, juste au-dessus du gilet, et deux autres dans le cou. Transpercé de part en part. Joli tir groupé. Le sang continuait à s'échapper, formant une mare sous le corps. L'agent avait les yeux et la bouche ouverts. Il était mort sur le coup.

Bosch avait compris le problème. C'était un tir ami. Kirth avait été abattu par un 636. Les impacts de balles étaient trop larges, trop puissants et trop regroupés pour provenir d'une des armes récupérées sur les prisonniers.

– Apparemment, il est sorti en courant par cette porte de derrière quand il a entendu la fusillade, expliqua Ramos. Sol Deux était déjà pris entre deux feux. Quelqu'un de l'équipe Deux a dû mitrailler la porte et abattre Kirth.

– Bon Dieu ! s'exclama Corvo. (A voix basse :) Venez un peu par ici, Ramos.

Ils se collèrent l'un à l'autre et, cette fois, Bosch ne put entendre ce qu'ils se disaient, mais ce n'était pas nécessaire. Il savait ce qu'ils allaient faire. Des carrières étaient en jeu.

– Pigé, dit Ramos en reprenant un ton normal, avant de s'éloigner de Corvo.

– Parfait, dit ce dernier. Quand vous en aurez fini avec ça, je veux que vous contactiez le QG de L. A. sur une ligne protégée. On va avoir besoin des gars des relations publiques, ici et là-bas, pour s'occuper de ce bordel. Les médias vont se jeter sur cette affaire. De tous les côtés.

– Entendu.

Corvo commença à entrer dans la maison, puis il revint sur ses pas.

– Ah, encore une chose : tenez les Mexicains à l'écart de tout ça.

Il voulait parler de la milice. Ramos répondit par un hochement de tête, et Corvo s'éloigna d'un pas décidé. En passant, Ramos lança un regard à Bosch, qui se tenait dans l'ombre de la véranda. Les deux hommes échangèrent un signe d'assentiment muet. On raconterait aux médias que Kirth avait été abattu par les hommes de Zorillo. Personne ne ferait la moindre allusion à une quelconque bavure.

– Un problème ? demanda Ramos.

– Non, aucun.

– Tant mieux. Dans ce cas, je n'ai pas à me faire du souci à cause de vous. N'est-ce pas, Bosch ?

Ce dernier s'avança vers la porte.

– Ramos, où est Zorillo ?

– Nous continuons les recherches. Il reste encore un tas de coins à fouiller dans les bâtiments. Tout ce que je peux vous dire, c'est qu'on a inspecté l'hacienda de fond en comble, et il n'y est pas. Il y a trois morts à l'intérieur, mais il ne fait pas partie du lot. Personne ne parle. En revanche, votre tueur de flics est dans le tas. L'homme aux larmes tatouées sur le visage.

Sans un mot, Bosch contourna Ramos et le corps pour pénétrer dans l'hacienda, en prenant soin de ne pas marcher dans la flaque de sang. Au passage, il plongea son regard dans les yeux de l'homme mort. Déjà, ces derniers se couvraient d'un voile et ressemblaient à des éclats de glace sale.

Il suivit un couloir jusque devant la maison d'où lui parvenaient des bruits de voix s'échappant d'une pièce située au pied de l'escalier dans l'entrée. En approchant, il découvrit qu'il s'agissait d'une bibliothèque au milieu de laquelle trônait un immense bureau en bois verni, dont le tiroir central était ouvert. Derrière, des rayonnages de livres occupaient tout un mur.

Dans la pièce se trouvaient Corvo et un homme du CLET. Et deux cadavres. Le premier était allongé par terre à côté d'un canapé renversé. Le second était répandu dans un fauteuil près de l'unique fenêtre, sur la droite du bureau.

– Entrez, Bosch, dit Corvo. Vous allez pouvoir nous apporter vos lumières…

Le cadavre affalé dans le fauteuil retint l'attention de Bosch. La coûteuse veste en cuir, ouverte, laissait apercevoir une arme encore dans son étui à la ceinture. Grena. Il n'était pas évident de l'identifier du premier coup d'œil, car la balle tirée dans la tempe droite du capitaine de la police avait arraché une bonne partie du visage en ressortant par l'œil gauche. Le sang avait coulé sur les épaules : la veste était fichue.

Bosch détourna le regard pour reporter son attention sur l'homme allongé par terre. Une jambe reposait sur le dossier du canapé qui avait basculé en arrière. Malgré tout le sang qui couvrait sa poitrine, Bosch distingua au moins cinq impacts de balles. Les trois larmes tatouées sur la joue ne laissaient aucun doute. C'était Arpis. L'homme qu'il avait aperçu au Poe. Un 45 chromé était posé sur le sol à côté de sa jambe droite.

– C'est votre homme ? lui demanda Corvo.

– L'un d'eux, oui.

– Parfait. Voilà déjà un problème de réglé.

– L'autre appartient à la police judiciaire. C'est le capitaine Grena.

– Ouais, je sais, je viens de récupérer ses papiers dans sa poche. Il avait six billets de mille dollars dans son portefeuille. Pas mal, si l'on pense qu'ici les gradés de la police judiciaire se font environ trois cents dollars par semaine. Venez jeter un œil par ici.

Il fit le tour du bureau. En le suivant, Bosch remarqua que le tapis avait été replié, mettant à jour un coffre encastré dans le plancher et ayant la taille d'un réfrigérateur de chambre d'hôtel. L'épaisse porte en acier était grande ouverte, et l'intérieur vide.

– Les types du CLET l'ont découvert comme ça en entrant. Qu'en pensez-vous ? Ces deux macchabées n'ont pas l'air trop anciens. Je crois que nous sommes arrivés un poil trop tard pour le spectacle, hein ?

Bosch examina les lieux pendant un instant.

– Difficile à dire. Ça ressemble à une rupture brutale de contrat. Grena était peut-être devenu trop gourmand. Il réclamait plus qu'il ne méritait. Peut-être essayait-il de doubler Zorillo, de l'arnaquer, et ça s'est mal fini. Je l'ai vu cet après-midi à la corrida.

– Ah oui ? Et que vous a-t-il dit ? Qu'il se rendait chez le Pape pour se faire descendre ?

Corvo ne rit pas, Bosch non plus.

– Non, il m'a simplement ordonné de quitter la ville.

– Alors, qui l'a buté ?

– Un 45, je dirais. Simple supposition. Ce qui fait d'Arpis que vous voyez là un candidat probable.

– Dans ce cas, qui a buté Arpis ?

– Aucune idée. Mais, si je devais jouer aux devinettes, je dirais que Zorillo, ou celui qui était assis derrière ce bureau, a sorti une arme de ce tiroir ouvert et l'a descendu, là, devant le bureau. L'autre est tombé à la renverse, par-dessus le canapé.

– Mais pourquoi ?

– Je l'ignore. Peut-être que Zorillo n'a pas apprécié ce qu'il avait fait à Grena. Peut-être que Zorillo commençait à avoir la trouille de lui. Peut-être qu'Arpis jouait au même petit jeu que Grena. Il peut y avoir un tas de raisons. On saura peut-être un jour… Mais Ramos m'a parlé de trois cadavres…

– En face, dans l'autre pièce.

Bosch traversa le couloir pour pénétrer dans un vaste salon. Il y avait un tapis blanc à poils longs et un piano de la même couleur. Un tableau d'Elvis était accroché au mur au-dessus d'un canapé en cuir blanc. Le tapis était maculé du sang du troisième homme qui gisait devant le canapé. C'était Dance. Bosch le reconnut grâce au cliché anthropométrique, malgré la balle qui lui avait traversé le front et les cheveux blonds maintenant teints en noir. L'expression renfrognée soigneusement étudiée avait cédé la place à un air stupéfait. Ses yeux écarquillés semblaient chercher à apercevoir le trou dans son front.

Corvo rejoignit Bosch dans le salon.

– Alors ? demanda-t-il.

– On dirait que le Pape a été obligé de foutre le camp à toute vitesse. Et il n'a pas voulu laisser ces trois-là derrière lui… Putain, je ne sais pas, Corvo.

Corvo porta son micro à sa bouche.

– Equipes de perquisition. Au rapport.

– Chef d'équipe au rapport. Ça y est, on a déniché le labo souterrain. L'entrée se trouve à l'intérieur du bunker. C'est la caverne d'Ali Baba : on a décroché le jackpot.

– Et le suspect prioritaire ?

– Négatif pour l'instant. Aucun suspect dans le labo.

– Merde ! s'écria Corvo après avoir coupé la communication.

Il frotta le coin du Motorola contre la cicatrice sur sa joue, évaluant ce qu'il fallait faire.

– La Jeep, dit Bosch. Il faut essayer de la rattraper.

– S'il se dirige vers EnviroGènes, la milice l'attend de pied ferme. Pour l'instant, je ne peux pas me permettre de faire cavaler des hommes à travers tout le ranch. Cette putain de propriété fait trois mille hectares !

– Je m'en occupe.

– Hé, une minute, Bosch ! Vous ne faites pas partie de l'opération…

– Allez vous faire foutre, Corvo. Je m'en charge.

30

En ressortant de la maison, Bosch chercha Aguila dans la pénombre. Il l'aperçut finalement à proximité des prisonniers et des soldats de la milice. Il se dit que le Mexicain avait sans doute encore plus que lui l'impression d'être un intrus.

– Je pars à la recherche de la Jeep qu'on a vue s'enfuir. Je pense que c'était Zorillo.

– Je suis prêt, répondit le Mexicain.

Corvo accourut vers eux. Mais ce n'était pas pour les arrêter.

– Bosch, j'ai fait monter Ramos dans l'hélico. Débrouillez-vous avec lui.

Le silence qui suivit fut brisé par le bruit des rotors se mettant à tourner derrière l'hacienda.

– Allez-y ! dit Corvo. Sinon, il va partir sans vous.

Ils firent le tour de la maison en courant et retrouvèrent leur place à l'arrière de l'appareil. Ramos était installé dans le cockpit à côté du pilote. Le Lynx décolla brusquement, et Bosch en oublia de boucler sa ceinture. Il était trop occupé à enfiler son casque et à chausser ses lunettes de vision nocturne.

Il ne voyait encore rien. Pas de Jeep. Pas de fugitif. Ils volaient vers le sud-ouest et, en regardant défiler sous eux le sol jaune, Harry s'aperçut qu'il n'avait pas encore averti Aguila du décès de son supérieur. Plus tard, quand nous en aurons fini, décida-t-il.

Deux minutes plus tard, ils découvrirent la Jeep. Celle-ci était arrêtée au milieu d'un bosquet d'eucalyptus et de hautes broussailles. Un buisson d'amarante, de la taille d'un camion, avait été projeté par le vent contre le véhicule, ou bien placé là en guise de camouflage improvisé. La Jeep avait été abandonnée à une cinquantaine de mètres des corrals et de l'étable. Le pilote alluma les projecteurs, le Lynx se mettant à décrire des cercles au-dessus du véhicule. Pas âme qui vive. Bosch vit Ramos faire signe au pilote avec son pouce renversé, et l'appareil commença alors sa descente. Les lumières s'éteignirent et, avant que les yeux de Harry ne s'habituent à l'obscurité, il eut l'impression qu'ils s'enfonçaient dans les profondeurs d'un trou noir.

Finalement, il sentit l'appareil toucher le sol et ses muscles se détendirent légèrement. Le moteur s'arrêta et il n'y eut plus que le vrombissement du rotor qui tournait encore, de moins en moins vite. A travers la coque vitrée, Bosch distingua un des côtés de l'étable. Compte tenu de l'absence de porte et de fenêtre, il se disait qu'ils pourraient approcher sans trop de risques d'être repérés lorsqu'il entendit Ramos pousser un cri :

– Qu'est-ce… Accrochez-vous !

Sous l'effet d'un impact violent, l'hélicoptère fit une embardée et dérapa sur le sol. Regardant au-dehors, Bosch vit simplement qu'ils étaient poussés sur le côté. La Jeep ? Quelqu'un s'était planqué dans la Jeep, pensa-t-il. Finalement, les patins du Lynx heurtèrent un obstacle solidement planté dans le sol et l'appareil bascula. Bosch se couvrit le visage avec ses bras et rentra la tête dans les épaules en voyant le rotor qui tournait encore mordre dans la terre et se briser sous le choc. Il sentit Aguila tomber sur lui de tout son poids et entendit une voix hurler des mots incompréhensibles dans le cockpit.

L'hélicoptère se balança dans cette position pendant quelques secondes, avant que ne se produise un second choc, aussi violent que le premier, mais frontal cette fois. Bosch entendit un bruit de tôle froissée, de verre brisé et des coups de feu.

Puis tout s'arrêta et Bosch sentit les vibrations s'atténuer.

– Je crois que je l'ai eu ! s'exclama Ramos. Vous avez vu ça ?

Bosch pensa avant tout à leur vulnérabilité. Le coup suivant viendrait sûrement de derrière, là où ils ne pourraient pas tirer par manque de visibilité. Il tenta de s'emparer de son Smith & Wesson, mais ses bras étaient coincés sous Aguila. Le Mexicain parvint à se dégager en rampant et tous les deux réussirent tant bien que mal à se remettre en position accroupie à l'intérieur de l'habitacle renversé. Bosch tenta d'ouvrir la porte, qui se trouvait maintenant au-dessus d'eux. Celle-ci s'entrouvrit de quelques dizaines de centimètres avant d'être coincée par quelque chose, un morceau de tôle arrachée. Ils ôtèrent leur casque et Bosch se faufila le premier dans l'ouverture. Aguila lui tendit les gilets pare-balles. Sans savoir pourquoi, Bosch les prit. Aguila s'extirpa de l'appareil à son tour.

Une odeur de fuel flottait dans l'air. Ils s'approchèrent de l'avant broyé de l'appareil, où Ramos, l'arme à la main, essayait de se glisser à travers le trou où se trouvait auparavant le pare-brise.

– Aidez-le, dit Bosch. Je vous couvre.

Dégainant son arme, il pivota sans apercevoir âme qui vive. Soudain, il découvrit la Jeep, arrêtée exactement à l'endroit où ils l'avaient repérée d'en haut, en partie masquée par le buisson d'amarante. Cela n'avait aucun sens. A moins que…

– Le pilote est coincé, dit Aguila.

Harry regarda à l'intérieur du cockpit. Ramos avait braqué sa torche sur le pilote, dont la moustache blonde était imbibée de sang. Une profonde entaille zébrait l'arête de son nez. Ses yeux étaient écarquillés, et Bosch remarqua que les manettes de contrôle lui écrasaient les cuisses.

– Où est la radio ? demanda Bosch. Il faut appeler des secours.

Ramos replongea tout le haut du corps à l'intérieur du cockpit et ressortit avec une radio portative.

– Corvo, Corvo, répondez. Nous avons une urgence. (En attendant la réponse, Ramos s'adressa à Bosch :) Non mais, vous avez vu ça ? Ce putain de monstre a jailli de nulle part ! Je ne savais pas ce…

– Que se passe-t-il ? demanda la voix de Corvo à la radio.

– Nous sommes dans la merde. Il nous faut des secours.

Et du matos. Le Lynx est foutu. Corcoran est coincé à l'intérieur. Il est blessé.

– …sation de l'accident ?

– Ce n'est pas un accident, mon vieux. Une saloperie de taureau nous a attaqués au sol. L'hélico est complètement bousillé, et pas moyen de faire sortir le pilote. Nous sommes à une centaine de mètres au nord-est du centre d'élevage, près de l'étable.

– Restez où vous êtes. Les secours arrivent.

Ramos accrocha la radio à sa ceinture, coinça la lampe-torche sous son bras et rechargea son arme.

– Prenons chacun un côté d'un triangle autour de l'hélico, pour guetter ce salopard. Je suis sûr de l'avoir touché, mais ça n'a rien fait.

– Non, dit Bosch. Vous et Aguila, vous surveillez les environs et vous attendez les secours. Moi, pendant ce temps, je vais inspecter l'étable. Zorillo est…

– Non, non et non, pas question ! C'est pas vous qui donnez les ordres ici, Bosch ! On attend tous ici et quand les sec…

Il s'interrompit au milieu de sa phrase et pivota sur lui-même. Bosch l'entendit à son tour. Ou plutôt, il le sentit approcher. Une vibration sourde ébranlait le sol, de plus en plus forte. Impossible de déterminer sa provenance. Il regarda Ramos décrire des cercles en brandissant sa torche. A ses côtés, Aguila murmura :

– El Temblar.

– Quoi ? s'écria Ramos. Quoi ?

Au même moment, le taureau apparut à la périphérie de leur champ de vision. Enorme bête noire, il fonçait vers eux, nullement impressionné par leur nombre, car il devait défendre son territoire. Bosch eut l'impression que l'animal jaillissait des ténèbres, tête baissée, ses cornes acérées dressées en l'air, vivante incarnation de la mort. Il se trouvait à moins d'une dizaine de mètres des trois hommes lorsqu'il choisit sa cible : Bosch.

D'une main, celui-ci tenait son Smith & Wesson et, de l'autre, le gilet pare-balles, avec le mot POLICE inscrit en lettres jaunes fluorescentes dans le dos. Pendant les quelques secondes dont il disposait, il comprit que ces lettres avaient attiré l'attention de l'animal. Il comprit également que son arme ne lui servirait à rien. Il ne pouvait espérer abattre ce monstre avec des balles. Il était trop gros, trop puissant, c'était comme lancer du gravier sur une locomotive emballée…

Lâchant son arme, Bosch leva le gilet à deux mains devant lui.

Il entendit des cris et des coups de feu quelque part sur sa droite. L'animal était sur lui. Harry déplaça le gilet sur sa droite, les lettres jaunes captèrent l'éclat de la lune. Le taureau, semblable à une tache noire dans l'obscurité, arracha le gilet avant que Bosch ait le temps de le lâcher. L'épaule massive de l'animal le frôla et l'envoya valdinguer.

Projeté à terre, il leva la tête à temps pour voir le taureau virer sur sa gauche comme un athlète surpuissant et foncer vers Ramos. L'agent des stups continuait de tirer, Bosch voyait l'éclat de la lune se refléter sur les douilles éjectées par le pistolet. Mais les projectiles étaient impuissants à arrêter la charge du taureau. Ils ne parvinrent même pas à la ralentir. Bosch entendit le percuteur claquer dans le vide. Ramos poussa un dernier cri inintelligible. Le taureau l'embrocha au niveau des cuisses, puis redressa son cou puissant et ensanglanté, projetant sa victime dans les airs. Ramos sembla tourbillonner au ralenti, avant de retomber la tête la première, immobile.

Le taureau tenta d'arrêter sa course, mais son élan et les blessures par balles l'empêchèrent de contrôler son poids énorme. Il piqua de la tête et roula sur le dos. Puis il se releva et se prépara pour un nouvel assaut. Bosch chercha son arme à tâtons sur le sol, la ramassa et visa, en désespoir de cause. Mais les pattes avant de l'animal flageolèrent et il s'effondra de nouveau. Cette fois, il bascula sur le flanc, comme au ralenti, et demeura dans cette position, inerte, à l'exception de sa poitrine, qui se soulevait et s'abaissait de manière hésitante. Puis celle-ci s'immobilisa à son tour.

Aguila et Bosch se précipitèrent en même temps vers Ramos. Ils se penchèrent au-dessus de lui, sans le bouger. Il était couché sur le dos, ses yeux ouverts couverts d'une pellicule de boue. Sa tête formait un angle impossible. De toute évidence, il s'était brisé la nuque en tombant. Au loin, ils entendaient le vrombissement d'un des Huey qui volait vers eux. Se relevant, Bosch vit le projecteur de l'hélicoptère balayer l'étendue de broussailles.

– Je vais inspecter le tunnel, déclara Bosch. Dès qu'ils se seront posés, rejoignez-moi avec les renforts.

– Je vous accompagne, répondit Aguila.

Le ton sur lequel il avait dit cela ne souffrait aucune contradiction. Il se baissa pour récupérer la radio fixée à la ceinture de Ramos, puis la lampe-torche. Il tendit la radio à Bosch.

– Dites-leur que nous y allons tous les deux.

Bosch contacta Corvo.

– Où est Ramos ? demanda celui-ci.

– Nous venons de le perdre. Aguila et moi allons inspecter le tunnel. Prévenez les types de la milice, à Enviro-Gènes, que nous arrivons. Nous n'avons pas envie de nous faire canarder.

Sur ce, il coupa la communication avant que Corvo ait le temps de répondre et laissa tomber la radio à côté du corps de l'agent des stups. L'hélicoptère des secours était presque arrivé à leur hauteur. Bosch et Aguila coururent jusqu'à l'étable, arme au poing, puis la contournèrent lentement : la porte de devant était entrouverte. Suffisamment pour laisser passer un homme.

Ils entrèrent et s'accroupirent dans l'obscurité. Aguila balaya les lieux avec le faisceau de sa lampe. C'était une étable immense, avec des stalles alignées de chaque côté. De grandes caisses utilisées pour transporter les taureaux jusqu'aux arènes étaient empilées au fond, à côté de tours de balles de foin. Bosch remarqua une rangée de rampes d'éclairage qui courait au centre du plafond. Cherchant autour de lui, il découvrit enfin l'interrupteur près de la porte.

Une fois la lumière allumée, ils s'avancèrent dans l'allée centrale entre les rangées de stalles, Bosch regardant à droite et Aguila à gauche. Toutes les stalles étaient vides ; les taureaux pouvaient se promener à leur guise à travers le ranch. C'est en atteignant le fond de l'étable qu'ils découvrirent l'entrée du tunnel.

Un chariot-élévateur était garé dans le coin, une palette de balles bloquée à plus d'un mètre du sol. A l'endroit où celle-ci se trouvait précédemment, un trou d'un mètre de circonférence se découpait dans le sol en béton. Zorillo ou autre, le fuyard avait utilisé le chariot-élévateur pour déplacer les balles de foin, mais évidemment il n'y avait eu personne derrière lui pour les remettre en place et masquer sa fuite.

Accroupi, Bosch avança jusqu'au bord du trou et risqua un œil à l'intérieur. Une échelle d'environ quatre mètres de haut permettait de descendre dans un souterrain éclairé. Il se tourna vers Aguila.

– Prêt ?

Le Mexicain acquiesça.

Bosch passa le premier. Il descendit quelques barreaux de l'échelle, puis se laissa tomber sur le sol, arme au poing, prêt à faire feu. Mais le tunnel était désert, autant qu'il pût en juger. De fait, ça ne ressemblait pas à un tunnel, plutôt à une sorte de couloir doté d'un tube électrique qui courait au plafond et alimentait des petites lumières entourées de grilles et disposées tous les six ou sept mètres. Le passage s'incurvant légèrement sur la gauche, Bosch ne put voir où il s'achevait. Il avança de quelques pas et Aguila se laissa tomber derrière lui.

– OK, chuchota Bosch. On reste sur la droite. Si jamais il faut ouvrir le feu, je vise en bas, vous visez en haut.

Aguila ayant acquiescé, ils progressèrent rapidement dans le tunnel. Bosch tenta de s'orienter ; ils devaient se diriger vers l'est, légèrement au nord. Arrivés au tournant, ils se plaquèrent contre la paroi, avant de s'engager prudemment dans le second boyau.

Bosch constata que le virage était trop prononcé pour qu'ils continuent d'avancer en direction d'EnviroGènes. Scrutant l'extrémité du tunnel, il eut confirmation de ses craintes : à environ cinquante mètres de là, il apercevait l'échelle de sortie. Il comprit qu'ils se dirigeaient vers un endroit autre qu'EnviroGènes et regretta d'avoir abandonné la radio près du corps de Ramos.

– Merde, murmura-t-il.

– Quoi ? demanda Aguila, à voix basse lui aussi.

– Rien. Allons-y.

Ils continuèrent d'avancer, parcourant rapidement les vingt-cinq premiers mètres, avant de ralentir pour approcher de l'échelle sans faire de bruit. Aguila se glissant vers la paroi de droite, ils atteignirent l'ouverture en même temps, leur arme brandie à bout de bras. De la sueur leur coulait dans les yeux.

Aucune lumière ne provenait de l'ouverture au-dessus de leurs têtes. Bosch prit la torche que tenait Aguila et projeta le faisceau à travers le trou. Il découvrit les poutres en bois apparentes d'un plafond bas dans la pièce au-dessus. Personne ne les toisait. Personne ne les prit pour cible. Personne ne fit quoi que ce soit. Harry guetta le moindre bruit, en vain. Faisant signe à Aguila de le couvrir, il rengaina son arme. Puis il entreprit de gravir l'échelle, en tenant la torche dans une main.

Il avait peur. Au Vietnam, sortir d'un tunnel vietcong signifiait toujours la fin de l'angoisse. C'était comme de renaître ; on quittait enfin les ténèbres pour retrouver la sécurité et les mains de ses camarades. On sortait du noir pour pénétrer dans le bleu du ciel. Mais pas cette fois. Cette fois, c'était tout le contraire.

Arrivé au sommet de l'échelle, avant de franchir l'ouverture, Bosch promena le faisceau de la lampe autour de lui, sans rien découvrir. Alors, telle une tortue, il sortit lentement la tête au-dehors. La première chose qu'il remarqua dans la lumière fut la couche de sciure qui recouvrait le plancher. Se risquant un peu plus au-dehors, il découvrit le reste du décor. C'était une sorte de vaste remise, avec des étagères métalliques sur lesquelles étaient entreposées des lames de scie et des bandes de papier de verre destinées à des machines industrielles. Il y avait également quelques outils. Sur un groupe d'étagères s'empilaient des chevilles en bois de différentes tailles. Il pensa aussitôt aux chevilles fixées aux deux extrémités du fil de fer qui avait servi à étrangler Kapps et Porter.

Ayant pris pied à l'intérieur de la pièce, il fit signe à Aguila qu'il pouvait le rejoindre sans risque et gagna la porte de la remise.

Celle-ci n'était pas fermée à clé, elle s'ouvrit sur un

vaste entrepôt encombré par un tas de machines et d'établis alignés d'un côté. En face s'empilaient des meubles inachevés : tables, chaises, tiroirs. L'endroit était éclairé par une unique ampoule nue qui pendait à une poutre de soutien. C'était la veilleuse. Aguila rejoignit Bosch. Celui-ci avait compris : ils étaient dans les locaux de Mexitec.

Tout au bout de l'entrepôt se découpait une double porte. Un des deux battants était ouvert ; ils se précipitèrent. La porte donnait sur une zone de chargement jouxtant l'allée de derrière que Bosch avait empruntée la nuit précédente. Il y avait une flaque d'eau en plein milieu, et il remarqua des traces de pneus conduisant vers l'allée. Personne en vue. Zorillo avait fichu le camp depuis longtemps.

– Deux tunnels..., lança Bosch sans parvenir à masquer son découragement.

– Deux tunnels, dit Corvo. L'indic de Ramos nous a baisés en beauté.

Assis sur des chaises de pin brut, Bosch et Aguila regardaient Corvo faire les cent pas. La mine défaite, celui-ci avait tout à fait l'air du type responsable d'une opération qui a coûté deux vies humaines, entraîné la destruction d'un hélicoptère et provoqué la fuite de la cible principale. Cela faisait déjà presque deux heures qu'ils avaient quitté le tunnel.

– Que voulez-vous dire ? demanda Bosch.

– Ce que je veux dire, c'est que l'informateur connaissait forcément l'existence de ce second tunnel. Comment pouvait-il être au courant de l'un et pas de l'autre ? Il nous a entubés, voilà tout. Il a laissé une issue de secours à Zorillo. Si je savais qui c'est, je le ferais accuser de complicité dans le meurtre d'un agent fédéral !

– Vous ne connaissez pas son identité ?

– Ramos ne m'a pas présenté sa dernière recrue, il n'a pas eu le temps.

Bosch commença à respirer un peu mieux.

– Putain, j'arrive pas à y croire, continuait Corvo. Je ferais aussi bien de ne pas rentrer. Je suis foutu. Foutu...

Vous au moins, vous avez eu votre tueur de flics, Bosch. Moi, j'ai déniché un paquet d'emmerdes !...

– Avez-vous envoyé un avis de recherche ? demanda Bosch, histoire de changer de sujet.

– Oui, il est déjà parti. A tous les postes de police, à toutes les brigades. Mais ça ne sert à rien. Il a foutu le camp depuis longtemps. Il va sans doute se planquer à l'intérieur du pays. Il se tiendra peinard pendant un an et recommencera.

– Il a peut-être fui vers le nord, dit Bosch.

– Ça m'étonnerait qu'il essaye de franchir la frontière. Il sait que, si on le chope de l'autre côté, il ne reverra jamais la lumière du jour. Non, il est parti vers le sud, là où il ne risque rien.

Plusieurs agents munis de tablettes se déplaçaient à travers l'entrepôt pour fouiller les lieux et dresser un inventaire. Ils avaient découvert une machine qui évidait des pieds de table qu'on pouvait ensuite remplir de drogue, avant de les reboucher pour les expédier de l'autre côté de la frontière. Un peu plus tôt, ils avaient localisé l'entrée du second tunnel dans l'étable et l'avaient suivi jusqu'à EnviroGènes. La trappe n'étant pas piégée, ils avaient pu pénétrer dans l'usine. L'endroit était totalement désert, à l'exception des deux chiens dehors. Ils les avaient abattus.

L'opération avait permis de démanteler un important réseau de contrebande. Des agents s'étaient rendus à Calexico pour arrêter le responsable d'EnviroGènes, Ely. Quatorze personnes avaient été interpellées au ranch. D'autres suivraient. Mais cela ne pouvait suffire à contenter Corvo, ni quiconque. Des agents étaient morts et Zorillo courait toujours. Et si Corvo pensait que Bosch se satisfaisait de la mort d'Arpis, il avait tort. Bosch voulait mettre lui aussi la main sur Zorillo. C'était lui le commanditaire de tous ces meurtres.

Bosch se leva afin de ne plus voir Corvo se ronger les ongles. Il était déjà assez nerveux comme ça. Aguila devait partager le même état d'esprit, car il se leva à son tour et fit le tour des machines et des meubles d'un air morne. Ils attendaient qu'une des voitures de la milice les ramène jusqu'à l'entrepôt où se trouvait la voiture de

Bosch. Les hommes de la brigade des stups seraient encore là bien après le lever du jour. Pour Bosch et Aguila, c'était terminé.

Harry regarda Aguila retourner dans la remise et s'approcher de l'entrée du tunnel. Il lui avait annoncé la mort de Grena, et le Mexicain s'était contenté de hocher la tête. Sans rien laisser paraître. Aguila s'accroupit et sembla examiner le sol comme si la sciure allait lui révéler l'endroit où se trouvait Zorillo.

Au bout d'un moment, le Mexicain déclara :

– Le Pape s'est offert des bottes neuves.

Bosch le rejoignit et Aguila lui désigna les empreintes dans la sciure. Il y en avait qui n'appartenaient ni à Aguila ni à Bosch ; elles apparaissaient distinctement dans la sciure et Harry reconnut le talon biseauté d'une botte mexicaine. Avec à l'intérieur la lettre S formée par un serpent. Les bords de l'empreinte étaient nets, la tête du serpent ressortait avec précision.

Aguila avait raison : le Pape portait des bottes neuves.

31

Durant tout le trajet qui le ramenait vers la frontière, Bosch réfléchit à la façon dont les choses s'étaient passées, dont toutes les pièces du puzzle semblaient s'emboîter désormais, et il songea que le subterfuge serait passé inaperçu si Aguila n'avait pas remarqué les empreintes de pas. Il repensa à la boîte de bottes Snakes dans le placard de l'appartement de Los Feliz. Un indice flagrant, qui pourtant lui avait échappé. Il n'avait vu que ce qu'il voulait voir.

Il était tôt, les premières traces de l'aube se frayaient à peine leur chemin à l'horizon, et il n'y avait pas encore la queue au poste-frontière. Personne ne nettoyait les pare-brise. Personne ne vendait de saloperies. Bosch montra son badge à un douanier à l'air endormi, et celui-ci lui fit signe de passer.

Bosch avait besoin d'un téléphone et d'une dose de caféine. Il roula jusqu'à l'hôtel de ville de Calexico, prit un Coca au distributeur installé dans le hall exigu du poste de police et ressortit pour téléphoner de la cabine située juste devant. Consultant sa montre, il se dit qu'elle serait chez elle, probablement déjà réveillée et prête à aller travailler.

Il alluma une cigarette avant de composer le numéro. En attendant que la communication s'établisse, il observa l'autre côté de la rue à travers le brouillard. Il apercevait les formes des corps endormis sous des couvertures éparpillées dans le square. La brume de chaleur qui montait du sol conférait à ces images un aspect fantomatique et solitaire.

Teresa décrocha après deux sonneries. Apparemment, elle était déjà réveillée.

– Salut.
– Harry ? Que se passe-t-il ?
– Désolé de te réveiller.
– Tu ne me réveilles pas. Qu'y a-t-il ?
– Tu te fais belle pour assister à l'enterrement de Moore ?
– Qu'est-ce que ça veut dire ? Tu m'appelles à 6 heures du matin pour me demander si…
– Ce n'est pas Moore qu'ils vont mettre dans le trou.
Il y eut un long silence pendant lequel Bosch observa le square et vit un homme debout, une couverture enveloppée autour des épaules, qui le regardait lui aussi, à travers le brouillard. Harry détourna la tête.
– Qu'est-ce que tu racontes ? Tu es sûr que ça va, Harry ?
– Je suis fatigué, mais ça va. Ce que j'essaye de te faire comprendre, c'est que Moore est vivant. Il m'a échappé de peu ce matin.
– Tu es toujours au Mexique ?
– Je viens de franchir la frontière.
– Ecoute, ça ne tient pas debout, ce que tu racontes. Les empreintes correspondaient, on a même les empreintes dentaires, et sa propre épouse a identifié la photo du tatouage sur son corps. L'identité a été confirmée.
– Tout ça c'est du bidon. Il a tout mis en scène.
– Harry, pourquoi est-ce que tu m'appelles maintenant pour me raconter ça ?
– J'ai besoin de ton aide, Teresa. Je ne peux pas aller trouver Irving. Toi seule peut le faire. En m'aidant, tu t'aideras toi aussi. Si j'ai raison…
– C'est un sacré « si », Harry.
Bosch se retourna vers le square, l'homme à la couverture avait disparu.
– Dis-moi seulement comment c'est possible, reprit-elle. Essaye de me convaincre.
Bosch ne répondit pas immédiatement, comme un avocat qui se concentre avant le contre-interrogatoire. Il savait que chacune de ses paroles devait résister au scepticisme de Teresa, sinon c'était fichu.
– Outre les empreintes digitales et les dents, Sheehan m'a dit qu'ils avaient également établi des similitudes entre l'écriture de Moore et le mot retrouvé dans sa poche.

Ils l'ont comparée, paraît-il, avec une carte de changement d'adresse que Moore avait ajoutée dans son dossier personnel quelques mois plus tôt, après que sa femme et lui s'étaient séparés...

Il tira une longue bouffée de sa cigarette, et Teresa crut qu'il avait terminé.

– Et alors ? Je ne vois pas où tu veux en venir.

– Il y a quelques années de ça, suite à des négociations de conventions collectives, le syndicat a obtenu le droit pour chacun de consulter son dossier personnel. De cette façon, les flics peuvent savoir s'il y a des saloperies dedans, des lettres de plainte ou au contraire de recommandation, enfin... tu vois. Moore avait donc accès à son dossier. Il est allé au service du personnel il y a quelques mois, et il l'a réclamé, car il venait de déménager et avait besoin d'inscrire sa nouvelle adresse.

Arrivé à ce stade, Bosch s'interrompit un instant, afin d'ordonner la suite dans son esprit.

– Bon d'accord, dit-elle. Et alors ?

– Les dossiers personnels contiennent également les fiches d'empreintes. Moore a eu accès à celle qu'Irving t'a apportée le jour de l'autopsie. C'est la fiche dont tu t'es servi pour identifier les empreintes. Tu piges maintenant ? Pendant que Moore avait son dossier entre les mains, il a très bien pu échanger sa fiche contre celle de quelqu'un d'autre. Et toi, tu t'es fondée sur la mauvaise fiche pour identifier son cadavre. Seulement, ce n'était pas le bon cadavre. C'était celui de quelqu'un d'autre.

– Qui ça ?

– Je pense qu'il s'agit d'un Mexicain nommé Humberto Zorillo.

– Ça me paraît tiré par les cheveux. Il y a eu d'autres identifications. Je me souviens très bien de l'autopsie. Ce type-là, comment s'appelle-t-il ? Sheehan ? Il a reçu un appel du labo disant que les empreintes relevées dans la chambre de motel étaient bien celles de Moore. Et pourtant, ils ont comparé avec d'autres empreintes. C'est ce qu'on appelle une confirmation en double aveugle, Harry. Sans parler du tatouage. Et des dents. Comment est-ce que tu expliques tout ça ?

– Ecoute-moi, Teresa. Tout s'explique parfaitement. Tout s'emboîte. Les dents, par exemple. Tu m'as dit n'avoir retrouvé qu'un seul morceau utilisable, un bout de dent avec une couronne. Autrement dit, il n'y avait plus de racine. C'était une dent morte, impossible donc de savoir depuis quand elle avait été arrachée. Une seule certitude, elle correspondait au dossier de son dentiste. C'est parfait, mais un des types de la brigade de Moore m'a raconté un jour qu'il avait vu Moore recevoir un coup de poing durant une altercation sur le Boulevard et y perdre une dent. C'était peut-être celle-ci, je n'en sais rien.

– OK. Mais les empreintes dans la chambre du motel ? Comment tu expliques ça ?

– C'est simple. C'était bien ses empreintes, cette fois. Donovan, le gars du labo, m'a dit qu'il avait comparé avec celles fournies par l'ordinateur du département de la justice. Il s'agissait donc des véritables empreintes de Moore. Ça signifie qu'il se trouvait réellement dans cette chambre. Ça ne veut pas dire qu'il s'agit de son cadavre. En temps normal, un seul jeu d'empreintes – celles de l'ordinateur du Département de la Justice – servirait à l'identification, mais Irving a foutu la merde en allant fouiller dans le dossier personnel. Et c'est justement là que réside la beauté du plan de Moore. Il savait qu'Irving, ou quelqu'un du département, agirait de cette façon. Il pouvait en être certain, car il savait que le département serait pressé d'en finir avec l'autopsie, l'identification et tout le reste : ne pas oublier que la victime était un collègue. Ce n'était pas la première fois que ça se passait ainsi, et Moore savait qu'ils feraient la même chose avec lui.

– Donovan n'a pas établi de comparaison entre nos empreintes et celles de l'ordinateur ?

– Non, car ça ne fait pas partie de la procédure. Peut-être l'aurait-il fait plus tard, s'il y avait pensé. Mais tout est allé très vite dans cette affaire.

– Bon Dieu !..., s'écria-t-elle. (Harry comprit qu'il était en train de la convaincre.) Et le tatouage ?

– C'est le symbole d'un barrio. Un tas de gens ont le même. Je pense que Zorillo le porte, lui aussi.

– Qui est ce type dont tu me parles ?

– Il a grandi avec Moore au Mexique. Peut-être même sont-ils frères, je ne sais pas. Quoi qu'il en soit, Zorillo est devenu le caïd local de la drogue. Moore est parti vivre à L. A. et est entré dans la police. Mais il travaillait pour Zorillo. Tout a commencé ici. Cette nuit, les stups ont effectué un raid dans le ranch de Zorillo. Il a réussi à foutre le camp. Mais je ne pense pas qu'il s'agissait de Zorillo. C'était Moore.

– Tu l'as vu ?

– Pas besoin.

– Est-ce qu'on le recherche ?

– Les stups sont à ses trousses. Ils concentrent leurs recherches sur le Mexique. Mais je te le répète, ils cherchent Zorillo. Peut-être que Moore ne réapparaîtra jamais.

– On dirait que... Tu es en train de me dire que Moore a tué Zorillo et pris sa place ?

– Exact. D'une manière ou d'une autre, il a fait venir Zorillo à L. A. Les deux hommes se retrouvent au Hideaway et là, Moore le tue, souviens-toi du coup derrière le crâne que tu as mis en évidence. Il habille le cadavre avec ses vêtements et ses bottes. Après quoi, il lui fait sauter le visage avec le fusil à pompe. Il prend la peine de laisser ses empreintes pour faire tomber Donovan dans le panneau et il glisse le mot dans la poche arrière... Ce mot fonctionne à plusieurs niveaux. Tout d'abord, on a pris ça pour l'ultime message d'un suicidé. L'authentification de l'écriture a permis de confirmer l'identité du cadavre. A un autre niveau, je pense qu'il s'agissait d'un truc personnel entre Moore et Zorillo. Ça remonte à l'époque du barrio. "Qui es-tu ? – J'ai découvert qui j'étais." Ça fait partie d'une longue histoire...

L'un et l'autre demeurèrent silencieux pendant un moment, repensant à tout ce que venait de dire Bosch. Ce dernier savait qu'il restait encore beaucoup de choses inexpliquées. Et beaucoup de mensonges aussi.

– Mais pourquoi tous ces meurtres ? demanda finalement Teresa. Porter et Juan Doe, que viennent-ils faire là-dedans ?

C'est là que les réponses manquaient.

– Je n'en sais rien. Peut-être qu'ils se mettaient en travers de son chemin d'une manière ou d'une autre… Zorillo a fait tuer Jimmy Kapps parce que c'était un indic. Je pense que c'est Moore qui a averti Zorillo. Ensuite, Juan Doe – au fait, son véritable nom est Gutierrez-Llosa – se fait tabasser à mort ici et on transporte son corps à L. A. J'ignore pour quelle raison. Après cela, Moore bute Zorillo et prend sa place. Pourquoi il a tué également Porter, je n'en sais rien. Peut-être pensait-il que Lou risquait de découvrir la vérité.

– Tous ces meurtres de sang-froid…

– Oui.

– Comment a-t-on pu en arriver là ? demanda-t-elle, s'adressant plus à elle-même qu'à Bosch. Ils s'apprêtent à enterrer ce trafiquant de drogue… avec tous les honneurs, en présence du maire, du chef de la police. Des médias.

– Et toi, tu connais la vérité.

Teresa réfléchit un long moment avant de poser la question suivante :

– Pourquoi a-t-il fait tout ça ?

– Je ne sais pas. Nous sommes en présence de deux existences opposées. Le flic et le trafiquant de drogue. Mais sans doute existait-il encore un lien entre eux. J'en ignore la nature, mais il datait de l'époque du barrio. Quoi qu'il en soit, un jour le flic passe de l'autre côté de la barrière… Comment savoir ce qui l'a poussé à faire ça ? Peut-être l'argent, peut-être simplement quelque chose qu'il a perdu il y a très longtemps, quand il était enfant…

– Que veux-tu dire ?

– Je ne sais pas. Je continue à réfléchir.

– S'ils étaient aussi proches, pourquoi l'a-t-il tué ?

– Il faudra lui poser la question. Si jamais on le retrouve. Peut-être qu'il… peut-être était-ce uniquement pour prendre la place de Zorillo, comme tu l'as dit. Il y a beaucoup d'argent à la clé. Ou bien un sentiment de culpabilité. Il était allé trop loin, et il voulait trouver un moyen d'en finir… Vois-tu, Moore était – est, devrais-je dire – accroc au passé. C'est sa femme qui me l'a dit. Peut-être cherchait-il à retrouver quelque chose, à revenir en arrière. Je ne sais pas encore.

Il y eut un nouveau silence. Bosch tira une dernière bouffée de sa cigarette.

– Le plan me paraît quasiment parfait, dit-il. Moore laisse derrière lui un cadavre dans des circonstances qui, il le sait, inciteront le département à ne pas se montrer trop curieux.

– Mais toi, tu as voulu en savoir plus, Harry.

– Exact.

Et voilà où j'en suis, se dit-il. Il savait ce qu'il lui restait à faire désormais. Finir ce qu'il avait commencé. Il distinguait maintenant les silhouettes spectrales de plusieurs personnes dans le square. Elles s'éveillaient pour une nouvelle journée de désespoir.

– Pourquoi m'as-tu appelée, Harry ? Qu'attends-tu de moi ?

– Je t'ai appelée, car j'ai besoin de faire confiance à quelqu'un. Il n'y avait que toi, Teresa.

– Que veux-tu que je fasse ?

– Tu as accès aux empreintes du Département de la Justice, n'est-ce pas ?

– Oui, c'est de cette façon qu'on établit les identifications, la plupart du temps. Et après ce qui vient de se passer, on ne fera plus jamais autrement. Je tiens Irving par les couilles maintenant.

– Tu as toujours la fiche d'empreintes qu'il t'a apportée pour l'autopsie ?

– Euh, je ne sais pas. Mais je suis sûre que les types du labo en ont fait un double pour accompagner le corps. Veux-tu que je fasse le contre-examen ?

– Oui, fais-le, et tu verras qu'elles ne correspondent pas.

– Tu en es absolument certain, hein ?

– Oui. J'en suis certain, mais autant en avoir la confirmation.

– Bon. Et ensuite ?

– Je pense qu'on se verra à l'enterrement. J'ai encore une petite chose à faire et ensuite je rentre.

– Quelle chose ?

– J'ai envie de visiter un château. Ça fait partie d'une longue histoire. Je te raconterai plus tard.

– Tu ne veux pas essayer de faire annuler les funérailles ?

Harry réfléchit un instant avant de répondre. Il songea à Sylvia Moore et au mystère qu'elle représentait encore à ses yeux. Puis il se représenta l'image d'un caïd de la drogue enterré avec les honneurs, comme un flic.

– Non, je n'en ai pas envie. Et toi ?

– Pas question.

Il savait que les raisons de Teresa étaient très différentes des siennes. Mais il s'en fichait. Elle était bien partie pour décrocher le poste de médecin légiste chef. S'il se dressait sur sa route, Irving risquait de ressembler à un des clients de la salle d'autopsie.

– A plus tard, dit-il.

– Fais attention à toi, Harry.

Il raccrocha et alluma une autre cigarette. Le soleil s'était levé et chassait déjà le brouillard du square. Des gens commençaient à sortir dans les rues. Bosch crut entendre le rire d'une femme. Pourtant, à cet instant, il se sentit vraiment seul au monde.

32

Bosch s'arrêta devant le portail au bout de la piste du Coyote et constata que l'allée circulaire devant le Castillo de los Ojos était toujours aussi déserte. En revanche, l'épaisse chaîne qui, la veille, retenait les deux battants du portail en fer pendait maintenant dans le vide et le verrou était ouvert. Moore était là.

Harry abandonna sa voiture à cet endroit, bloquant ainsi la sortie, et se glissa par l'ouverture du portail. Plié en deux, courant de manière empruntée, il traversa la pelouse brunie, conscient des deux fenêtres de la tour qui le toisaient tels les yeux sombres et accusateurs d'un géant. Il se plaqua contre la façade en stuc à côté de la porte d'entrée. Il avait le souffle coupé et transpirait malgré la relative fraîcheur de l'air matinal.

La poignée de la porte refusa de tourner. Il resta là un long moment, à tendre l'oreille, sans percevoir le moindre bruit. Finalement, accroupi pour passer sous les fenêtres du rez-de-chaussée, il contourna la maison jusqu'au garage. Il y avait une autre porte. Verrouillée, elle aussi.

Il reconnut l'arrière de la maison d'après les photos qu'il avait trouvées dans le vieux sac en papier de Moore. Il remarqua les portes-fenêtres qui bordaient la piscine. L'une d'elles était ouverte et le vent en faisait voltiger le rideau blanc, semblable à une main qui l'invitait à entrer.

La porte ouverte donnait sur un vaste salon. Une pièce peuplée de fantômes, des meubles recouverts de draps blancs qui sentaient le renfermé. Rien d'autre. Il se dirigea sur la gauche, traversant sans bruit la cuisine et ouvrant la porte du garage. A l'intérieur se trouvaient une voiture, recouverte elle aussi de draps, et une camionnette vert pâle, portant sur le côté l'inscription MEXITEC. Bosch posa la main sur le capot de la camionnette. Il était encore chaud. A travers le pare-brise, il aperçut un fusil à canon scié sur le siège du passager. Il ouvrit la portière non verrouillée et s'empara de l'arme. Aussi silencieusement que possible, il l'ouvrit et constata que les deux canons étaient chargés avec des cartouches de double zéro.

Il tira le drap qui masquait l'autre véhicule, et reconnut la Thunderbird qu'il avait vue sur la photo où figuraient le père et le fils. En regardant cette voiture, il se demanda jusqu'où il fallait remonter pour retrouver l'origine des choix qu'on faisait dans sa vie. Pour Moore, il ne connaissait pas la réponse. Il ne connaissait pas davantage celle qui le concernait.

Retournant dans le salon, il s'immobilisa et tendit l'oreille. Rien. La maison paraissait immobile, vide, et elle sentait le moisi, comme si le temps s'écoulait lentement et douloureusement dans l'attente de quelque chose, ou de quelqu'un, qui ne venait pas. Toutes les pièces étaient remplies de fantômes. Il observait la silhouette d'un fauteuil recouvert lorsqu'il entendit le bruit. Venu du haut, comme une chaussure qui tombe sur un plancher.

Il se dirigea vers l'avant de la maison et, dans le vestibule, il découvrit le grand escalier de pierre. Il en gravit lentement les marches. Le bruit venu de l'étage ne se reproduisit pas.

Arrivé au premier, Bosch emprunta un couloir recouvert d'un tapis, jetant au passage un coup d'œil derrière les portes de quatre chambres et deux salles de bains, toutes vides.

Il retourna alors vers l'escalier et grimpa dans la tour. L'unique porte donnant sur le dernier palier était ouverte, mais Harry n'entendait aucun bruit. Accroupi, il s'avança à petits pas, guidé par le fusil à canon scié tendu devant lui comme une baguette de sourcier.

Moore était là. Debout, tournant le dos à la porte, il se regardait dans un miroir. Celui-ci était fixé à l'intérieur de la porte d'une penderie entrouverte et orienté de telle façon qu'il ne reflétait pas l'image de Harry. Ce dernier put ainsi observer Moore pendant un instant, sans être vu.

Puis il regarda autour de lui. Sur le lit installé au centre de la pièce était posée une valise ouverte. A côté se trouvait un sac de sport fermé et qui semblait déjà prêt. Moore n'avait toujours pas bougé. Il contemplait fixement son reflet dans le miroir. Sa barbe avait poussé, et ses yeux étaient marron. Il portait un jean délavé, des bottes en serpent neuves, un T-shirt et un blouson en cuir noirs, avec des gants assortis. De loin, il pouvait aisément passer pour le Pape de Mexicali.

Bosch remarqua la crosse bois et chrome du pistolet automatique glissé dans la ceinture de Moore.

– Alors, Harry, tu as l'intention de rester là sans rien dire ?

Sans bouger les mains ou la tête, Moore fit basculer le poids de son corps sur la gauche ; déjà les deux hommes s'observaient dans le miroir.

– Tu t'es acheté une nouvelle paire de bottes avant de buter Zorillo, hein ?

Cette fois, Moore se retourna complètement pour lui faire face. Mais il ne dit rien.

– Garde tes mains éloignées du corps, comme ça, ordonna Bosch.

– Si tu veux, Harry. Tu sais, je me disais que si quelqu'un venait, ce serait forcément toi.

– Tu voulais que quelqu'un vienne, hein ?

– Certains jours, oui. D'autres, non.

Bosch s'avança dans la pièce et, faisant un pas de côté, se retrouva juste en face de Moore.

– Lentilles de contact, barbe. Tu ressembles au Pape... de loin. Mais comment as-tu fait pour convaincre ses lieutenants, sa *guardia* ? Ils étaient prêts à te laisser prendre la place de leur boss sans rien dire ?

– L'argent a su les convaincre. Ils t'auraient certainement laissé faire toi aussi si tu avais eu du blé, Harry. Vois-tu, tout est négociable quand on tient les cordons de la bourse. Et c'était mon cas... (D'un petit mouvement de tête, Moore désigna le sac de sport sur le lit.) Qu'en penses-tu ? J'ai du fric. Pas beaucoup. Dans les cent mille dollars.

– Je pensais que tu foutrais le camp avec un plus gros magot...

– Oh, ne t'en fais pas. Ce sac ne contient que de l'argent de poche. J'avoue que tu m'as pris un peu de court. Mais je peux t'en filer plus. Le reste est à la banque.

– Je suppose que tu as appris à imiter la signature de Zorillo, en plus de son apparence ? (Moore ne répondit pas.) Qui était-ce ?

– Qui ça ?

– Tu sais bien de qui je parle.

– Mon demi-frère. Nous n'avions pas le même père.

– Cette maison... C'est à cause d'elle, hein ? C'est le château où tu vivais avant d'être chassé ?

– Oui, en quelque sorte. J'ai décidé de l'acheter après sa mort. Mais il tombe en ruine, maintenant. De nos jours, c'est dur d'entretenir les choses qu'on aime. Tout pose problème.

Bosch l'observa. Moore semblait fatigué, las de tout.

– Que s'est-il passé au ranch ? demanda-t-il.

– Tu veux parler des trois cadavres ? Bah, on pourrait dire que justice a été rendue. Grena était une sangsue qui suçait le fric de Zorillo depuis des années. Disons qu'Arpis a détruit la sangsue.

– Dans ce cas, qui s'est occupé d'Arpis et de Dance ?

– C'est moi, Harry.

Il avait dit cela sans la moindre hésitation, et ces paroles pétrifièrent Bosch. Moore était un flic. Il savait qu'il ne fallait jamais rien avouer. On ne parlait qu'en présence de son avocat, une fois la peine négociée et l'accord signé.

Harry déplaça ses mains moites sur le canon scié du fusil. Il fit un pas en avant, guettant d'autres bruits dans la maison. Il n'y avait que le silence, jusqu'à ce que Moore reprenne la parole :

– Je ne rentrerai pas, Harry. Je suppose que tu t'en doutes.

Il avait dit cela d'un ton détendu, comme s'il s'agissait d'une chose convenue, décidée depuis longtemps.

– Comment as-tu attiré Zorillo à L. A., et ensuite dans cette chambre de motel ? Comment t'es-tu procuré ses empreintes pour ton dossier ?

– Tu veux que je te raconte tout, Harry ? Et ensuite ?

Moore jeta un bref regard en direction du sac de sport.

– Ensuite rien. On rentre à L. A. Je ne t'ai pas encore lu tes droits, rien de ce que tu diras ne peut être utilisé contre toi. Il n'y a que toi et moi ici.

– Pour les empreintes, c'était facile. Je lui fabriquais des papiers d'identité. Il en avait trois ou quatre différents pour pouvoir franchir la frontière quand il le souhaitait. Un jour, il m'a demandé un passeport et un jeu complet de papiers. Je lui ai dit que j'avais besoin d'empreintes. Je les ai prises moi-même.

– Et le motel ?

– Comme je te l'ai dit, il franchissait souvent la frontière. Il empruntait le tunnel, et les connards des stups restaient là à surveiller le ranch, persuadés qu'il était toujours à l'intérieur. Il aimait venir faire un tour à L. A. pour voir les matchs des Lakers, s'asseoir au bord du terrain, à côté de cette actrice blonde qui adore passer à la télé. Enfin bref, un jour où il était là-bas, je lui ai fait savoir que je voulais le rencontrer. Il est venu.

– Et tu l'as buté pour prendre sa place… Et le vieux Mexicain, le journalier ? Qu'avait-il fait, lui ?

– Il s'est trouvé au mauvais endroit au mauvais moment. Zorillo m'a raconté que ce type l'avait vu sortir du tunnel lors de son dernier voyage. Il n'avait rien à foutre dans cette pièce. Je suppose qu'il n'avait pas su lire ce qui était écrit sur les panneaux. Zorillo ne pouvait pas prendre le risque qu'il parle du tunnel à quelqu'un.

– Mais pourquoi l'as-tu balancé dans cette ruelle à L. A. ? Pourquoi ne l'as-tu pas simplement enterré à Joshua Tree ? Un endroit où personne ne l'aurait jamais retrouvé…

Le désert, c'était une bonne idée ; malheureusement, ce n'est pas moi qui ai balancé le corps, Bosch. Tu ne comprends donc pas ? Ils me tenaient, ces salopards. Ils l'ont amené jusque là-bas pour le balancer dans la ruelle. Arpis s'en est chargé. Ce soir-là, je reçois un coup de fil de Zorillo, il me demande de le rejoindre au Egg and I. « Gare-toi dans la ruelle derrière », me dit-il. Là, je découvre le macchabée. Pas question que j'y touche. Alors, j'ai prévenu les flics. Tu vois, c'était une façon supplémentaire pour lui de me tenir en son pouvoir. Et j'ai continué. Porter a hérité de l'enquête et j'ai conclu un marché avec lui pour qu'il mette la pédale douce.

Bosch ne dit rien. Il essayait de se représenter la suite des événements décrits par Moore.

– Ça commence à devenir lassant, mec. Tu veux me coincer ? Tu veux me ramener pour jouer les héros ?

– Pourquoi n'as-tu pas laissé tomber ? demanda Bosch.

– De quoi tu parles ?

– Cette maison. Ton père. Tout le reste. Tu aurais dû tirer un trait sur le passé.

– On m'a volé ma vie ! Il nous a foutus dehors à coups de pied dans le cul. Ma mère… Comment veux-tu oublier un passé pareil ? Va te faire foutre, Bosch. Tu ne sais pas de quoi tu parles.

Bosch ne releva pas. Mais il avait conscience de laisser la situation s'éterniser. Moore était en train de prendre le dessus.

– Quand j'ai appris qu'il était mort, ça a fait tilt dans ma tête, reprit celui-ci. Difficile à expliquer. J'ai décidé qu'il me fallait cette maison, alors je suis allé voir mon frère. Ce fut mon erreur. Au début, ça a commencé en douceur, mais ça n'a jamais arrêté. Rapidement, j'ai fini par gérer toutes ses affaires à L. A. Il fallait que j'échappe à cette merde. Il n'y avait qu'une seule issue.

– Ce n'était pas la bonne.

– Te fatigue pas, Bosch. J'ai largement eu le temps d'y réfléchir.

Bosch était certain que Moore lui avait raconté l'histoire telle qu'il la voyait. Il avait épousé le diable. Il avait découvert qui il était.

– Pourquoi moi ? demanda Bosch.

– Hein ?

– Pourquoi m'as-tu laissé ce dossier ? Sans lui, je ne serais pas ici en face de toi. Tu serais peinard.

– Tu me servais d'assurance, Bosch. Tu ne comprends pas ? J'avais besoin d'un truc au cas où l'histoire du suicide ne marcherait pas. Je me suis dit qu'à partir de ce dossier tu mènerais ton enquête. Je savais que tu tirerais le signal d'alarme. Meurtre. Je n'avais pas prévu que tu irais si loin. J'étais persuadé qu'Irving et les autres te feraient taire parce qu'ils ne voulaient surtout pas connaître la vérité. Leur désir était que cette affaire soit enterrée en même temps que moi.

– Et Porter ?

– Ah… Porter était un faible. Il est sans doute plus heureux là où il est maintenant.

– Et moi ? J'aurais été plus heureux, moi aussi, si Arpis avait réussi à me descendre dans ma chambre à l'hôtel ?

– Tu devenais trop dangereux, Bosch. Il fallait t'éliminer.

Harry n'avait plus rien à dire ni à demander. Moore semblait deviner qu'ils étaient arrivés au moment crucial. Il essaya encore une fois, malgré tout :

– Bosch, il y a un gros paquet de fric dans ce sac. Il est à toi.

– Ça ne m'intéresse pas, Moore. On rentre.

Cette idée fit s'esclaffer Moore.

– Tu crois vraiment que quelqu'un là-bas s'intéresse à cette putain d'histoire ?… (Bosch ne répondit pas.) Au département, tout le monde s'en contrefout ! reprit Moore. Ils ne veulent pas entendre parler de ce genre de trucs. C'est mauvais pour leur réputation, mec. Mais toi, tu ne fais pas partie du troupeau, Bosch. Tu en fais partie sans en faire partie. Tu vois ce que je veux dire ? C'est ça, le problème. Vas-y, ramène-moi pour voir. A leurs yeux, tu ne vaudras pas mieux que moi. A cause de ce wagon de merde que tu traîneras derrière toi. Tu veux que je te dise ? Je crois que tu es le seul que ça intéresse, Bosch. Sincèrement. Alors, prends le fric et barre-toi.

– Et ta femme ? Tu crois qu'elle s'en fout, elle aussi ?

Cela le fit hésiter, l'espace d'un instant du moins.

– Sylvia ? Je ne sais pas. Je l'ai perdue il y a longtemps. Je ne sais pas si elle s'en fout ou pas. Moi en tout cas, ça ne m'intéresse plus…

Bosch l'observa, à la recherche de la vérité.

– De l'eau a coulé sous les ponts, reprit Moore. Prends le fric. Je pourrai t'en filer davantage plus tard.

– Je ne peux pas prendre cet argent. Et je crois que tu le sais.

– Oui, je crois que je le sais. Mais toi tu sais aussi que je ne peux pas rentrer avec toi. Alors, qu'est-ce qu'on fait ?

Bosch fit passer son poids sur sa jambe gauche, la crosse du fusil appuyé contre sa hanche. Il y eut un long silence au cours duquel il tenta d'examiner ses propres motivations. Pourquoi n'avait-il pas ordonné à Moore de sortir son pistolet de sa ceinture et de le laisser tomber par terre ?

D'un geste vif et fluide, Moore fit jaillir sa main droite pour sortir son arme de sa ceinture. Il braquait le canon sur Bosch au moment où les doigts de celui-ci se refermaient sur les détentes du fusil à canon scié. La double détonation fut assourdissante dans la pièce. Moore reçut la décharge en plein visage. A travers la fumée, Bosch vit son corps être propulsé en arrière. Il leva les bras au ciel et retomba sur le lit. Il eut le temps de tirer toutefois, la balle allant briser un des carreaux des fenêtres cintrées. Son arme retomba sur le sol.

Des morceaux de bourre noircie provenant des cartouches retombèrent, flottant dans le sang de l'homme sans tête. Une forte odeur de poudre avait envahi la chambre, et Bosch sentit une légère brume humide sur son visage ; à l'odeur, il sut que c'était du sang.

Il demeura figé pendant plus d'une minute, puis il se retourna et découvrit son reflet dans le miroir de la penderie. Il s'empressa de détourner le regard.

Il s'approcha du lit et ouvrit la fermeture éclair du sac. Celui-ci contenait des liasses et des liasses de billets, essentiellement des billets de cent dollars. Ainsi qu'un portefeuille et un passeport. Sur les papiers, Moore s'appelait Henry Maze, quarante ans, vivant à Pasadena. Deux photos étaient glissées dans le passeport.

La première était un Polaroïd qui provenait certainement du sac en papier. On y voyait Moore et son épouse quand ils avaient une vingtaine d'années. Ils étaient assis sur un canapé, sans doute dans une soirée. Sylvia ne regardait pas l'objectif. Elle regardait Moore. Bosch comprit pourquoi il avait choisi d'emporter cette photo. A cause du magnifique regard amoureux de Sylvia. La seconde était une vieille photo en noir et blanc décolorée sur les bords, signe qu'on l'avait ôtée d'un cadre. Elle représentait Cal Moore et Zorillo enfants. Ils chahutaient en riant, torse nu. Leur peau était lisse et cuivrée, marquée seulement par les tatouages. Les deux garçons portaient sur le bras le signe des Saints et des Pécheurs.

Harry jeta le portefeuille et le passeport dans le sac de sport, mais glissa les deux photos dans sa poche de veste. Il s'approcha ensuite de la fenêtre au carreau cassé pour contempler la piste du Coyote et la plaine qui s'étendait jusqu'à la frontière. Aucune voiture de police en vue. Pas plus d'ambulance. Les murs épais du château avaient étouffé le bruit de la mort d'un homme.

Le soleil était déjà haut dans le ciel, Harry sentit sa chaleur à travers le triangle de verre brisé.

33

Bosch ne recommença à se sentir lui-même qu'en atteignant la périphérie polluée de L. A. Il était de retour dans le smog, la crasse, et pourtant, il savait que c'était là que ses blessures guériraient. Il contourna le centre ville par la voie rapide et remonta par Cahuenga Pass. La circulation de la mi-journée était fluide. En levant les yeux vers les collines, il découvrit le chemin carbonisé creusé par l'incendie de la nuit de Noël. Cette vision lui procura un certain réconfort. Il savait que la chaleur des flammes avait fait éclater les graines des fleurs des champs, et au printemps la colline serait une débauche de couleurs. Les cactus et les buissons suivraient et, bientôt, il n'y aurait plus aucune cicatrice sur la terre.

Il était 13 heures passées. Harry arrivait trop tard pour assister à la messe de funérailles de Moore à la mission San Fernando. Aussi décida-t-il de traverser la Vallée pour se rendre directement au cimetière. Calexico Moore, tué dans l'exercice de son devoir, devait être inhumé dans Eternal Valley à Chatsworth, en présence du chef de la police, du maire et des médias. Bosch ne put s'empêcher de sourire. « Nous sommes réunis ici pour honorer et enterrer un trafiquant de drogue. »

Il arriva sur place avant le cortège d'automobiles, mais les journalistes étaient déjà installés sur un petit promontoire près de l'entrée du cimetière. Postés dans l'allée, des hommes en costume noir, chemise blanche et cravate noire, avec des brassards de deuil autour du bras gauche, lui indiquèrent l'endroit où se garer. Assis derrière son volant, Bosch se servit de son rétroviseur pour nouer sa cravate. Il n'était pas rasé, il avait l'air de sortir du lit, mais il s'en fichait.

La tombe était située près d'un bosquet de chênes. Un des types avec un brassard de crêpe lui avait montré le chemin. Harry traversa la pelouse, en contournant des pierres tombales, tandis que le vent faisait voler ses cheveux dans tous les sens. Il prit position à bonne distance du dais en tissu vert et du tertre de fleurs et s'appuya contre un arbre. Il fuma une cigarette en regardant les voitures qui commençaient à arriver. Quelques-unes avaient devancé la procession. Mais soudain, il entendit le bruit des hélicoptères, les appareils de la police de l'air qui survolaient le corbillard et ceux des médias qui déjà commençaient à tourner en bourdonnant autour du cimetière comme des mouches. Puis les premières motos franchirent les grilles et Bosch regarda les caméras de télé installées sur le promontoire suivre la progression de cette longue colonne. Il y avait au moins deux cents motos. Le meilleur jour pour griller un feu rouge, dépasser la vitesse autorisée ou effectuer un demi-tour interdit en plein carrefour, c'était le jour de l'enterrement d'un flic, songea Bosch. Il n'y avait plus personne pour garder la boutique.

Le corbillard et la limousine qui l'escortait suivaient les motos. Arrivèrent ensuite les autres voitures, et soudain, voilà que des gens se garaient dans tous les coins et traversaient le cimetière en tous sens pour se diriger vers la tombe. Bosch vit un des hommes avec un brassard aider Sylvia Moore à descendre de la limousine. Elle était venue seule. Bien qu'elle se trouvât à une cinquantaine de mètres de lui, Bosch constata combien elle était belle. Elle portait une robe noire très sobre que le vent violent plaquait contre elle, soulignant sa silhouette. D'une main, elle était obligée de maintenir la barrette noire dans ses cheveux pour éviter qu'elle ne s'envole. Elle avait mis des gants noirs et des lunettes noires. Un rouge à lèvres carmin. Harry ne pouvait détacher son regard d'elle.

L'homme au brassard de crêpe la conduisit jusqu'à une rangée de chaises pliantes installées sous le dais, à proximité du trou creusé avec soin dans la terre. En chemin, elle tourna légèrement la tête, et Bosch crut qu'elle le cherchait, sans en être certain, car ses lunettes noires masquaient ses yeux et son visage ne trahissait aucune émotion. Lorsqu'elle fut assise, les porteurs, composés de Rickard, de plusieurs membres de la brigade de Moore et de quelques autres que Bosch ne connaissait pas, apportèrent le cercueil gris métallisé.

– Ça y est, tu es revenu, dit une voix dans son dos.

Bosch se retourna pour voir Teresa Corazon s'avancer vers lui.

– Oui, à l'instant.

– Tu aurais besoin de te raser.

– Entre autres. Alors, comment ça va, Teresa ?

– Ça ne pourrait pas aller mieux.

– Tu m'en vois ravi. Alors, que s'est-il passé ce matin après notre conversation téléphonique ?

– A peu près ce que tu prévoyais. Nous avons sorti les empreintes de Moore de l'ordinateur du ministère de la Justice pour les comparer avec celles que nous avait données Irving. Elles ne correspondent pas. Il s'agit de deux personnes différentes. Autrement dit, ce n'est pas Moore dans la boîte en fer là-bas.

Bosch acquiesça. Evidemment, il n'avait plus besoin de la confirmation de Teresa maintenant. Il avait eu la sienne. Il repensa au corps sans visage de Moore étendu sur le lit.

– Qu'est-ce que tu vas faire de ça ? demanda-t-il.

– C'est déjà fait.

– Ah ?

– J'ai eu une petite discussion avec le chef adjoint Irving avant la messe. Si tu avais vu sa tête !

– Malgré cela, il n'a pas annulé les funérailles.

– Il mise sur les probabilités, j'imagine. Si Moore sait où se trouve son intérêt, il y a de fortes chances pour qu'il ne refasse plus jamais surface. Conclusion, Irving espère en être quitte pour une simple recommandation sur le bureau du médecin légiste chef. C'est lui qui me l'a proposé ; je n'ai même pas eu besoin de lui expliquer la situation.

– J'espère que ce boulot te plaira, Teresa. Tu es dans le ventre de la bête, désormais.

– J'en suis sûre, Harry. Et merci de m'avoir appelée ce matin.

– Irving sait-il comment tu as découvert la vérité ? Tu lui as dit que je t'avais appelée ?

– Non. Mais je suis certaine que ce n'était pas nécessaire.

Elle avait raison. Irving savait forcément que Bosch était mêlé à ça, d'une manière ou d'une autre. Il observa de nouveau Sylvia Moore, par-dessus l'épaule de Teresa. Elle était assise, immobile. Les deux chaises qui l'entouraient étaient vides. Personne ne viendrait s'installer près d'elle.

– Bon, je rejoins les autres, dit Teresa. J'ai promis à Dick Ebart de le retrouver ici. Il veut fixer une date pour le vote de la commission.

Bosch acquiesça. Ebart siégeait au conseil du comté depuis maintenant vingt ans, et il approchait des soixante-dix ans. Il était le supporter officieux de Teresa dans cette course au poste de légiste chef.

– Harry, j'aimerais que nos relations restent sur le terrain professionnel. J'apprécie beaucoup ce que tu as fait pour moi aujourd'hui, mais je préfère qu'on garde nos distances, pour l'instant du moins.

Il hocha la tête et la regarda se diriger vers le groupe des officiels d'une démarche mal assurée à cause de ses hauts talons qui s'enfonçaient dans l'herbe. Un bref instant, il l'imagina copulant avec le vieux Ebart, dont on reconnaissait facilement les photos dans les journaux grâce à son cou flasque et fripé comme du papier crépon. Cette image le dégoûta, et il se dégoûta lui-même. Il la chassa de son esprit et regarda Teresa se mêler à la foule, serrant des mains et entrant déjà dans la peau de la politicienne qu'elle allait devenir. Il éprouva un sentiment de tristesse pour elle.

Le service allait débuter dans quelques minutes, et des gens continuaient d'arriver. Parmi la foule, il repéra le crâne luisant du chef adjoint Irving. Celui-ci avait revêtu son uniforme de cérémonie et tenait sa casquette sous son bras. Présentement, il s'entretenait avec le chef de la police et un des proches collaborateurs du maire. Ce dernier était visiblement en retard, comme toujours. Apercevant Bosch, Irving prit congé des deux hommes et s'avança vers lui. Il marchait en donnant l'impression d'observer les montagnes au loin. Il ne regarda pas Bosch avant de l'avoir rejoint sous le chêne.

– Inspecteur.
– Chef.
– Quand êtes-vous rentré ?
– A l'instant.
– Vous auriez besoin de vous raser.
– Oui, je sais.
– Alors, qu'est-ce qu'on fait ? Qu'est-ce qu'on fait, maintenant ?

Il avait prononcé ces mots d'un ton désabusé, presque mélancolique, et Bosch se demanda si Irving attendait vraiment une réponse.

– Vous savez, inspecteur Bosch, reprit le chef adjoint, en ne vous voyant pas dans mon bureau hier matin comme je vous l'avais ordonné, j'ai déposé une demande de sanction contre vous.
– Je m'en doutais, chef. Je suis suspendu ?
– Aucune sanction n'a encore été prise. Je suis un homme juste. Je voulais d'abord m'entretenir avec vous. Vous avez eu une conversation avec le médecin légiste chef par intérim ce matin ?

Bosch n'avait pas l'intention de lui mentir. Cette fois, il pensait avoir tous les atouts en main.

– Oui, je voulais qu'elle compare quelques empreintes.
– Que s'est-il passé là-bas qui vous ait poussé à demander cela ?
– Je n'ai pas envie d'en parler, chef. D'ailleurs, je suis sûr que vous saurez tout par la presse.
– Je ne parle pas de ce raid malheureux de la brigade des stups. Je parle de Moore. Bosch, j'ai besoin de savoir si je dois aller voir ces gens là-bas et arrêter les funérailles.

Bosch regarda une veine bleue qui saillait sous la peau du crâne rasé d'Irving. Elle palpita un instant, puis s'arrêta.

– Là, je ne peux rien faire pour vous, chef. Ce n'est pas de mon ressort. Tiens, nous avons de la visite…

Irving se retourna vers la foule rassemblée. Le lieutenant Harvey Pounds, vêtu lui aussi de son uniforme de cérémonie, s'avançait vers eux. Sans doute voulait-il savoir combien d'affaires il pourrait enfin classer grâce au travail de Bosch. Mais Irving leva la main à la manière d'un policier qui règle la circulation et Pounds s'immobilisa brusquement, pivota sur ses talons et repartit.

– Ce que j'essaye de vous expliquer, inspecteur Bosch, c'est que de toute évidence nous sommes sur le point d'enterrer avec les honneurs un trafiquant de drogue mexicain, alors qu'un officier de police corrompu se promène en liberté. Avez-vous une idée de la gêne que… Bon sang ! Je n'arrive pas à croire que j'aie prononcé ces paroles à voix haute. Je n'arrive pas à croire que j'aie dit ça devant vous !

– Vous n'avez guère confiance en moi, hein, chef ?

– Dans ce genre d'affaires, je n'ai confiance en personne.

– Ne vous inquiétez pas pour ça.

– Je ne m'inquiète pas de savoir à qui je peux faire confiance ou pas.

– Je parle du fait d'enterrer un baron de la drogue pendant qu'un flic corrompu se promène en liberté. Ne vous inquiétez pas pour ça.

Irving l'observa en plissant les yeux, comme s'il espérait traverser le regard de Bosch et pénétrer ainsi dans ses pensées.

– Vous vous fichez de moi ? Ne pas m'inquiéter, dites-vous ? Cette ville et sa police risquent de se trouver confrontées à un scandale d'une ampleur inimaginable ! Cela pourrait…

– Ecoutez, je vous dis de laisser tomber. Vous comprenez ? J'essaye de vous tirer une épine du pied.

Irving l'observa de nouveau, un long moment. Il balança le poids de son corps sur son autre jambe. La veine sur son crâne se remit à battre. Bosch savait qu'Irving ne pouvait digérer une chose pareille : savoir qu'un type comme Harry Bosch conservait un tel secret. Teresa Corazon n'était pas un problème, car l'un et l'autre jouaient dans la même équipe. Mais Bosch était différent. Harry savoura cet instant, malgré le silence qui s'éternisait.

– J'ai interrogé les stups au sujet du fiasco de l'opération. Ils m'ont expliqué que l'homme qu'ils croient être Zorillo s'est échappé. Ils ignorent où il se trouve.

C'était une tentative médiocre pour lui tirer les vers du nez. Ça ne marcha pas.

– Ils ne le sauront jamais, fit Bosch.

Irving ne dit rien, et Bosch se garda bien de rompre ce nouveau silence. Le chef adjoint était en train de réfléchir. Harry le laissa faire en regardant les muscles puissants de ses mâchoires former deux boules compactes.

– Bosch, je veux savoir immédiatement s'il y a un problème quelque part. Même un problème potentiel. Car j'ai trois minutes pour décider si je dois retourner là-bas avec le chef de la police et le maire, devant les caméras de télé, et tout arrêter.

– Que font les stups ?

– Que voulez-vous qu'ils fassent ? Ils surveillent les aéroports, ils contactent les autorités locales. Ils font circuler sa photo et son signalement. Ils ne peuvent pas faire grand-chose. Ce type a disparu dans la nature. Du moins, c'est ce qu'ils disent. Je veux savoir s'il risque de réapparaître un de ces jours.

Bosch secoua la tête.

– Ils ne retrouveront jamais l'homme qu'ils cherchent, chef.

– Il faut m'en convaincre, Bosch.

– Impossible.

– Pourquoi ?

– La confiance est un sentiment réciproque. Le manque de confiance également.

Irving sembla réfléchir à cette affirmation, et Bosch crut déceler un hochement de tête quasiment imperceptible chez son partenaire.

– L'homme qu'ils cherchent, celui qu'ils pensent être Zorillo, a pris la clé des champs et il ne reviendra pas. Vous n'avez pas besoin d'en savoir plus.

Bosch repensa au corps allongé sur le lit à Castillo de los Ojos. Déjà, il n'avait plus de visage. Dans quinze jours le corps se décomposerait. Plus d'empreintes. Plus de moyen d'identification, excepté les faux papiers dans le portefeuille. Le tatouage, lui, resterait intact pendant un certain temps. Mais nombreux étaient ceux qui arboraient le même, à commencer par Zorillo, le fugitif.

Bosch avait également abandonné l'argent sur place. Une précaution supplémentaire, suffisante peut-être pour convaincre celui qui découvrirait le corps en premier de ne pas se donner la peine d'appeler la police. Juste la peine de prendre le fric et de foutre le camp sans se retourner.

Avec son mouchoir, il avait effacé ses empreintes sur le fusil avant de laisser ce dernier dans la chambre. Il avait verrouillé la maison, remis la chaîne autour des barreaux noirs de la grille et refermé le cadenas, en prenant soin de bien essuyer tout ce qu'il touchait. Après quoi il avait repris le chemin de L. A.

– Et les stups, ils progressent ? demanda-t-il à Irving.

– Oui. J'ai appris que le réseau avait été entièrement démantelé. Ils ont établi que cette drogue baptisée glace noire était fabriquée à l'intérieur du ranch, transportée dans un tunnel vers deux usines situées à proximité et expédiée ensuite de l'autre côté de la frontière. Le chargement effectuait un détour, très certainement par Calexico, où il était récupéré, et le camion de livraison poursuivait sa route normalement. Les deux entreprises ont été mises sous scellés. L'une d'elles avait un contrat avec l'Etat pour la production de mouches stériles ; cela risque d'entraîner une situation embarrassante.

– EnviroGènes.

– Exact. Dès demain, ils finiront de comparer les bons de livraison fournis par les chauffeurs à la frontière avec les registres du centre d'éradication ici à Los Angeles. Je me suis laissé dire que ces documents étaient falsifiés ou faux. Autrement dit, il y avait plus de boîtes scellées qui franchissaient la frontière qu'il n'en arrivait au centre.

– Complicité interne.

– Très certainement. L'inspecteur du ministère de l'Agriculture en poste là-bas était stupide ou corrompu. Franchement, je ne sais pas ce qu'il y a de plus grave.

Irving chassa du revers de la main une poussière imaginaire sur l'épaule de son uniforme. Ça ne pouvait pas être un cheveu ni une pellicule, étant donné qu'il n'avait ni l'un ni l'autre. Il tourna la tête en direction du cercueil et du groupe d'officiers rassemblés autour. La cérémonie allait débuter. Il redressa les épaules et, sans se retourner vers Bosch, il lui dit :

– Je ne sais pas quoi penser. Je ne sais pas si vous bluffez ou non… (Bosch ne répondit pas. Après tout, Irving pouvait bien se faire un peu de souci.) N'oubliez pas une chose, Bosch. Vous avez autant à perdre que le département dans cette affaire. Davantage même. Le département, lui, peut toujours s'en remettre, se relever. Ça risque de prendre du temps, mais il se relèvera toujours. On ne peut pas en dire autant d'un individu éclaboussé par le scandale.

Bosch sourit tristement. Toujours couvrir ses arrières. Voilà comment fonctionnait Irving. Sa dernière remarque était une menace, une manière de lui dire que s'il utilisait ce qu'il savait pour nuire à la police, lui aussi serait entraîné dans la chute. Irving s'en chargerait personnellement.

– Vous avez peur ? demanda Bosch.

– Peur de quoi, inspecteur ?

– De tout. De moi. De vous-même. Peur que ça éclate. Peur que je puisse me tromper. De tout, quoi. N'avez-vous pas peur de tout, en fait ?

– La seule chose dont j'ai peur, ce sont des gens sans morale. Ceux qui agissent sans réfléchir. Mais je pense que vous ne faites pas partie de ces gens… (Bosch se contenta de secouer la tête.) Alors, finissons-en, inspecteur. Je dois rejoindre le chef de la police et je vois que le maire vient d'arriver. Que désirez-vous… pourvu que cela reste dans le cadre de mes compétences ?

– Je n'accepterai jamais rien de vous, lui répondit calmement Bosch. C'est ce que vous ne semblez pas comprendre.

Finalement, Irving se retourna vers lui.

– Vous avez raison, Bosch, je ne vous comprends pas. Pourquoi tout risquer en échange de rien ? Vous voyez mon problème ? Voilà qui fait renaître mon inquiétude à votre sujet. Vous ne jouez pas avec l'équipe. Vous jouez en solitaire dans votre coin.

Bosch regarda Irving sans ciller, et sans sourire, bien qu'il en ait envie. Le chef adjoint venait de lui faire un joli compliment, même s'il ne pouvait s'en douter.

– Ce qui s'est passé là-bas n'a rien à voir avec la police,

dit-il. Si j'ai fait quelque chose, je l'ai fait pour quelqu'un et quelque chose d'autre.

Irving l'observait fixement lui aussi, le regard vide, en grinçant des dents, ce qui faisait saillir les muscles de sa mâchoire. Un petit sourire en coin apparut sur son visage luisant. C'est alors que Bosch remarqua la similitude. Le masque du diable. Comme sur les tatouages de Moore et Zorillo. Une étincelle s'alluma dans le regard d'Irving, et il hocha la tête d'un air entendu. Il se tourna brièvement vers Sylvia, avant de reporter son attention sur Bosch.

– Ah, vous êtes un homme magnanime, hein ? Tout ça pour assurer la pension d'une veuve de flic ?

Bosch garda le silence. Il se demanda s'il s'agissait d'une supposition ou si Irving savait quelque chose. Difficile à dire.

– Qu'est-ce qui vous fait croire qu'elle n'était pas dans le coup ? demanda Irving.

– Je le sais.

– Comment pouvez-vous en être sûr ? Comment pouvez-vous courir le risque ?

– Pour la même raison que vous. La lettre.

– La lettre ?

Sur le chemin du retour, Harry n'avait fait que repenser à Moore. Il avait eu quatre heures de route sans encombrements pour assembler le puzzle. Il détenait enfin toutes les pièces.

– Moore a écrit cette lettre lui-même, expliqua-t-il. Disons qu'il s'est dénoncé, si vous voulez. Ça faisait partie de son plan. La lettre était le point de départ. C'est lui qui l'a rédigée.

Il s'interrompit pour allumer une cigarette. Irving ne dit rien ; il attendait la suite de l'histoire.

– Pour des raisons qui remontent, je pense, à son enfance, Moore a pété les plombs. Il est passé de l'autre côté de la barrière et ensuite, il s'est aperçu qu'il n'y avait plus moyen de faire marche arrière. Mais il ne pouvait plus continuer comme ça, il fallait que ça s'arrête. D'une manière ou d'une autre… Son but avec cette lettre était de déclencher une enquête d'Internal Affairs. Il en disait suffisamment pour convaincre Chastain que ce n'était pas du bidon, mais pas assez pour lui permettre de découvrir quoi que ce soit. La lettre servirait uniquement à salir sa réputation, à faire peser des soupçons sur lui. Il était dans la police depuis assez longtemps pour savoir comment ça se passerait ; il avait vu opérer Internal Affairs et les types comme Chastain. La lettre a permis de dresser le décor, de rendre l'eau assez boueuse pour que, lorsque l'on retrouverait son corps au motel, les chefs du département, c'est-à-dire vous, n'aient aucune envie d'aller y regarder de trop près. Vous êtes un homme transparent, chef. Moore savait que vous agiriez avec rapidité et efficacité pour protéger la réputation de la police en dépit de tout, avant même de chercher à découvrir ce qui s'était réellement passé. Alors il a envoyé cette lettre. Il s'est servi de vous, chef. Et de moi aussi.

Irving se tourna de nouveau vers la tombe. La cérémonie allait débuter. Il retourna vers Bosch.

– Continuez, inspecteur. Faites vite, je vous prie.

– C'est le système des couches successives. Souvenez-vous, vous m'avez dit qu'il avait loué cette chambre pour un mois. C'était la première protection. Si on n'avait pas découvert le corps avant un mois, la décomposition aurait réglé le problème. Il n'y aurait plus eu de peau pour relever les empreintes, uniquement les indices qu'il avait laissés dans la chambre, et il était tiré d'affaire.

– Mais on l'a découvert quelques semaines trop tôt..., dit Irving pour accélérer les explications.

– Exact. Ce qui nous amène au deuxième garde-fou. Vous. Moore était flic depuis des années. Il connaissait votre réaction. Il savait que vous iriez chercher son dossier au service du personnel.

– C'était un pari risqué, Bosch.

– Si je peux me permettre, c'était au contraire un pari sans risque. Le soir de Noël, quand je vous ai vu là-bas avec le dossier, j'ai tout de suite su ce qu'il contenait, avant que vous me le disiez. J'imagine très bien Moore prenant le risque d'échanger les fiches d'empreintes. Je vous le répète, il espérait bien que ça n'irait pas jusque-là. Vous étiez la deuxième protection.

– Et vous ? La troisième ?

– Oui, c'est ainsi que je vois les choses, il s'est servi de moi comme d'un ultime garde-fou. Au cas où la thèse du suicide ne prendrait pas, il voulait que quelqu'un cherche les causes éventuelles du meurtre de Moore. C'était moi. Et j'ai marché. Il m'a laissé le dossier et je suis tombé dans le panneau. J'ai cru qu'il était mort à cause des informations que contenait ce dossier. C'était juste un leurre pour détourner l'attention. Moore ne voulait pas qu'on se penche de trop près sur le corps qui gisait sur le sol de la salle de bains. Il avait besoin de temps.

– Mais vous êtes allé trop loin, Bosch. Il n'avait pas prévu cela.

– Il semble que non.

Bosch repensa à sa rencontre avec Moore dans la tour. Il n'arrivait toujours pas à savoir si Moore espérait sa visite, ni même s'il l'attendait. S'il attendait que Harry vienne le tuer. Harry ne le saurait jamais. C'était le dernier mystère de Calexico Moore.

– Du temps pour quoi faire ? demanda Irving.

– Hein ?

– Vous venez de dire qu'il avait besoin de temps…

– Je pense qu'il avait besoin de temps pour se rendre au Mexique, prendre la place de Zorillo, piquer le fric et foutre le camp. Je ne crois pas qu'il avait l'intention de rester le Pape toute sa vie. Il avait juste envie de retourner vivre dans un château…

– Vous dites ?

– Non, rien.

Les deux hommes restèrent muets un instant, avant que Bosch conclue :

– Mais tout cela, ou presque, vous le savez déjà, chef.

– Ah oui ?

– Oui. Je pense que vous avez tout deviné quand Chastain vous a dit que Moore avait lui-même envoyé cette lettre…

– Et comment l'inspecteur Chastain aurait-il su cela ?

Irving refusait de céder le moindre pouce de terrain. Parfait, se dit Harry, car il s'apercevait que le fait de raconter l'histoire l'aidait à y voir plus clair. Comme s'il la soulevait dans la lumière pour mieux en mettre en évidence les défauts.

– En recevant la lettre, Chastain a cru que c'était la femme de Moore qui l'avait envoyée. Il était allé chez elle, et elle a démenti. Il lui demandé sa machine à écrire pour vérifier, et elle lui a claqué la porte au nez. Mais, avant de le foutre dehors, elle lui a répondu qu'elle n'avait pas de machine à écrire. Plus tard, quand on découvre le corps de Moore, Chastain se met à réfléchir, et il va chercher la machine à écrire de Moore dans son bureau au commissariat. Je suppose qu'il a comparé les caractères avec ceux de la lettre. A partir de là, il n'était pas difficile d'en déduire que la lettre avait été écrite par Moore ou quelqu'un du BANG. On peut penser que Chastain les a tous interrogés, et il en a conclu que ce n'était pas l'un d'eux. La lettre avait donc été tapée par Moore.

Irving n'offrit aucune confirmation, mais ce n'était pas nécessaire. Bosch savait. Tout concordait.

– Moore avait un plan excellent, chef. Il nous a roulés. Il connaissait toutes les cartes du jeu avant qu'on les retourne.

– Toutes sauf une, dit Irving. Vous. Il ne pensait pas que vous iriez fourrer votre nez partout.

Bosch ne répondit pas. Il se tourna de nouveau vers Sylvia. Elle était innocente. Elle n'avait rien à craindre. Il vit Irving reporter son attention sur elle également.

– Elle est blanche comme neige, dit Bosch. Vous le savez. Je le sais. Si vous lui faites des ennuis, je vous en ferai, moi aussi.

Ce n'était pas une menace. C'était une offre. Un marché. Irving y réfléchit un instant, puis il hocha la tête, une seule fois.

– Vous l'avez rencontré, là-bas ? demanda-t-il. (Harry savait qu'il voulait parler de Moore, et il savait également qu'il ne pouvait pas répondre.) Que s'est-il passé ?

Après quelques instants de silence, Irving pivota sur ses

talons et, la démarche aussi raide qu'un officier nazi, il regagna la rangée de chaises où étaient assis les VIP et les huiles de la police. Il s'installa sur le siège que son adjudant-major lui avait réservé, juste derrière Sylvia Moore. Pas une seule fois il ne se retourna vers Bosch.

34

Durant toute la cérémonie, Bosch l'avait observée de l'endroit où il se trouvait, sous le chêne. Sylvia Moore ne leva que rarement la tête, pas plus lorsque la rangée d'élèves policiers tira une salve de balles à blanc dans le ciel, que lorsque les hélicoptères de la brigade de la police de l'air passèrent au-dessus du cimetière, en formation de deuil. Une fois, il crut la voir jeter un coup d'œil vers lui, ou du moins dans sa direction, mais il ne put en jurer. Il la trouvait stoïque. Belle.

Quand tout fut terminé et le cercueil dans la tombe, alors que les gens s'en allaient, elle demeura assise et Bosch la vit repousser d'un geste de la main l'offre d'Irving qui proposait de la raccompagner jusqu'à la limousine. Le chef adjoint s'éloigna d'un pas nonchalant, en rajustant son col de veste. Finalement, lorsque les abords de la tombe furent déserts, elle se leva, jeta un regard au fond du trou, puis s'avança vers Bosch. Ses pas étaient ponctués par le claquement des portières dans tout le cimetière. Elle ôta ses lunettes en marchant.

– Tu as suivi mon conseil, dit-elle.

Cette réflexion le plongea dans la confusion. Il observa sa tenue, puis reporta son regard sur son visage. Quel conseil ? Voyant son air perplexe, elle ajouta :

– La glace noire, tu te souviens ? Il faut être prudent. Puisque tu es ici, j'en déduis que tu l'as été.

– Oui, très prudent.

Il remarqua combien ses yeux étaient clairs ; elle paraissait encore plus solide que lors de leur dernière rencontre. C'étaient des yeux qui n'oubliaient pas un geste d'affection. Ni un sale coup.

– Je sais qu'ils me mentent. Peut-être que toi tu me raconteras tout un jour ?

Il hocha la tête, elle fit de même. Ils continuèrent à s'observer, il y eut un moment de silence, ni trop long ni trop court. Un moment parfait, songea Bosch. Une rafale de vent vint briser le charme. Une mèche de cheveux se détacha de la barrette, elle la repoussa avec sa main.

– J'aimerais savoir, dit-elle.

– Quand tu voudras. Peut-être que tu m'expliqueras certaines choses, toi aussi.

– Par exemple ?

– Cette photo qui avait disparu du cadre. Tu savais ce qu'elle représentait, mais tu n'as pas voulu me le dire.

Elle sourit, comme pour dire qu'il s'arrêtait à un détail sans importance.

– C'était juste une photo de Cal avec son ami du barrio. Il y en avait d'autres dans le sac.

– C'était important, mais tu n'as rien dit.

Elle regarda l'herbe à ses pieds.

– Je n'avais pas envie de parler de ça, ni d'y repenser, voilà tout.

– Pourtant, tu n'as pas pu faire autrement.

– Evidemment, c'est toujours comme ça. Ce sont les choses qu'on veut ignorer, oublier, qui reviennent vous hanter.

Ils restèrent muets un instant.

– Tu sais la vérité, hein ? dit-il finalement.

– Je sais quoi ? Que ce n'est pas mon mari qu'on a enterré aujourd'hui ? Je m'en suis douté, oui. Je savais que vous me cachiez des choses. Pas forcément toi. Les autres.

Il acquiesça, et le silence s'installa de nouveau, mais il n'avait rien de pesant. Elle tourna légèrement la tête, vers le chauffeur qui attendait près de la limousine. Il n'y avait plus personne dans le cimetière.

– J'espère que tu me diras au moins une chose, ajouta-t-elle. Maintenant ou plus tard. Si tu peux, évidemment… Est-ce que… euh… Y a-t-il une chance qu'il revienne ?

Bosch secoua lentement la tête. Il scruta son regard pour guetter sa réaction. La tristesse, la peur, ou autre chose. Rien. Elle baissa les yeux sur ses mains gantées, ses doigts entrelacés sur le devant de sa robe.

– Mon chauffeur…, dit-elle, sans achever sa phrase.

Elle esquissa un sourire poli et, pour la centième fois peut-être, Harry se demanda ce qui clochait chez Calexico Moore. Faisant un pas en avant, elle lui caressa la joue. Sa main était chaude, même à travers le gant de soie, et il sentit son parfum sur son poignet. Quelque chose d'extrêmement léger. Pas vraiment une odeur. Une émanation.

– Il faut que j'y aille, je crois, dit-elle.

Il hocha la tête ; elle recula.

– Merci, dit-elle.

Il hocha à nouveau la tête. Il ignorait pour quelle raison elle le remerciait, mais il ne pouvait que hocher la tête.

– Tu m'appelleras ? On pourrait peut-être… Je ne sais pas. Je…

– Je t'appellerai.

A son tour, elle hocha la tête, puis elle pivota pour rejoindre la limousine noire. Harry hésita, puis lui demanda :

– Tu aimes le jazz ? Le saxo ?

Elle s'arrêta, se retourna. Son regard avait quelque chose de tranchant. Besoin de contact charnel. Si évident que Harry se sentit transpercé. Il se demanda si ce n'était pas son propre reflet.

– Surtout les solos, dit-elle. Les passages tristes et mélancoliques. J'adore ça.

– Il y a… Demain soir, c'est trop tôt ?

– C'est le réveillon du jour de l'an.

– Je sais. Je me disais… mais ce n'est peut-être pas le bon moment. L'autre soir… c'était… je ne sais pas.

Elle revint vers lui, posa sa main sur sa joue et attira son visage vers le sien. Harry se laissa faire. Leur baiser dura longtemps, et Harry garda les yeux fermés. Quand elle s'écarta, il ne chercha même pas à savoir si quelqu'un les observait. Il s'en fichait.

– C'est quoi, le bon moment ? demanda-t-elle. (Il n'avait pas la réponse.) Je t'attendrai.

Il sourit, elle sourit.

Elle fit demi-tour pour la dernière fois et marcha vers la voiture. Ses talons claquèrent sur l'asphalte après qu'elle eut quitté le tapis d'herbe. Adossé contre l'arbre, Bosch vit le chauffeur lui ouvrir la portière. Puis il alluma une cigarette et regarda la somptueuse voiture noire l'emporter au-delà des grilles du cimetière, le laissant seul avec les morts.

DU MÊME AUTEUR

Les Égouts de Los Angeles
prix Calibre 38
Seuil, 1993
et « Points Policier », n° P19

La Blonde en béton
prix Calibre 38
Seuil, 1996
et « Points Policier », n° P390

Le Poète
prix Mystère
Seuil, 1997
et « Points Policier », n° P534

Le Cadavre dans la Rolls
Seuil, 1998
et « Points Policier », n° P646

Le Dernier Coyote
Seuil, 1999
et « Points Policier », n° P781

Créance de sang
Grand Prix de littérature policière
Seuil, 1999
et « Points Policier », n° P835

La Lune était noire
Seuil, 2000
et « Points Policier », n° P876

L'Envol des anges
Seuil, 2001
et « Points Policier », n° P989

L'Oiseau des ténèbres
Seuil, 2001
et « Points Policier », n° P1042

Wonderland Avenue
Seuil, 2002
et « Points Policier », n° P1088

Darling Lilly
Seuil, 2003
et « Points Policier », n° P1230

Lumière morte
Seuil, 2003
et « Points Policier », n° P1271

Los Angeles River
Seuil, 2004
et « Points Policier », n° P1359

Deuil interdit
Seuil, 2005
et « Points Policier », n° P1476

La Défense Lincoln
Seuil, 2006
et « Points Policier », n° P1690

Chroniques du crime
Articles de presse (1984-1992)
Seuil, 2006
et « Points Policier », n° P1761

Moisson noire
Les meilleures nouvelles policières américaines
(anthologie établie et préfacée par Michael Connelly)
Rivages, 2006

Echo Park
Seuil, 2007
et « Points Policier », n° P1935

À genoux
Seuil, 2008
et « Points Policier », n° P2157

Le Verdict du plomb
Seuil, 2009

IMPRESSION : CPI BRODARD ET TAUPIN À LA FLÈCHE
DÉPÔT LÉGAL : JUIN 1996. N° 29678-15 (59268)
IMPRIMÉ EN FRANCE